KB195823

이장호 감독의
마스터클래스

이 도서의 국립중앙도서관 출판시도서목록(CIP)은 e-CIP 홈페이지
(http://www.nl.go.kr/ecip)에서 이용하실 수 있습니다.
(CIP 제어번호 : CIP2013024387)

이장호 감독의 마스터클래스

2013년 11월 20일 초판 1쇄 인쇄
2013년 12월 2일 초판 1쇄 발행

지은이 | 이장호 · 김홍준
펴낸이 | 孫貞順
펴낸곳 | 도서출판 작가
　　　　서울 서대문구 북아현3동 1-1278 (우-120-866)
　　　　전화 | 365-8111~2　팩스 | 365-8110
　　　　이메일 | morebook@morebook.co.kr
　　　　홈페이지 | www.morebook.co.kr
　　　　등록번호 | 제13-630호.(2000. 2. 9.)

편집 | 조량 김이하 이요한
디자인 | 오경은
영업 | 손원대
관리 | 이용승

ISBN 978-89-94815-37-4　03680

* 잘못된 책은 구입하신 서점에서 바꾸어 드립니다.
* 지은이와 협의하에 인지를 붙이지 않습니다.

값 25,000원

이장호 감독의
마스터클래스

대담 _ 김홍준

작가

마스터, 마스터 클래스, 클래스

박종원(한국예술종합학교 총장)

남산 자락의 영상원 시절, 해가 뉘엿 지려는 때에 당대의 유명 영화인들이 수업을 하러 오곤 했다. 그 수업이 마스터 클래스였다.

음악이나 미술계와는 달리 영상원의 마스터 클래스는 분위기가 사뭇 다르다. 하나하나 원 포인트로 교정을 받기 보다는 대가의 숨결을 함께 느끼고 같은 공간에 있다는 것에 기쁨을 느끼며, 소박하게 하나하나 묻는 분위기 속에서 시작하여 마침내 거장은 신참 학생에게 열정을 갈구하고 학생은 거장의 삶의 가치에 귀를 기울이게 된다.

초기 영상원은 마스터 클래스로 생긴 학교나 다름없다. 특히 영상원 영화과의 많은 교수님이 영상원이 생긴 이후 초기에 마스터 클래스라는 형식의 수업을 통하여 학생과 대면을 시작하였고 그 마스터들이 교수가 되었고, 그 수업을 들었던 학생들이 이제는 마스터의 길을 향하여 뚜벅뚜벅 걸어가고 있다.

이러한 우리 학교 영상원에 이장호 감독이 마스터 클래스 수업을 진행하였다.

이장호 감독이라는 거장이 반갑고 마스터 클래스가 반갑고 수업 자체가 또한 반갑다. 나의 영화학도 시절, 시대정신 한복판에 이장호 감독이 늘 계셨다. 우리 사회의 모습을 비추고 늘 새로운 형식과 언어로 영화를 만드는 감독이셨다. 지금도 그때의 열정과 패기가 면면히 흐르는 청년이시다. 수업시간에 발산한 거장의 숨결과, 참여한 학생들의 귀 기울이는 모습이 보이는 듯하다.

　　이장호 감독님과 학생들의 건승을 이 자리를 빌어서 빌며 책이 나와 만들어지기까지 수고한 모든 분께도 감사의 말을 전한다. 거장과 학생에게 감사와 건승!

　　남들이 들으면 내숭 깐다고 할지 모르지만, 나는 정말 이 세상에 태어나 값없이 명예와 돈과 인기를 맛보았고 이제는 나이가 들어 돈은 없지만 행복하다. 거저 얻고 거저 살고 있으니 뻔뻔스럽긴 하지만 이처럼 잘 지내고 있어 더도 덜도 없이 마치 한가위 보름달이 된 기분이다. 다만 아쉬운 것이 있다면 그렇게 주어진 복을 남에게 베풀지 못하고 살아왔다는 점이다. 특히 몇 번의 기회가 주어졌는데도 후학을 가르치는 일에 그만 실기하고 만 것은 두고두고 세월을 우습게 알고 산 죄가 크다. 지난 1995년 중부대학교의 이보연 이사장으로부터 제안을 받아 그해 처음으로 학교 선생으로 임용되었지만 겸손하지 못해 그 기회가 얼마나 소중한지 깨닫지 못했고, 내가 하나님의 덕을 입어 수고하지 않고 값없이 받은 보은의 기회를 그만 그르치고 말았다. 학교에도 죄송하고 선배인 이보연 형에게도 은혜를 갚지 못해 죄송하다. 그 후 전주대학교 박성수 총장님의 배려로 학교를 옮겨 다시 학생들을 10년 더 가르쳤지만 조금도 내 가르침은 진전이 없었음을 뒤늦은 반성을 겸해 이 자리를 빌어 자백한다. 무엇보다도 하나님께 크게 실망을 끼친 점이다. 뜻이 있어 학교로 보내셨을 텐데. 겨우 이런 문장으로 답례를 하다니 내가 정말 밉다.

그런데 정말 내가 왜 학생들을 제대로 가르치지 못했을까? 스스로 안타깝게 생각한다. 실력이 없었을까? 지난 30년 동안 19편의 영화를 만들었던 그 모든 경험을 학생들에게 나누어 주는 일이 뭐 그리 힘든 일이었을까? 영화가 성공했건 실패했건 그 소중한 경험을 학생들에게 간접체험하게 하는 일이 그렇게도 어려웠을까? 그렇게 가끔 자문을 던질 때마다 나는 쉽게 자답을 하지 못했다. 정말 어려운 일이어서 나는 영화를 만드는 일하고 가르치는 일은 다르다고 푸념을 한다. 소위 달란트가 달라 가르치는 것은 또 다른 재능이고 특별한 능력이라고 생각한다. '나는 만드는 재주는 있으나 가르치는 재능이 없다' 라고 단정한다. 그때마다 지난 1987년 동경국제영화제에서 일본 영화계의 거장 구로자와 아키라 감독과 갖게 되었던 질의응답 시간을 떠올리며 스스로 위로한다. 유럽의 어느 질문자가 그 자리에서 거장에게 이렇게 질문했다.

　　"존경하는 감독님. 감독님은 이마무라 쇼헤이 감독처럼 후학을 위해 그들을 가르치는 영화학교를 만드실 의향은 없으십니까?"

　　백인의 그 질문에 거장은 단호하게 이렇게 대답했다.

　　"영화를 가르치다니? 누가 영화를 가르친단 말인가! 영화는 스스로 배우는 것이지 그 누구도 가르칠 수 없소."

　　노老거장의 단호한 어조에는 강한 신념과 철학이 담겨있는 것 같았다. 솔직하게 말하면 나는 구로자와 아키라 감독의 이 영화교육관을 매년 학생들의 졸업작품 상영 때마다 팸플릿에 변명처럼 응용하였다. 제대로 가르치지 못했는데도 잘 자랐고 잘 만들었고 대견

한 만큼 양심의 가책도 커서 언제나 나를 변호하는 말로 구로자와 감독의 어록을 빌렸다. 내가 생각하기에도 썩 좋은 변명은 아니지만 차선의 변명은 되기 때문이다.

그렇다면 나는 스스로 물러나 학교를 그만두어야 한다. 그것이 노老감독 교육관에 찬성을 던지는 완벽한 실천이 될 것이다. 나는 그렇지 못했다. 가책을 느끼면서도 매년 새로운 학생들을 만날 수밖에 없었고 우유부단으로 제대로 가르치지도, 안 가르치지도 못하면서 번민했다. 나는 학생들을 좋아했지만 교육 대상자들로서 그들의 현재 상태를 파악하지 못했다. 정말 그들이 무얼 원하는지, 거기에 맞추어 내가 무얼 가르쳐야 하는지, 그들의 진정한 수준은 또 어떤지, 이렇게 자문자답을 했지만 언제나 빈 소리로 돌아왔다. 낭패였다.

그런데 지난 해 2010년 새학기를 맞으며 나에게 아주 좋은 경험을 할 수 있는 기회가 주어졌다. 한국예술종합학교 영상원에서 신학기를 맞아 한 학기 동안 특강을 요청해 왔다.

그런데 일방적인 강의 형식이 아니라 특별한 수업 방식으로, 우선 내가 만든 영화를 상영하여 학생들과 함께 보고나서 후배 감독인 김홍준 교수가 나에게 질문을 유도하여 내가 생각하는 모든 것을 입으로 토해내게 하는 방법이었다. 내가 미리 준비할 것이 전혀 없는 일이어서 나는 그저 정직하기만 하면 되는 것이었다. 결과는 썩 좋았다. 학생들도 만족했고 나도 만족했다. 그리고 마침내 이 모든 과정을 백서로 만들어 출판하기로 결정했다. 김홍준 교수의 협력이 가장

이장호 감독의 마스터클래스

고맙다. 그는 나의 데뷔시절이었던 1970년대 서울대학교 학생으로 나를 찾아와 내가 편집장으로 있던 《영상시대》의 동인지 일을 도와준 적이 있는 인연으로 그 후 그를 통해 서울대 영화동아리였던 많은 청년들을 알게 되었고, 내 영화 〈나그네는 길에서도 쉬지 않는다〉가 뉴욕필름페스티벌에 초청을 받아 상영했을 때도 일부러 필라델피아에서부터 달려와 폭 넓은 인문학 지식을 활용하여 쉽지 않은 통역을 거뜬히 해주었으며, 귀국해서 감독이 된 후에도 부천국제판타스틱영화제를 처음 만들면서 나를 도와 수석 프로그래머로 영화제를 성공시킨 장본인이었다. 이 책의 출판에 결정적인 도움을 준 것에 감사하고 또 어려운 시기에 기꺼이 책을 만들어 주겠다고 약속을 이행한 손정순 사장에게 또 심심한 감사를 드린다.

함께했던 영상원 학생들을 축복한다.

2013년 11월, 방배동 사무실에서

이장호.

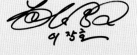

【 차례 】

어제 내린 비(1975년) 연출 시절

_ 프롤로그

여러분들 만나서 정말 기뻐요. 1985년인가? 그 당시엔 이덱IDHEC이라 그랬는데 지금은 페미스La Fémis라 그러죠? 페미스를 방문한 적이 있어요. 1985년만 해도 우리나라에선 천재교육을 시키는 교육기관이 없었는데 그때 갔더니 페미스 교장이 재밌는 얘기를 해주더라고요. 매년 23명에서 27명 정도 프랑스에서 천재들을 뽑는데 그 당시에는 한국사람을 받은 적이 없다 그래요. 중국학생이 한 두어 명 있었다 그리고.

처음엔 막 기가 승해서 자기 잘난 맛에 모였던 친구들이 4천 프랑 갖고 만든 걸 시사하고 나서는 전부 겸손해진다는 거예요. 자기가 최고라고 생각했던 친구부터 시작해서 내가 정말 잘 만들 수 있을까, 하는 아주 소심한 친구까지 평등하고 동등하게 시작을 하게 된다는 거죠. 그런데 졸업작품을 보면 이때는 벌써 직업적인 천재들만 시사회를 하는 것 같은 영화를 보여주는 거예요. 그래서 페미스의 교육방식이라든지 직업적인 영화감독, 직업적인 촬영감독, 조명 이런 사람들하고 같이 영화를 만드는 과정을 듣고 나서, 참 부럽다. 한국에는 이런 거 안 만들어지나… 그런 생각이 있었는데, 그 전통이 이제 영상원에 온 것 같아요. 여러분들은 정말 축복받은 사람들이고 이 축복받은 시기와 기반을 놓치지 말았으면 좋겠습니다. 시작할까요?

1985년 이덱(IDHEC) 교장과 함께

이장호 이전에도 여기 온 적이 있었는데 그땐 수사기관이 있던 장소라 그런지 을씨년스럽고, 왜 이런 데다 예술 하는 사람들을 갖다놨을까 의아했을 정도로 인상이 좋지 않았어요. 아, 그런데 오늘은 오면서 감탄을 했어요. 들어오는 입구의 골목은 좀 좁고 해서 예전 기억대로 나쁜 느낌이 아직도 남아있구나 했는데, 그 생각이 싹 걷혀버리게 양쪽에 아름답게 핀 눈꽃을 보곤 '아, 아깝다. 저거 오늘 하루나 갈까? 곧 사라질 텐데… 정말 좋은 환경에서 공부하고 있구나!' 하고 생각했어요. 그리고 새로 지은 건물을 오늘 처음 봤는데 정말 좋고, 또 살아있는 동안 대한민국에서 가장 천재들만 모아놓은 영상원에서 이렇게 여러분들과 함께 얘기 나눌 수 있는 기회가 너무 고맙고… 이거 녹음이 되나요?

김홍준 녹화하고 있고 녹음도 하고 있구요.

이장호 내가 직접 쓴 책이 없는 편인데 이건 모아놓으면 책으로 만들 수 있을 것 같아. 나도 한번 저작권을 가져봤으면 좋겠네. 하여간 여러분들 만나서 정말 기뻐요. 1985년인가? 그 당시엔 이덱IDHEC이라 그랬는데 지금은 페미스La Fémis라 그러죠? 페미스를 방문한 적이 있어요. 1985년만 해도 우리나라에선 천재교육을 시키는 교육기관이 없었는데 그때 갔더니 페미스 교장이 재밌는 얘기를 해주더라고요. 매년 23명에서 27명 정도 프랑스에서 천재들을 뽑는데 그 당시에는 한국사람을 받은 적이 없다 그래요. 가끔 중국학생이 한 두 명 있었다 그러고.

교육 특징 중에 가장 강하게 인상에 남는 것이 처음에 입학하자마자 4천 프랑, 그 당시 4천 프랑이면 우리나라 돈으로 한 4백만 원 꼴이었던 것 같아요. 학생들을 아직 가르치지도 않았는데 한 사람당 4백만 원씩 줘서 영화를 만들게 한다 그래요. 별난 친구들이 많다는 거죠. 어떤 놈은 8미리로 촬영을 한대요. 어떤 놈은 16미리로 하고 또 어떤 놈은 35미리로 하고. 전부 예산, 결산 능력이 없는 사람들이에요. 자기 생각대로 영화를 만드는데 8미리 찍은 친구는 돈이 남고, 35미리 찍은 친구는 완성도 못하고, 그렇게 해서 프랑스의 각지에서 온 천재들만 모여서 시사회를 해요. 처음엔 막 기가 승해서 자기 잘난 맛에 모였던 친구들이 4천 프랑 갖고 만든 걸 시사하고 나서는 전부 겸손해진다는 거예요. 자기가 최고라고 생각했던 친구부터 시작해서 내가 정말 잘 만들 수 있을까, 하는 아주 소심한 친구까지 평등하고 동등하게 시작을 한다는 거죠. 그 영화를 보여주더라고요. 내가 보기에도 정말 가관이야. 그런데 3년 후에, 거긴 3년제거든요. 졸업작품을 보면 이때는 벌써 직업적인 천재들만 시사회를 하는 것 같은 영화를 보여주는 거예요. 그래서 페미스의 교육방식이라든지 직업적인 영화감독, 직업적인 촬영감독, 조명 이런 사람들하고 같이 영화를 만드는 과정을 듣고 나서, 참 부럽다. 한국에는 이런 거 안 만들어지나… 그런 생각이 있었는데, 그 전통이 이제 영상원에 온 것 같아요. 여러분들은 정말 축복받은 사람들이고 이 축복받은 시기와 기반을 놓치지 말았으면 좋겠습니다. 시작할까요?

김홍준 감독님께서 처음이라 덕담을 해주셨는데 각자 알아서 뜻을 잘 새겨두길 바라고요. 오늘은 아까 말씀드린 대로 감독님께 질문을 드리면 감독님이 말씀을 하시고, 여러분들이 궁금한 것을 질문할 수 있는 시간을 드리도록 하겠습니다. 먼저 분위기를 좀 부드럽게 하기 위해서….

이장호 (마이크가 하나임을 보고)이거 같이 쓰는 건가? 영

• IDHEC 복도의 배우 지망생 사진
•• IDHEC의 실습 Studio

상원 기자재가 이 모양이야?

　　김홍준 학생들이 쓰는 기자재에 좋은 걸 다 주다 보니까 막상 교수들이 쓰는 건 별로 좋지가 않습니다. 제가 이 강의를 준비하느라고 김영진 평론가가 쓰신 『이장호 VS 배창호』 책을 읽어봤거든요. 여기에 나왔던 얘기들을 가지고 감독님 영화 전체의 흐름과 영화인으로 살아오셨던 시대들을, 요즘 세대들은 모르니까요, 여쭤보도록 하겠습니다. 처음 질문은 제가 좀 궁금해서 여쭤볼게요. 거기 보니까 배창호 감독님하고 이장호 감독님이 생일이 같다는 구절이 있던데 공식 기록을 보면 감독님이 5월 5일이고….

　　이장호 5월 15일.

　　김홍준 아, 5월 15일이에요? 양력으로 세세요? 음력으로 세세요?

　　이장호 양력으로.

　　김홍준 양력 5월 15일이요. 그럼 오타네요. 5월 5일로 돼 있길래… 저의 호기심이 해소가 됐습니다. 진부한 질문이겠지만 또 여러 지면을 통해서 알려진 바와 같이 처음부터 영화감독에 뜻을 두신 것이 아니고 신필름의 신상옥 감독님을 만난 것이 계기가 돼서 영화계에 입문하셨는데, 감독님이 생각하시기에 감독님을 영화의 길로 가게 만든 어떤 조짐이 어렸을 때부터 있으셨는지… 어떻게 영화의 길에 들어오셨는지를 먼저 말씀해주시죠.

이장호 재밌는 얘기부터 하게 돼서 참 기쁘네. 우선 배창호 감독하고 나하고는 음력생일이 4월 4일. 한국사람들은 4자 들어가면 불길해 하잖아요. 근데 4자가 두 번이나 들어가는 4월 4일생에, 양력으로는 배창호 감독이 5월 16일이고 난 5월 15일. 5월 16일은 여러분이 잘 알다시피 군인들이 쿠데타 한 날이고, 5월 15일은 스승의 날이에요. 그러니까 의미가 벌써 다르죠. 쿠데타와 스승의 날. 배창호 감독하고는 고등학교 7년 선후배 사이인데 배창호 감독 만날 때부터 뭐랄까, 이 친구하고 나하고는 생일 때문에 운명적이다, 라는 생각이… 어떻게 똑같이 음력 4월 4일이냐.

한국사람들은 난 날을 가지고 사주팔자가 결정된다고 그러는데. 그래서 그런지 둘이서 영화를 만든 시간보다 활동을 못했던 시기가 있었는데, 활동을 못했던 시기에 둘이 같이 오래 지냈어요. 그러다가 이제 배창호 감독이 영화감독이 된 다음에 보니까, 조감독 때는 그렇게 활발하지 않던 친구가 감독이 되니까, 쇼맨십이라든지 그런 것들이 대단하더라고. 텔레비전에 나와서 자기 영화 홍보할 때 보면 좀 비극적으로 느낄 정도로 광적이에요. 저 친구 심해도 너무 심한 거 아닌가 생각이 들 정도로. 나중에 둘 다 활동이 뜸해지면서 보니까 둘의 이미지가 합쳐져서 나쁜 거 좋은 거 다 한 사람이 뒤집어쓰게 됐어요. 날 보면 사람들이 '아! 배창호 감독이시죠? 그래요. 그럼 나는 미친척하고 사인을 배창호라고 딱 써준다고. 근데 나만 그런 줄 알았더니 배창호한테는 '아! 이장호 감독님' 그런대요. 그래서 서로 비슷한 운명을 갖고 살아가는 구나. 둘이 나이 차이가 7년이나 있는데도 동시대에 활동을 왕성하게 하다가 지금은 둘 다 거의 손 놓다시피 하고, 운명적으로 그렇게 같은 시기를 보내는 구나.

배창호가 나한테 처음 어떻게 나타났냐면 배우지망생으로 나타났어요. 우리가 《영상시대》라는 동인을 만들었던 때가 1975년

• 전남 순천에서 〈어제 내린 비〉 시나리오 작업으로 김승옥 형과 함께(왼쪽 첫번째)
•• 신상옥 감독 부부와 함께(왼쪽부터 이장호, 김홍준, 최은희, 신상옥)

인데 조감독과 신인배우를 공모했어요. 하길종 감독, 김호선 감독, 나, 홍파 감독, 변인식, 다섯 사람이 《영상시대》란 동인을 하고 있었는데 그때 배창호가 영화배우로 원서를 냈어요. 그런데 나는 그걸 착각해서 당연히 조감독 부문일 거라고 생각하곤 조감독 쪽에 원서를 집어넣어놨는데 덕수궁에서 인터뷰를 할 때 배창호가 오지 않았어요. 그땐 배창호인 줄도 몰랐고, 우리 고등학교 후배이기 때문에 기대를 했는데 안 왔어. 그 당시에 조감독을 해서 감독이 된 대표적인 사람이 장길수 감독이 있고 또 누가 있나, 신승수. 근데 배창호가 안 왔어요. 나중에 배창호를 다시 만나게 되지 않습니까? 그 이야기를 배창호가 먼저 꺼내요. 자기는 배우 하려고 원서 보냈는데 조감독으로 인터뷰하라고 연락이 와서 기분 나빠서 안 왔다는 거예요. 너도 배우지망생이었냐? 나도 배우지망생이었는데. 둘이 운명이 비슷한 뭔가 있구나.

　　나는 영화감독이 되기 전에 아버지가 신상옥 감독님을 만나게 해줬어요. 아버지가 생각하기에는 내가 이렇게 대학생활을 하면서 너무 공부에 재미를 못 붙이니까 영화배우를 시켜야겠다고 생각하신 것 같아요. 그래서 신상옥 감독을 만날 테니까 같이 가자고 해서 상당히 기대를 했습니다. 나는 신상옥 감독이 내 얼굴을 찬찬히 들여다보면서 '아, 이거 마스크가 좋은데 배우 시켜야겠다' 이 소리가 저절로 나오리란 상상을 하고 신상옥 감독을 만났죠. 만났는데, 신상옥 감독과 만난 시간이 한 30분 정도 됐는데 그 사람이 들어올 때 날 한번 흘깃 보고는 그 다음엔 날 한 번도 안 쳐다봐요. 그러고 아버지하고 계속 얘기를 하는데 다 끝날 때쯤 돼서 가려고 하니까 그제야, "아참, 너 영화관에서 뭐하고 싶냐?" 그래요. 그때 나한테 어떤 생각이 들었냐면 이미 이 사람이 내 얼굴을 보고 감동하지 않았으니까 배우 하겠다고 그러면 굉장히 수치스러울 것 같아요. 자존심 상했어. 그래서 아직 영화에 대해서 생각해본 적이 없었기 때문에 연출이란 것이 확실하게 어떤 건지도 몰랐는데 나도 모르게 연출을 하겠다. 이 양반이 연출가니까 나도 그냥 자존심이 상해서 연출하고 싶습니다, 그랬죠. 참고로 신상옥 감독님이 배우보다 더 잘생기고 멋쟁이입니다. 그래서 아마도 더 배우 하겠다는 말을 못했던 심리상태가 아니었을까.

어쨌든 그 후로 상당히 험난한 세월을 보낸 것 같아요. 그때 내가 만약 배우 하고 싶습니다, 그랬으면 내가 타고난데다가 열심히 노력을 해서 상당히 안정된 생활로 뭐, 안성기보다 훨씬 잘됐을 텐데. 그때 말을 잘못해가지고 험난한 길을 걸어왔던 것 같습니다. 영화를 굉장히 좋아는 했는데 내가 영화를 만들리라고는 상상을 못해봤어요.

어렸을 때 저희 아버지는 영화검열관이었습니다. 그러니까 대한민국 정부가 수립되면서 공보처, 지금은 문광부가 되는데 그 당시엔 공보처예요. 아이러니컬하지만 우리 아버지가 검열하는 사람이었는데, 그 당시 미국에 매카시 광풍이 막 불 때 채플린이 사회주의자다, 해서 이승만 정권에서 채플린 영화를 일반인들에게 공개를 하지 않았을 때거든요. 우리 아버진 채플린을 좋아하니까 채플린 영화검열을 하면서 가족들을 다 데려가서 보고 그랬는데, 나는 그전에 이미 어렸을 때 수많은 흑백영화를 이런 시사실에서 아버지가 검열하실 때 아버지 무릎에 앉아서 봤던 기억이 나요. 영화라는 것은 나한테 어떻게 보면 너무 익숙한 것이었고, 우리 집에는 6·25 전에 늘 필름이 돌아다녔는데, 필름을 이렇게 끝없이 펼쳐보게 되잖아요. 보면 똑같은 모양이 그 안에 담겨 있어서 참 지루하다고. 자꾸자꾸 풀어보잖아요, 변화가 있나 없나.

어렸을 때 그런 기억이 있고, 좀 커서는 어디서 들어왔는지

아버지 이재형과 함께

모를 시나리오들이 집에 굴러다녔어요. 우리 아버지가 다큐멘터리 영화를 수입하기도 했는데, 그런 필름들을 말하자면 적군이 쳐들어오면서 우리 아버진 그걸 숨겨야 했어요. 왜 숨겨야 했는진 모르지만 많은 필름들을 마당에다 쌓아놓으니까 엄청났다고. 그 당시에 셀룰로이드필름은 성냥을 탁 그어서 붙여놓으면 폭발하듯이 '펑!' 하고 터지면서 일제히 불에 타버리거든요. 뭐 그런 기억들 저런 기억들이 있는데, 영화감독이 된다는 생각은 못했어요. 일상에서 느꼈던 건지 그러다가 아버지가 너 영화 해봐라, 그런 것이 영화배우를 해보라는 것이었지 영화감독은 아니었거든요. 그런 인연으로 영화를 하게 됐습니다. 좀 장황했나?

김홍준 아니요. 전혀 장황하지 않구요. 더 장황하셔도 됩니다. 또 차차 그런 얘기들은 저희가 감독님 만나면서 불쑥불쑥 나올 거라고 믿고요. 일단 그때 신필름에 입사를 하셨는데 젊은 학생들은 한국영화사를 전공하지 않는 한 옛날 일은 모르거든요. 자료에 보면 1965년 감독님이 만20살에 신필름에 입사하셨는데, 신필름이라는 회사가 어떤 회사였으며 그 당시에 한국영화산업이 어떤 구조였는지 간략하게 말씀을 해주시죠.

이장호 주관적으로 얘기하기 때문에 실제와 다를 수도 있고 여러분들 입장에서 차근차근히 폭넓게 그 당시의 영화 실정을 얘기해주지 못하는 것이 아쉽네요. 제가 막 들어갔을 때가 1965년이었는데 그때 영화계가 어떻게 돼 있었냐면, 여러분들 숫자는 믿지 마세요. 충무로라는 군소 영화제작사들이 내가 알기로는 한 50에서 80여 개의 군소 영화제작 사무실들이 있었고 용산 삼각지에 신필름이라는 회사가 있었는데, 대한민국에 그 당시 영화제작 편수의 비율을 보면 충무로가 60~70%정도를 하고, 신필름에서 나머지 30%를 만들었어요.

그런데 신필름엔 전속 연기자와 전속 프로듀서들이 있었고 전속 감독들이 있었고, 어떻게 보면 큰 명문이에요, 제작 명문이고. 나머지 충무로의 군소 업자들은 스튜디오도 함께 쓰는… 스튜디오를 갖고 있는 임대업자가 있으면 거기 가서 스튜디오도 빌려 쓰고 했는데 우리 신필름은 삼각지에 큰 스튜디오를 갖고 있었고 녹음실도 갖고 있었고, 그 안에 60여 명 되는 신인연기자를 양성하는 연습실도 있었고, 그 외에도 주연급 배우들이 전속으로 몇 명 있었어요. 그리고 또 안양 영화촬영소라고 상당히 큰 규모, 처음으로 동양 최대의 스튜디오라고 홍보를 할 정도로 할리우드 시스템 그대로 설계도를 가져다가 한국에다 만들어놓은 거대한 스튜디오가 안양에 있었어요.

그러니까 신필름은 모든 영화가 기획에서부터 마지막 녹음까지 말하자면 포스트프로덕션까지 다 한눈에 볼 수 있는 장소였고. 충무로라는 건 영화판에 들어오고 나서 2년 뒤에나 가봤는데 정말로 군소 업자라고 할 만큼 정말 조그만 사무실에, 사장실이 아마 사무실보다 더 큰 그런 형태였어요. 거기에 운전기사까지 포함해서 한 5명이면 영화사가 되는 거예요. 그런 프로덕션들이 많이 있었는데 그런저런 이유로 신필름 사람들의 긍지는 대단했어요.

내가 갔을 땐 이미 신필름이 조금 쇠퇴해질 때 〈성춘향〉 만들고 또 대작들 〈청일전쟁과 여걸 민비〉 만들고 하면서 제작비가 막 들어가서 그런지, 전에는 월급을 받는 직원만 200명이었다는데 그것만 봐도 규모가 다르죠. 그런 거대한 조직이니까 우리 신상옥 감독님은 자기 연출부가 누군지 잘 몰라요. 이미 한 3팀인가 있었던 것 같은데, 그중에 나 한 명이 들어가서 밑바닥에 있으면 내가 왔는지 안

왔는지도 모르죠. 촬영현장에 있는지 없는지도 모르고. 그런 조직 속에서 한국영화는 막 흑백영화가 전성기였을 땝니다. 컬러영화로는 신상옥 감독님의 〈성춘향〉하고 홍성기 감독님의 〈춘향전〉. 그걸 갖고 처음으로 대중화시키려고 제작하던 시기여서 신상옥 감독님 외에는 컬러를 제작하지 않고 전부 흑백이었어요. 제가 신필름에 들어가서 2년 지나고 충무로에 한 번 외도를 해봤는데 그때 충무로는 흑백이었고 신필름은 전부 컬러였어요. 여러분들이 아직 배웠는지 안 배웠는지 모르겠지만, 충무로에서 16미리 러시필름을 뽑았을 때 신필름에서는 35미리 러시필름을 뽑아서 사용을 했고. 그렇게 말하자면 제작 시스템이 할리우드에 비하면 대규모는 아니지만 200명 정도 월급을 주는 큰 규모의 제작회사 꼴을 갖추고 있으니까 신필름 사람들의 자존심이 높았을 땝니다.

그 높은 자존심의 정점이 신상옥 감독님이었죠. 신상옥 감독이 갖고 있던 프라이드가 곧 우리한테 전해졌고요. 아, 200명 월급 받는다고 그러지만 1년에 월급 받는 날은 뭐 석 달이나 넉 달 될 거예요. 나머지는 임금이 체불돼서 직원들의 생활이 상당히 어려웠는데도 신상옥 감독이라는 프라이드 때문에 그걸 이겨냈던 겁니다. 지금도 신필름 모임이 따로 있어요. 한번 모이면 지금도 한 사오십 명. 사람이 많이 죽었는데도 한 사오십 명이 모이고, 신상옥 기념사업회를 유지할 수 있는 것도 그런 사람들이 다들 협조해주고 참여해줘서 잘 이뤄지고 있는 것 같습니다. 또 나머지 부족한 건 두고두고 얘기합시다.

김홍준 감독님 조금씩 쉬어 가시게 제가 옆에서 잠깐 보충을 하자면, 한국영화사가 사실 한마디로 질곡의 역사라고도 볼 수 있는데요. 한국영화가 산업적으로는 오히려 지금 못지않게 활발한 면이 있었지만 한편으로 표현의 자유나 이런 것들은 군사정권 독재 하에서 굉장히 힘들었어요. 정말 요즘의 인디프로덕션만큼도 못한 조건도 있던 영세한 충무로도 있었고, 반면에 임금은 체불됐지만 어쨌든 월급은 나가는….

할리우드의 메이저 스튜디오 시스템을 한국에 한번 건설해보자는 것이 신상옥 감독님의 야심이었던 것 같아요. 그리고 당시의 한국적 상황에서는 물론 여러 가지 요소들이 있고 여러 가지 얘기들이 있지만, 어느 정도 그것이 현실적으로 가능하다면 가장 가능한 형태로 보여주신 것이 아니었나, 그런 생각이 들고요. 신필름이라는 회사는 지금도 법적으로 존재를 하고 있구요.

또 제가 개인적으로 신필름에 대해서 가지고 있는 경이로운 존경심은, 사실 60년대 한국영화들이 남아있지 않은 것들이 많은데 신상옥 감독님이 직접 제작하신 영화들은 전부 네거티브가 다 보존이 돼 있어요. 일찍부터 단순히 영화를 돈 버는 수단, 산업으로만 생각한 게 아니라 그것 자체가 가지고 있는 보존되어야 하는 가치 같은 것을 먼저 생각하신 거죠. 알면 알수록 진짜 끝이 어딘지 알 수 없는 분이 신상옥 감독이신데, 한번 여러분이 그림을 그려보세요. 200명의 직원이 근무하는 한국영화의 메이저이자 신상옥 감독이라는 카리스마 넘치는 대표가 있고 거기에 기라성 같은 군대보다도 엄격한, 원래 충무로가 무서운 데거든요. 그런 서열 속에서 이제 약관 20세의 청년이 바로 그 마지막에 들어갔을 때, 거기서 오늘날의 이장호 감독님의 모습을 과연 상상할 수 있었을까.

그러면 신상옥 감독님 연출부를 하실 때 구체적으로 에피소드라든지 연출부의 하루 일과가 어땠나요? 감독님이 〈별들의 고향〉으로 데뷔하시기 위해서 신상옥 감독님의 슬하를 떠나실 때까지 굉장히 오랫동안 신필름에 주로 몸을 담고 계셨는데, 거기는 지금과는 다른 도제 시스템이잖아요. 스승 밑에서 현장 경험을 쌓으면서 때가 되면 써드에서 세컨, 세컨에서 퍼스트 그 다음에 이제 감독이 되는 그런 시스템이었는데, 주로 연출부에 계시면서 어떻게 생활하셨고 거기서 뭘 배우셨는지 그 얘기를 좀 해주시죠.

이장호 참 옛날에 지긋지긋했던 일들이 새록새록 생각이 나는데, 우선 그 당시의 신필름은 역사물들을 계속해서 만들어냈어요. 신상옥 감독님 영화가 그 당시엔 뭐 〈연산군〉, 〈대폭군〉, 하다못해 6·25 이야기도 〈빨간 마후라〉라든지 이런 것들이 전부 역사물인데, 그러다보니까 신필름에는 다른 영화사에 없는 소품창고와 의상창고가 있었어요. 굉장히 규모가 크다고. 처음 신상옥 감독님이 누굴 소개시켜 줬냐면, 막 영화감독으로 데뷔한 나봉한 감독이라고 나운규 감독의 자제였어요. 나봉한 감독, 임원식 감독 두 사람이 신상옥 감독의 조감독 출신인데, 신상옥 감독 자신이 거의 다 영화를 찍어놓고 두 조감독의 이름으로 발표를 했어요. 그게 〈청일전쟁과 여걸 민비〉라는 영화인데 감독이 두 사람으로 돼 있어요.

그런데 나봉한 감독 밑에 나를 넣어줬어요. 처음에 뭘 배우게 하냐면 의상창고에 데리고 가요. 역사극을 하려면 의상이 있어야 하는데 신분과 계층에 따라서 옷이 다 다르고 소도구가 다 다르거든요. 그걸 배워야만 연출부로서 일을 할 수가 있어요. 그게 얼마나 복잡한지 몰라요. 궁중에서는 흉배를 달아야 하는데, 무관은 어떤 그림이고 문관은 어떤 그림이고, 여러분 사모라는 거 알죠? 사모에 달린 뿔의 크기도 다르고, 옷 색깔은 붉은색과 청색, 신발 신는 거, 또 군관의 모습, 포졸의 모습, 여러 가지 복잡한 모습들을 다 배워야만 현장에서 뛸 수가 있으니까 그걸 해야죠. 그걸 하는데 석 달이 지났는데도 어두운 창고에서 만날 그 심부름이나 하게 되니까 드는 생각이 '차라

신상옥 감독

리 학교 그냥 다닐 걸' 하는 생각이 들 정도로 후회가 생기기 시작했어요.

그러다 드디어 몇 달 만에 나봉한 감독이 크랭크인하는 영화에 투입되기 시작했습니다. 처음 연출부에 들어가서 로케이션 나갈 때 반드시 준비해야 하는 것은, 여름에 마트에 가보면 팥빙수에 들어가는 팥을 캔에 넣어서 팔잖아요. 그거 알아요? 큰 캔, 이만한 거요. 주름이 잡힌 캔이 있는데 그 캔을 꼭 준비를 해야 돼. 거기다 철사를 묶어가지고 밑에 구멍을 뚫어서 숯불을 피워놓는 거예요. 그걸 어디다 쓰냐면 연막을 피울 때 써요. 그 당시엔 흑백영화가 많을 때니까 사극 촬영 나갈 때는 새벽 분위기를 낸다든지 구별을 하기 위해서 안개를 뿌려야 되는데, 깡통에 숯불을 피워 막 돌려서 불을 피운 다음 거기다가 연막탄을 집어넣으면 연기가 쏴악 나잖아요. 그걸 갖고 뛰어다녀야 돼. 근데 그걸 꼭 연출부 막내가 하는데, 우린 그걸 보고 바보깡통이라 그랬다고. 왜냐면 촬영기사하고 감독이 딱 앉아서, "야! 저쪽에 연기 없다. 저쪽에!" 그러면 그리로 뛰어가서 막 뿌리고 또 "이쪽에 없다!" 그러면 또 뛰어가고, 그거 뿌리다가 시간 다 가잖아요. 카메라 입장에서 보면 어디가 비었는지 아는데 정작 뛰어다니는 놈은 어디가 비었는지 카메라 앵글을 모르니까 엉뚱한 데다 막 뿌리면 또 욕먹고, 참 재밌어요. 바보깡통 돌릴 때 보면, 감독하고 촬영기사만 뭐라 그러는 게 아니에요. 거기 서 있는 놈들은 다 뭐라고 지시한다고. 한 놈이 얘기하면 괜찮은데 이놈은 저리 가라 하고 저놈은 이리 가라 하고, 그러니까 바보가 될 수밖에 없죠.

처음 연출부에 들어가 생활을 하게 되면 바보 소리를 두 번 들어야 되는데, 바보깡통 돌리는 거 하고 또 하나는 뭐냐면 넘버보드 있죠, 슬레이트. 그 당시엔 필요 없었는데 동시녹음도 아닌데 그걸 꼭 해야 했어. 그걸 치는데 지금 동시녹음 할 때처럼 카메라 앞에 정확히 대는 게 아니고, 뭐 가까이 있을 때는 배우 코앞에도 대야 하고 이것도 앵글을 잘 알아야 하는데 처음 들어온 놈이 뭘 알아요? 그냥 적당히 대면 그걸 갖고 '좀 더 뒤, 좀 더 뒤' 말이 많아요. 그러다가 배우 코에라도 닿으면 또 배우가 신경질내고. 그 두 가지 일을 처음 맡게 돼요.

그런 촬영현장에 투입돼서 나봉한 감독 밑에서도 하고 그러다 신상옥 감독 밑에서 4년을 했는데요. 신상옥 감독님 때문에 제가 신필름에 들어왔잖아요. 신상옥 감독님이 내 이름을 그때까지 한 번도 부른 적이 없어요. 그냥 '야' 아니면 '이 새끼'. 나는 그 사람이 내 이름을 알고 있을 줄 알았는데 '아, 저 사람이 정말 내 이름을 모르는구나' 하는 걸 4년 지나서 〈내시〉라는 영화를 녹음할 때 알았어요. 지금도 비슷할 텐데 감독이 앉아있는 주조종실하고 성우들이 들어가 있는 룸하고 통제가 돼 있죠. 조감독하고 감독하고는 주조종실에 있고 세컨은 룸 안에 있는데, 나는 그때 세컨 능력이 있어서 세컨이 된 게 아니라 사람이 모자랐어요. 그래서 룸 안에 들어가서 성우들이 후시녹음 하는 걸 도와주고 그랬는데 그때 신상옥 감독님이 그러더래요. 저놈 이름이 뭐냐고. 그래서 퍼스트가 "쟤가 바로 아버지가 아무개였던 그 양반 아들입니다" 그랬더니 "아, 저 새끼가 그 새끼야?" 그러더래요. 그래서 저 사람이 내 이름을 모르는구나. 참 서운하더라고요. 4년 동안 감독님 밑에서 일했는데 항상 이름은 안 부르고 "야!", "인마", "이 새끼", "저 새끼" 그래서 그냥 이름 안 부르고 저러는 게 저 사람 습성인가보다 했는데 이름을 몰라서 못 불렀던 거죠.

그러다가 나를 감동시킨 일이 있었어요. 〈전쟁과 인간〉이라고 그 당시의 제목은 〈조선인〉이라는 사극이었는데 강원도 임계라고 백봉령이 있는 데 촬영을 갔어요. 영화의 마지막은 여주인공이 절벽에서 떨어져 죽는 장면이었어요. 절벽 위에서 마네킹을 떨어뜨려야 돼요. 감독이랑 스태프들은 밑에 강가 계곡에 있고, 당시에 신상옥 감독 조카가 '예장사'라는 소품회사의 사장이었는데 마네킹을 들고 그 친구하고 둘이 산길을 빙 돌아 절벽 위로 올라갔습니다. 절벽에 서서 무서우니까 조심스럽게 마네킹을 세워가지고 툭 던졌죠. 그것도 사인을 받고 던져야 하는데, 밑에서 감독이 손을 내리는 신호를 주길래 던졌어요. 근데 이게 멋있게 떨어져야 되는데 그렇게 안 되고 중간에 소나무가 하나 있는데 거기에 딱 걸렸어요. 4년 동안 일한 경험으로 봐선 밑에서 '저 새끼 등신 같은 새끼 저러고도 라면을 처먹나' 뭐 이런 가슴 아픈 욕이 막 들리는 것 같아요. 할 수 없이 비상대책으로 로프를 내 몸에다 묶고, 소품회사 사장이 로프를 잡고 바위를 한 번 감고 바위 뒤로 가 있는 거예요. 나는 완전히 그것만 의지하고 절벽을 내려갔어요. 그렇게 내려가서 겨우 발끝으로 소나무에 걸린 마네킹을 밀어서 던졌어요. 목숨을 건 거죠.

그러고 내려갔는데 가 보니까 스태프들은 다음 촬영장소로 다 떠났고, 지프차가 한 대 있는데 감독님이 거기 지프차 옆에 서있어요. 헐레벌떡 뛰어 갔더니 "수고했다. 장호" 그러시더라고요. 아! 그 소릴 듣는 순간 그냥 눈물이 왈칵 쏟아지면서 내가 감독님한테 드디어…! 나 지금 눈물 나는 거 봐, 그 생각하니까…. 그리고 감독님께서 먼저 차에 오르시더라구요. 지프차는 대개 높은 사람이 앞에 타게 돼 있는데, 자기가 먼저 안으로 슥 들어가더니 타라고 그러더라고요. 그래서 앞좌석에 탔지요. 탔더니 그 겨울에 숨이 차니까 나 때문에 서리가 꽉 껴서 앞창이 안 보이잖아요. 그러니까 단번에 본성으로 돌아갔어요. "이 새끼 뭐 큰일 했다고" 그런 일이 있은 다음부턴 한 번도 '야'란 소리 안 하시고 꼭 '장호'라고 부르시더라고요. 그 사람 눈에 띄기가 그렇게 힘들었다는 그런 생각이 들었어요. 당시 녹음 스튜디오의 주종실 안에서는 음악 하는 사람이 음악을 계속 돌리고 하는 걸

빈대떡이라 그랬어요. 왜냐면 작곡한 게 아니고 전부 남의 음악을 막 쓰는 거란 말예요. 빈대떡이라 그래서 이만한 롱플레이판 엘피판을 다 맞춰놓고….

김홍준 그러니까 믹싱 개념이 없이 한 번에 가는 거예요.

이장호 어. 그 당시에는 미련하게 천 자 롤을, 천 피트 롤을 한꺼번에 가는 거야. 그러니까 좌악 가다가 어떤 놈이 NG를 한 번 내면은 작살나는 거야. 성우도 긴장해 있고 연출부도 긴장해 있고 효과도 긴장해 있고 음악 하는 놈도 긴장해 있고 전쟁이라고 전쟁. 재밌는 얘기가 있는데 내가 겪은 건 아니고 내 선배가 겪은 건데요. 어디 가면 성우 하나가 꼭 틀리는 거예요. 그게 세 번인가 NG가 나니까 모두 긴장을 해가지고 그 대목만 넘어가길 바라는 거지. 근데 우리 선배 조감독이 좌악 보다가 무사히 넘어가니까 "아! 이제 됐다!" 이게 들어간 거야. 자기는 너무 기뻐서 이제 됐다고 말했는데 뒤에 아직도 녹음할 게 많이 남았잖아. 그게 또 NG야. 그런 식으로 참 무식하게 했던 녹음 풍경이 있었고.

김홍준 녹음도 그땐 사운드 네거티브가 없었죠?

이장호 아니야. 마그네틱에다 해서 나중에 더빙을 하는 건데. 그 당시엔 촬영을 나가면 통금시간이 있을 때잖아요. 통행금지가 있었단 게 잘 상상이 안 갈 건데, 새벽 4시가 돼야 서울 전체에 통금이 해제되고 밤 12시면 지금부터 통금이라 해서 사이렌이 울려요. 신필름이 삼각지에 있었는데 동작동 국립묘지 지나서 시골길 논밭을 지나 말죽거리를 거쳐 과천의 어린이대공원 있는 데를 그 당시엔

'막계리'라고 했지. 거기 가서 촬영을 하려면 삼각지에서 5시에 떠나야 돼요. 5시에 집합해서 아침에 해장국들 먹고 나면 막계리에 도착하는 시간이 9시 반 아니면 거의 10시. 그럼 뭐 그때부터 부지런히 준비를 하면 12시에나 크랭크인에 들어가곤 했거든. 그러니 삼각지에서 어린이대공원까지의 거리가 지금 아무리 늦게 가도 30분이면 갈 텐데 그 당시에는 6시에 출발해서 거기 9시나 돼야 도착했다고, 3시간이 넘게 걸렸어요. 서울에서 가장 가까운 로케이션으로 지금 과천 어린이대공원 있는 데하고 삼성동 봉은사로 촬영을 많이 다녔어요. 내 최초의 촬영장소가 봉은사였어요.

잊지 못할 추억은, 김혜정이라는 유명한 글래머 여배우가 있었는데 이 배우가 옷을 다 갈아입고 꽃신 딱 신고 산꼭대기에 올라갔는데, 봉은사 산꼭대기래야 지금 경기고등학교 그쪽이겠네. 다 올라갔는데 김혜정씨가 내 정신 좀 봐, 그러더니 자기 하이힐을 밑에다 벗어놓고 왔다고 하는 거야. 눈치를 보니까 뛸 사람이 나밖에 없어요 (웃음). 그래서 막 뛰어내려오면서 참 서럽더라고, 내가 여배우 하이힐까지 챙겨야 하나. 그 장거리를 올라가갔다가 내려와서 다시 올라가야 하잖아요. 그런 기억이 나네요. 주로 재밌는 얘기만 했네.

김홍준 그래도 추상적인 얘기보다 생생하고 구체적인 얘기 속에서 그 시대가 느껴지네요.

이장호 시대극 로케이션에선 전봇대 같은 걸 다 피해야 되잖아요. 또 뭐가 있냐면 바위에 '김복동' 뭐 이런 이름을 써놓은 거 있죠. 지금은 그런 걸 별로 안 보이던데 그 당시엔 사람들이 왜 그렇게 바위에다 자기 이름을 써놨는지, 사극에 그게 나오면 안 되잖아요. 그러니까 꼭 갖고 다니는 게 뭐냐면 석회하고 먹물을 섞어 회색을 만들어서, 바보통하고 그거는 필수예요. 도착하면 제일 먼저 그걸로 이름부터 지우는 거예요, 바위 색깔하고 비슷하게. 바보깡통도 잘못해서 새벽신 아닌데 불 펴놓고 막 돌리면 "야, 얘 봐라. 이 자식이 정신이 있니 없니? 새벽신 아닌데 왜 연기 피우려고 그래(웃음)"….

김홍준 감독님은 바보깡통이라고 불렀던 모양인데요. 사실 제가 옛날 충무로의 완전히 끝물을 경험한 사람 같아요. 1991년부터 1994년까지 연출부에 있을 때, 그때 저희는 그걸 쪼다통이라고 했어요. 제가 학문적 호기심이 왕성하기 때문에 소품 하시는 오래된 선배님께 아마 김호길 선생님이었던 것 같은데 "선생님 왜 이게 쪼다통입니까?" 여쭤봤더니 굉장히 진지하게 "아무리 유학을 갔다 오고 대학을 나왔어도 이걸 돌리고 있으면 쪼다로 보이기 때문이야(일동웃음)."

이장호 쪼다란 말 알아요? 쪼다란 말 요즘 안 쓰는 것 같던데.

김홍준 아무튼 그랬고, 60년대 한국영화는 지금은 낭만적으로 얘기되지만 사실은 어떻게 보면 굉장히 살벌한 현장이었어요. 그 60년대 충무로 한국영화의 시스템도 시스템이지만 그 안에서 어떤 사람들이 영화판에 있었는지를 말씀해주시는 것도 재밌을 것 같은데, 왜냐면 모 선배의 스태프 분께 이런 얘기를 들었어요. 60년대에 전쟁영화를 많이 찍었는데요. 전쟁영화를 찍으러 가면 장군부터 다 나와서 "아, 영화팀 오셨습니까" 하곤 했는데, 옆에서 그 모습을 보고 있으면 되게 웃기는 게, 막상 그 장군들을 만나서 영화를 찍으려는 영화 스태프 중에는 군대를 제대로 갔다 온 사람이 거의 없다고. 그러니까 충무로 스태프가 되면 주소불명이 되고 행방불명이 돼

가지고 영장을 전달할 길이 없어지는 거예요. 그래서 어영부영하다 보면 나이가 차서 면제가 되고, 아무튼 그랬던 시절이라고 하는데요. 그렇다고 병역기피의 수단으로 충무로를 악용한 건 아니고 열심히 영화를 찍다보니 어디 가 있는지도 모르고 이랬던 시절이었던 것 같아요. 영상원 학생들도 비슷한 것 같아. 근데 군대는 다 가더라고. 하여튼 감독님 그 시절의 분위기를 좀 말씀해주시죠.

이장호 그건 사실이에요. 내가 바로 군대를 못 갔는데 집에를 안 들어갔으니까, 영장 통지도 받지를 못했고. 우리 김감독이 그 유학 이야기를 하니까 생각이 나서 그런데요. 어떤 친구가 나 이전에 왔었는데, 촬영현장에 나왔는데 아주 단정하게 넥타이까지 탁 메고 왔대요. 근데 사극 촬영현장에 넥타이 메고 왔으니 옆의 사람들이 얼마나 웃었겠어, 속으로 깔보고. 가자마자 "야 너 이 지게 메라(웃음)." 넥타이 메고 지게 메고 산을 올라가서는, 그 친구는 그날 한 번 나오더니 안 나오더래. 그 얘기가 생각이 나고.

김홍준 감독님이 연출부 하시던 60년대 그 시절에 영화검열에 대한 것이 어떤 것이었는지, 70년대 유신정권이 들어서면서 더 심해졌는데요. 또 나중에 감독님도 작품을 찍으시고 제작을 하시면서 훗날 검열과 부딪히게 되시는데, 그 당시의 검열에 대해서 본인이 혹시 연출부 때 느끼셨던 점이 있으셨는지요?

이장호 나는 그 당시에 조감독이니까 검열의 심각성은 몰랐는데 제일 중요한 게 뭐냐면, 영화제작을 허가받은 사람들이 상당히 길들여져 있었을 때라고. 1960년에 쿠데타가 일어나서 60년대 말쯤 되면 이미 한국영화의 리얼리즘이 사라진 다음에 제작자들이 굉

장히 길들여져서, 또 저항세력이 영화 쪽에는 없어서 오히려 검열에
는 편하지 않았을까. 자르란 데 자르고 미리 다 각오가 돼 있고 또 사
회가 여배우 노출에 대해 크게 욕심낼 때도 아니고, 내가 연출부 하
던 시절엔 키스신을 솔직하게 보여주는 영화가 없었어요. 키스하려
면 다 남자가 슬쩍 몸을 돌려 등으로 여자 얼굴을 가리고 촬영을 했
으니까 입술이 닿는지 안 닿는지도 모르고.

　　　김수동이라고 상당한 엘리트 감독이 있었어요. 우리나라 원
로 언론인 김을한 선생의 아들인데 일본 도에이영화사에서 조연출
을 하다가 신상옥 감독님이 스카우트해서 한국에서 영화를 만드는
데, 아마 게오르그의 소설을 영화로 만든 〈제8요일〉이란 작품이었
던 것 같아요. 촬영하다 소도구로 키스하는 사진이 필요해서 사진을
구해오라고 하니까, 영화에서 키스에 대해서 익숙지 않을 때여서 그
랬는지 순진한 제작부 친구가 막 소품창고로 뛰는가 싶더니 다시 돌
아왔어요. 이 친구 하는 말이 난센스에요. "몇 명이서 하는 겁니까?"
신필름의 아주 유명한 일화였는데(웃음) 여러분은 이해가 안 되죠?
영화에서 섹스 장면이 솔직하지 않을 때니까 검열이 뭐 노출이나 이
데올로기나 이런 것 같고 염려할 때가 아니었죠. 오히려 그땐 뭐가
제일 중요했냐면 농촌의 초가집이 나오면 잘랐어요. 사극 외에 농촌
의 초가집은 박정희 대통령 때 새마을운동으로 모두 슬레이트로 바
꾸라고 해서 그런 장면은 용납이 안됐어요. 그러니까 그런 것들 외에
가난한 묘사, 남한의 가난한 모습들이 영화를 통해 북한에 소개되면
이적 행위라고 해서 가난한 모습을 그리지 못했고. 저절로 리얼리즘
이란 기초부터 싹을 잘라 버리고 그런 것들이 검열 대상이었죠. 키스
신에서 노골적으로 혀를 사용한다든지 이런 거는 〈별들의 고향〉이
처음이었을 거예요. 그래서 화제가 됐으니까. 지금 생각하면 촌스러
운 시대죠.

김홍준 그만큼 용기를 가지고 사회적으로 지탄받을 것을 각오하시고 연출을 하신 거네요. 감독님한테 저도 들은 얘기가 있는데 60년대 한국영화뿐만이 아니라 한국사회 전체의 상황이 그랬겠죠. 감독님이 신필름에 들어오셨던 1965년의 자료를 봤더니 〈저 하늘에도 슬픔이〉가 개봉을 했더라고요. 〈저 하늘에도 슬픔이〉는 이창동 감독님이 엑스트라로 출연하신 걸 혹시 아세요? 대구에서 초등학교를 다니셨는데 자기 학교에 와서 찍을 때 엑스트라로 나왔다고, 그래서 "내가 영화 경력이 좀 돼" 이렇게 말씀을(웃음)….

그런데 〈저 하늘에도 슬픔이〉 때문에 생긴 제도가 있었어요. 지금은 없어졌는데 감독님도 나중에 영화사 하실 때 외국영화제나 영화 수출하실 때 검척제도라는 게 있었죠. 그게 뭐냐면 외국에 영화를 수출하거나 영화제에 영화를 내보낼 때 세관에서 그 영화 필름의 길이를 재요. 나중에 그게 한국으로 꼭 들어와야 되고 들어올 때 다시 길이를 재서 그 길이가 안 맞으면 영화사가 진상을 파악해야하는 거죠. 〈저 하늘에도 슬픔이〉 때문에 그렇게 됐단 말을 들었어요.

〈저 하늘에도 슬픔이〉가 여러분은 모르겠지만, 그 당시에 윤복이라는 어떤 소년이 너무나 가난한데 병든 아버님과 거지 생활을 하면서 가족과 연명하다가 일기를 쓴 게 선생님 눈에 띄어서 일기가 출판이 돼요. 온 국민을 그냥 눈물바다로 만들었고 김수용 감독님이 영화로 만들어서 영화도 성공을 했고. 문제는 그 영화의 내용이 그렇다보니까 그 안에 가난한 사람들의 모습과 윤복이가 구걸하고 다니는 게 다 찍혔는데요. 그 필름이 홍콩인가 어딘가 수출이 됐는데 최종 종착점이 평양이었던 거예요. 평양에서는 그걸 가지고 재편집을 해가지고 '남반부 조선의 참상을 보라' 이렇게 해서 영화가 만들어지니까 발칵 뒤집혀 가지고. 그래서 그 다음부터 외국에 나가는 한국영화에서 그런 부분들만 북한에서 악용할 소지가 있다고 해서 못 나가게 하고 검사를 하고 아예 발본색원해서 심지어 못 찍게 하고.

그러니까 60년대 중반만 하더라도 그 당시 영화들을 보면 상당히 표현의 자유가 있었단 생각이 들어요. 지금 말씀하신 것처럼 섹스 장면이나 폭력 장면이 요즘 영화처럼 수위가 높지 않은 것은 검열보다는 사회적 통념에 반했기 때문인데 비해서 정치적인 것, 있는 그대로의 가난한 현실, 예를 들어 〈오발탄〉이나 그런 영화들은 벌써 60년대 후반으로 오면 아예 제작이 불가능해지는 거죠. 표현을 할 수가 없으니까. 그러한 우리사회의 어두운 면이나 이런 것들을 있는 그대로 보여줄 수 있었던 것은 비로소 80년대나 와야 가능해졌고, 이제 우리가 이후에 보게 될 이장호 감독님의 작품들이 거기에서 또 가장 앞장서 치고 나갔던 그런 영화들이고. 그 얘기는 그때 또 우리가 나눌 것 같습니다.

이장호 내가 연출부 막내에서부터 데뷔를 해서 내 영화사를 차리기 전까지만 해도 한 20년 동안은 한국영화 기자재가 굉장히 가난했거든요. 어느 정도로 가난했냐면… 어저께 우리 학생들 카메라 갖고 이 얘기 저 얘기 하다가 생각이 났는데, 아리플렉스Arriflex를 배터리로 돌리잖아요. 근데 어느 촬영현장에나 촬영하다가 꼭 배터리가 다 돼서 NG가 나고 다시 재촬영해야 하고 그랬는데, 그때마다 아주 익숙한 풍경 하나가 배터리에 문제가 생기면 모두 공통 됐어요. 하나예요. 가서 계속 배터리를 때리는 거야. 이게 접촉불량이 돼서 그 배터리는 이상하게 통째로 고치지 못하는지 늘 촬영현장에 어제 사용하던 배터리 또 갖고 와서 또 NG나면 계속 때리는 거야. 그러면 또 돌아가고.

그걸 내가 조감독 때도 흔히 봤는데 영화감독 돼서 영화사 차리기까지 계속 그것 때문에 고생을 하는 거야. 촬영현장에 나오면 공포 중에 하나가 잘 나가다가 저 자식이 또 멈추지 않을까, 하는 그런 게 있었어요. 그러니까 얼마나 척박했어. 그것이 고쳐진 게 영화진흥위원회의 전신 영화진흥공사가 외국에서 아리플렉스를 새로 수입해 온 거. 다섯 댄가 수입해오기 전까지는 늘 문제가 그거였습니다. 그거 하나도 제대로 고치지 못했고, 영화진흥공사 것을 사 와도 몇 년 쓰면 또 마찬가지고.

김홍준 롱테이크를 찍을 수 없는 거죠, 겁이 나서.

이장호 겁이 나서 롱테이크를 진짜 못 찍어요. 아주 재수 없으면 배터리 때문에 한 3번 NG나서 필름이 다 소모되고, 배우가 한두 번 실수하고. 그러면 400자 캔이라고 그랬는데 필름 400자 깡통 한 통을 다 써버리는 거야. 그러면 또 필름 갈아야 하고, 필름이 마지막에 요만큼 모자라서 그 장면을 또 못 쓰는 거예요. 그러니까 옛날 감독들이 익숙하고 유능한 게 뭐냐면 "됐어!", "오케이!", "잘라 가!" 이게 흔히 쓰는 방법이에요. 왜냐면 자기가 계획했던 데서 뜻하지 않은 NG, 필름이 모자랐다든지 배터리가 고장 났다든지 뭐 이런 거는 잘라서 그냥 이유도 없이 클로즈업 들어가는 거야, 이어나가려고. 무슨 얘기인줄 알겠죠?

그런 것이 그 당시 감독들이 흔히 하는 짓이고. 여러분들이 지금은 영화 한 편 촬영을 어떤 사람은 30번에서 어떤 사람은 60회 촬영을 한다는데, 그 당시는 한 작품에 15번에서 20번밖에 촬영할 기회가 안 주어져요. 유능한 감독은 그 안에서 해야지 충무로에서 인기 있는 감독이 되고. 또 필름도 9천 피트가 완성 프린트였을 때 네거티브 사용량이 1만5천 피트가 일반이고, 괄시받는 감독은 거기서 더 줄여서 1만2천 피트에 끝내라고 하면 거기에 끝내요. 내가 3만 자 한번 써봤더니 그 뒤에 들리는 말이 "어, 이장호 감독 벤허 찍어, 벤허" 그랬을 정도로 정말 불쌍한 시대입니다. 요즘은 뭐 한국영화인들 너무 많이 찍는 것 같아. 할리우드보다 더 많이 찍는 것 같아.

김홍준 왜냐면 이제 디지털이 돼서 부담 없이 막 찍게 되죠. 저도 사실 영화를 처음 찍었던 게 8미리였는데 비싼 과외비 가지고 필름 찍기 때문에 카메라맨이 5초 더 돌리면 삐져가지고 말도 않고 그랬거든요. 그게 좋다 나쁘다를 떠나서 그런 시대가 있었다는… 어쩌면 그런 정신을 우리가 생각할 필요는 있을 것 같아요. 신필름 시대의 얘기는 좀 더 할 기회가 있을 것 같고요. 또 이게 회고담으로 흐르는 것 같아 조금 건너뛰어 보겠습니다.

그러다가 드디어 1974년에 〈별들의 고향〉으로 데뷔를 하시게 됐는데, 〈별들의 고향〉이 워낙 유명한 영화고 여러분들의 나이에 따라 다르겠지만 벌써 부모님 세대의 영화가 되었는데 사실 저는 〈별들의 고향〉이 나왔을 때 고3이었어요. 근데 정말 충격이었어요. 그 충격이란 것은 일종의 문화적 충격이었고 간단히 한마디로 줄이면 '세상에 그 촌스럽고 후진 한국영화가 이렇게 세련될 수 있단 말이야? 대체 이게 어디서 튀어나온 걸까? 한마디로 괴물이었거든요, 영화 자체가. 물론 그것들이 이장호 감독님의 어떤 천재성으로 갑자기 무슨 영감이 떠올라서 하셨다기보다, 이미 70년대 초부터 우리사회가 대중문화시대로 들어서면서 그 당시 언론에서 이른바 '통기타 청바지'라고 비유하면서 대중문화를 향유하는 이십대 세대가 생겼고, 그리고 아마도 문학에서부터 먼저 출발했던 것 같아요.

문학에서 그런 여러 가지 소설들 최인호랄지, 조해일이랄지

프롤로그

41

〈별들의 고향〉 경아역의 안인숙, 두번째 남자역의 윤일봉.

이런 분들의 소설이 나왔을 때였고 그 다음 대중문화 쪽에서도 이장희, 양희은, 김민기 같은 분들의 작업이 있으면서 그런 경향이 팽배했었는데, 이런 것에 불꽃을 지펴줄 도화선 같은 게 없었던 것 같아요. 여전히 한국영화는 〈미워도 다시 한 번〉 같은 멜로드라마, 아니면 한물갔지만 그때까지도 꾸준히 만들어 온 궁중사극들, 아니면 이른바 B급 액션영화라고 하는 것들… 그래서 그 당시 대학생들은 한국영화를 보러 간다고 그러면 미친놈 취급을 받을 정도였거든요. 왜 그런 걸 보는 거야. 영화라면 할리우드 영화나 알랭 들롱이 주연한 프랑스 영화를 봐야 지식인이 되는 것 같고, 무엇보다 한국영화가 동시대 이십대 청년들의 감수성을 붙잡지 못하고 있었거나 전혀 대변을 할 수 없었던 거죠.

그런데 거기에 정말 느닷없이 나타났던 영화가 〈별들의 고향〉이었거든요. 〈별들의 고향〉이 흥행에 성공을 하고 또 한국영화

중에서 대중들이 감독한테 마치 연예인처럼 관심을 가지고, 감독의 동향이 스포츠신문에 나오게 된 것도 제 생각에는 이장호 감독님이 최초가 아니었나 싶어요. 그래서 〈별들의 고향〉이란 영화의 데뷔에는 여러 가지 이야기가 있지만 그 영화를 영화로 만들게 되신 계기랄까… 연출자로서 본인은 무엇을 생각하셨는지, 저희가 다음 주에 영화를 보고 확인을 하게 되겠지만 조금 그 설명을 해주시죠.

이장호 여러분들이 지금까지 내 얘기를 들어서 대충 느낌이 왔겠지만 나는 대학교 2학년 때 현장에 뛰어들었고, 말하자면 사회적으로 성숙하지도 못했고 또 실제로 여러분들처럼 이렇게 미리 현장에 나오기 전, 사회에 나오기 전에 준비된 생활을 하지 못했어요. 그 당시 대학에 영화과가 있었지만 전부 배우지망생들이 가는 학교였지 연출 하겠다고 가는 학생들이 별로 없던 때였고, 또 지금은 굉장히 흔해졌지만 영화에 대한 전문 번역서가 전혀 없던 시절입니다. 공부를 하려고 해도 번역서도 없었고. 내가 공부할 수 있었다, 란 것은 오히려 문학에서 세계고전명작들, 소설을 열심히 읽는 것 외에는 아무것도 없었어요. 그런데다 뭐라 그럴까. 지식인들 속에서 뭐가 유행했을 때냐면 사르트르의 실존주의가 전 세계의 지성을 상징하는 뭐 그런 시절이었는데, 나는 실존주의를 해석을 못해 그런 열등감에 고민이 많았던 시절이었기 때문에 조감독 때는 전혀 의식화 되지 못했어요.

그래서 내가 어렸을 때 많이 봤던 영화들, 내가 좋아했던 영화들 또 당시에 텔레비전에 AFKN이라고 미군방송이 있었는데 한국방송보단 미군방송을 보면서 내가 가장 좋아했던 장면이… 5시에 텔레비전 프로그램이 시작되기 전에 시험영상시간이 있어서 1시간가량 미국팝송이 나오면서 팝송 내용과 관계없이 음악에 맞춘 여러 가지 동영상 화면을 막 편집해 놓은 것들을 좋아했어요. 내가 영화공부를 할 수 있었던 것은 그런 것들이 토양이었고. 그래도 충무로에 나가면 이상하게 조감독들, 연출부들 생활하는 거 보면 경멸하게 되고 신필름은 명문이다, 라는 생각 때문에 늘 주머니에 포켓북 하나 넣어 갖고 다니면서 남들 쓸데없는 잡담하고 그럴 때 자존심을 앞세우며 엘리트인 양 책을 보고 그런 시절을 지냈습니다.

〈별들의 고향〉의 원작자 최인호하고 친구였기 때문에 최인호가 소설을 쓰면 대학노트에다 써서 보여주는데 너무 좋았어요. 당시에 김승옥이란 작가가 우리 시대 때는 천재였고, 그 다음에 그와 같은 소위 번역문체의 소설을 쓸 수 있는 것은 김승옥씨와 최인호가 유일하다고 생각했어요. 편견인진 모르지만 난 그 당시에 제일 좋았던 게 그런 번역문체였습니다. 한국의 토속적 냄새가 나는 것은 싫어했어요. 나는 서울서 태어나서 서울서만 자랐고 그렇게 뺀질뺀질한 시절을 보냈기 때문에 전라도 사투리가 나온다든지 가령 이문구 선생, 또 최일남 선생, 이런 식의 소설은 이상하게 싫었어요. 뺀질뺀질한 소설들만 좋아하다보니까 최인호의 왕팬이 된 거지. 최인호가 쓰기만 하면 나는 감탄을 해요. 그런 것 때문에 나는 최인호가 예쁜 거예요. 막 써 가지고 따끈따끈한 걸 보여주면 나는 읽고 100% 막 감동하고 좋다 그러고. 그러다가 어느 날 드디어 최인호가 신문소설을 쓰게 됐어요. 그 당시에 신문소설이란 늘 대가, 즉 나이 많은 소설가들, 정비석 선생, 이병주 선생. 이병주 선생 같은 사람은 얘기를 들어보니까 자기 방에 책상이 5개인가 6개나 된대요. 요거는 대구 〈매일신문〉에 보낼 거, 요거는 〈조선일보〉, 요거는 어디에 보낼 것. 지방 것까지 싹쓸이하는데, 천승세씨가 술에 취하면 말이 좀 거친 사람인데 그 사람이 항상 하는 얘기가 그래요. '이병주 같은 인간이 죽어야 젊은 작가들이 먹을 자리가 생기는데 저게 독식을 하니 말이야' 이런 식으로 얘기할 정도였습니다. 그러니 지금 막 스물대여섯 살 된 청년 작가가 〈조선일보〉에 계약을 한 겁니다. 이게 〈별들의 고향〉이죠. 처음에 최인호는 제목을 '별들의 무덤'이라고 했어요. 왜냐면 당시 청년의 감각으로 최인호한테는 무덤이 고향보다 더 심각했죠. 아마 젊은 사람들이 생각했을 때 '별들의 무덤' 하면 기성사회에 뭔가 저항적 암시도 있고 의미도 있다고 생각했을 겁니다. 그런데 〈조선일보〉 편집회의에서 뭐라고 했냐면, 아니 조간신문인데 아침에 신문을 딱 폈을 때 무덤이 나오면 되겠냐고. 그래서 반대의 이미지이면서 같은 느낌의 고향 〈별들의 고향〉으로 했죠.

그런데 〈별들의 고향〉은 당시에 처음 들었을 땐 촌스러웠어요. 소설은 괜찮은데 그때 〈별들의 고향〉이란 제목은 촌스러웠다고. 어쨌든 그게 너무 인기가 있는 거예요. 인기가 있으니까 영화판권에서도 경쟁이 심했는데 그건 다음에 영화를 볼 때 얘기하죠. 나는 그 영화를 만들면서 내가 배운 그대로, 배웠다기보다 신상옥 감독님이 영화를 만드는 방식, 신상옥 감독님 밑에서 8년을 조감독 했으니까 아무리 바보라도 신상옥 감독님이 영화 만드는 방법을 저절로 익히게 되는 거죠. 눈감으면 신감독님이 어디서 어디까지 커트를 나눌 거라는 게 너무 빤할 정도로… 그런 기능만 갖고 〈별들의 고향〉을 만들었어요. 〈별들의 고향〉이 나오기 전까지 한국영화로 대표되는 게 〈미워도 다시 한 번〉입니다. 여러분들 할머니 시대에 할머니들이 보던 가장 대중적인 영화가 〈미워도 다시 한 번〉인데, 여러분들이 나중에 이 영화를 보고 비교해볼 수 있는 기회가 있다면 좋겠어.

가령 음악을 예로 들면 〈미워도 다시 한 번〉 때는 슬픈 장면이 나오면 아주 아름답고 비극적인 바이올린 선율로 아무리 바보라도 저건 슬픈 음악이다, 라는 생각을 갖는 그런 정서의 음악이 깔리고… 또 난 제일 싫었던 게 스릴을 느끼는 장면에 깔리는 음악이 백이면 백 천편일률적으로 '둥둥, 둥둥, 둥둥둥둥' 이런 게 나오는 거예요. 그럴 때마다 짜증이 나는데 대한민국에 미국식 민주주의 교육의 첫 혜택을 입은 게 저희 또래거든요. 1945년 해방둥이로 교육을 받은 비슷한 세대들이 내 또래 아래위로 하면 송창식, 김도향, 조영남, 이장희, 윤형주 이런 아이들이 통기타 들고 와서 노래 부를 땐데, 나도 모르게 그런 정서에 당연히 공감할 수밖에 없잖아요. 그러나 한국영화를 보면 늘 우리 감성에 맞지 않는 영화들을 만들어내거든요. 그러니까 그 당시에 신상옥 감독님 영화에 녹음 넣을 때도 음악가들이 와서 작업하는 걸 보면 좋은 화면을 다 망친다는 생각이 들곤 했습니다.

그리고 우리는 조금 더 솔직한 세대예요. 옛날 우리 세대들은 뭔가 인위적으로 사회가 변화하면서 체면, 격식 이런 것들이 처세하는 데 필요했었지만 우리 또래만 해도 그런 격식이나 체면이라든지, 과거의 인습들에서 해방될 수 있었던 것이… 동세대 아이들이 베트남전쟁을 싫어해서 미국엔 반전주의 히피문화가 있을 때고 저절로 우리는 같은 세대의 공감을 느낄 수밖에 없었죠. 그러니까 그런 영화들에 대해서 공감할 수 없었고. 우리가 만드는 영화에서는 정직한 얘기를 하고 싶었고, 뭐 그런 감각이 그대로 노출된 게 〈별들의 고향〉입니다. 마스터클래스를 종강할 때쯤 되면 내 생각이 철부지였던 영화판 조감독에서 조금씩 달라지면서 결국은 지금의 생각들에 이르기까지, 이런 여러 생각들을 다 털어놓을 수 있을 겁니다.

김홍준 자, 아까 휴식시간에 잠깐 나왔던 음악은 아는 사람이 있을지 모르겠는데 〈별들의 고향〉에 삽입된 음악이에요. 처음에 나왔던 상당히 슬픈 곡은 메인테마 〈사랑의 테마〉라고 판에는 돼 있는데, 뒤엔 〈한 소녀가 울고 있네〉라고 이장희씨의 목소리로 나오는 노래예요. 제가 알기론 〈별들의 고향〉이 원래 의미에 충실한 그 영화의 오리지널한 음악들을 모아서 만든, 그 당시로서 획기적인 음반이었는데 엘피가 몇 년 전에 시디로 복각돼 나왔더라고요. 지금도 팔고 있는지 모르겠는데 아마 인터넷에 보면 파일 형태로 있는 것 같아요. 이 판은 우리나라 대중음악의 역사에서도 중요한 판으로 기록되고 있는, 그 당시의 열악한 시설에서도 이 정도의 사운드는 순전히 사람들의 땀으로 만들어낸 시도였죠. 〈별들의 고향〉에 대해서 이야기할 때 또 자세한 뒷얘기를 들을 수 있을 것 같고요.

　　〈별들의 고향〉이 당시에 어느 정도의 영화였는지 한번 말을 해보자구요. 지금은 없어진 국도극장에서 개봉을 했죠. 현재는 그 자리에 국도호텔이 들어가 있고요. 당시는 요즘처럼 멀티플렉스가 있는 것도 아니고 이른바 서울 전체에서 영화가 개봉할 때는 한 극장에서 개봉을 하는 단관개봉 시스템이었는데요. 자료를 봤더니 국도극장에서 105일 동안 46만 명의 사람이 들어왔어요. 요즘에 천만 관객 영화도 아마 날짜로 치면 40일, 50일, 길면 60일 정도인 것 같은데 105일 개봉, 석 달 이상을 영화 한 편이 걸려있는 겁니다. 이전까지 한국영화 흥행기록은 아마도 〈미워도 다시 한 번〉이었던 것 같은데요. 〈미워도 다시 한 번〉이 개봉에서 삼십만을 넘기는 최초의 한국영화였어요. 요즘과 숫자로는 비교가 안 되죠. 한 영화관에서 한 영화로 46만 명이라는 관객은 역사적인 숫자였습니다.

　　참고로 그 뒤 〈별들의 고향〉이 갖고 있는 흥행기록을 깬 것은 〈겨울여자〉였구요. 그 기록이 상당히 오랫동안 안 깨지다가 나중에 90년대에 들어와 〈장군의 아들〉이 68만 명으로 그 기록을 또 깼죠. 〈장군의 아들〉의 기록을 깬 것이 1993년 〈서편제〉로 103만 명이 들었습니다. 〈서편제〉가 한 극장에서만 103만이라는 것은 지금으로선 상상이 안가는 기록이에요. 요즘으로 치면 한 2천만 명이 봤다고 해야 되나요? 〈서편제〉를 마지막으로 〈쉬리〉부터 한국영화의 시스템이 완전히 달라졌기 때문에 그 후로는 비교 자체가 불가능해진 거죠.

재미있는 것은 역대흥행기록을 알려고 네이버 지식인에 들어가서 한번 검색해 봤어요. 한국영화 역대흥행기록 1위부터 100위까지. 그랬더니 전부 2000년대 이후 영화였어요. 왜냐면 요즘은 전국 관객으로 걸핏하면 100만 관객이 넘어가니까 단관개봉 숫자는 아예 찾아볼 수가 없더라고요. 지금과 숫자가 단순비교가 안 되지만 정말 어마어마한 숫자였다는 것이죠. 〈별들의 고향〉으로부터 출발을 해서 그 다음에 〈어제 내린 비〉를 연출하셨고요. 그 후에 우리가 이 수업을 통해 못 보는 영화가 두 편 있는데 〈너 또한 별이 되어〉와 〈그래 그래 오늘은 안녕〉이라는 영화예요. 그리고 이른바 대마초파동에 휩쓸려서 1976년이니까 불과 데뷔하신지 2년 사이에 4편의 영화를 연출하시고, 흥행성공과 청년문화의 기수이고 대중문화의 스타라는 완전히 정상의 자리까지 가셨다가, 어떻게 보면 뜻하지 않은 좌절을 겪으신 건데 그 기간 동안의 얘기는 오늘 조금 해주시면 좋겠단 생각이 듭니다.

이장호 우선 한국영화 숫자에 대한 것을 여러분들이 실감을 못 할 것 같아서 소개하면, 그 당시에 한국영화를 한다고 하면 개봉 프린트를 10벌 떴어요. 그러니까 지방까지 합쳐서 프린트를 10개만 뜨면 됐으니까, 원판에서 프린트 10개 만들고는 끝이에요. 그 10개가 다시 재개봉 돌아가고 또 3번관 돌아가고 그래서 나중에는 영화에 '비가 온다'는 얘기, 요즘에는 영화에 비가 오는 경우를 실제로 보기 힘들 텐데 이번에 〈별들의 고향〉을 보면서 비가 올지 모르겠어요. 막 스크래치가 나서 가령 그 당시에 〈별들의 고향〉 입장료가 450

이장호 감독의 마스터클래스

48

원인가 했는데, 그게 이제 한 100원짜리가 될 때쯤 되면 영화에 비가
오죠. 지방에서는 가설극장이라고 해서 천막을 쳐요. 노천에서 천막
을 쳐서 하늘엔 별이 떠 있는데 영화를 보죠. 그때 서울의 가장 변두
리가 어디였냐면 천호동에서 영등포까지. 남쪽으로는 아직 강남이
개발 안 돼 있을 땐데 삼성역 앞 인터콘티넨탈호텔하고 봉은사 쪽 거
기를 넘어가면 진짜 논밭이고, 북쪽으로는 구파발 직전 기자촌이라
는 데에 문화주택이 있을 정도로 거긴 서울이었어요. 지하철도 없었
어요. 버스만 있었던 땐데 거기서 영화를 보러 을지로까지 나와서 국
도극장에서 봐야했죠.

　　지방에서는 경상도의 경우에 경남은 부산에 가서 봐야 되고
경북은 대구에 가서 봐야 되고, 이렇게 10개 프린트가 전국에 다녔을
때입니다. 그런 환경이었을 때 오래간만에 한국영화가 히트를 했다,
이런 걸 보여줬는데 재밌는 게 대히트는 항상 불황 때 생각지도 않던
대히트가 나오는데 〈별들의 고향〉 때도 그랬어요. 한 영화에 평균관
객이 천 명이었을 때예요. 보통 극장이 천 석 정도 되는 대극장이었
는데 스크린에 올려서 첫 날 관객이, 관객수 커트라인이 만약 5백 석
이하다, 3백 석 이하다 그러면 그 한 주 만에 문이 닫히죠.

　　재밌는 예로는 명보극장에 한국영화를 하나 붙였는데 개봉
하고 손님 한 명이 오래간만에 들어온 모양이에요. 근데 한 명도 안
왔을 때는 극장에서 차라리 편했어요. 전기료도 안 나가고 돌리지 않
으면 되는데 관객 한 명이 오니까 영화를 돌려야 되잖아요. 그 사람
이 낸 돈 갖고는 턱도 없는 전기료가 나가고, 그래서 극장 측에서 와
서 그분한테 가서 얘기를 했대요. 환불을 해드리면 나가시겠냐고. 그
랬더니 영화를 보겠다고 해서 그 한 사람을 위해서 영화를 틀었던,
그렇게 한국영화가 침체됐을 때예요.

　　그때 〈별들의 고향〉을 했기 때문에 누구 말처럼 나는 하루아

침에 유명해졌는데, 정말 어이가 없었죠. 차차 더 많은 진실이 드러나겠지만 아주 열등감으로 똘똘 뭉친 사람이었습니다. 내가 살아가면서 그때까지 제일 많이 들었던 말은 인생의 낙오자, 구제불능인간, 미친놈, 뭐 여러 가지 하여간 부정적인 얘기를 너무 많이 들었고 제 스스로도 나는 가능성이 없다, 라는 생각을 갖고 있었고요. 참 난 또 예쁜 여배우들을 많이 짝사랑했는데 그 예쁜 여배우들 앞에서 연출부가 하는 치욕적인 모습, 예를 들면 옷차림도 멋을 낼 수 없게끔 옆에 걸레도 차야 되고 아까 얘기한 쪼다통도 들고 다녀야 되고. 그러니까 여배우들이 예쁘면 예쁠수록 그 여배우들을 짝사랑하면 짝사랑할수록 내 열등감은 커지는 거죠. 그 속에서 어떻게 하다 친구가 최인호였기 때문에, 영화판 안에서 판권을 받기 위해 경쟁이 심한 작품을 최인호 덕분에 갑자기 내가 획득하게 됐으니까 어리둥절했어요. 그래서 영화감독이 되면서도 내가 감독이 됐다는 의식이 별로 없었습니다. 정말로 아직도 신상옥 감독님의 조감독으로서 일을 한다는 기분, 그러니까 촬영 나와도 조연출 식으로 꼭 준비를 하고 심지어는 나중에 검열 받으러 갈 때도 내가 깡통을 들고 문공부 시사실로 날랐으니까… 그 정도로 내가 영화감독이라는 의식이 전혀 없을 때예요.

심지어는 어떤 고백을 했냐면 현장에 신상옥 감독님은 보이지 않지만 나는 여전히 조감독 하면서 영화를 만들었다, 라고 고백할 정도로 감독의 의식이 없었죠. 근데 영화를 개봉하고 나니까 상상치도 못한 일이 벌어진 거 아닙니까? 사람들이 줄을 서고, 관객이 십만 명 들었을 때 이 소설의 인기를 진짜 실감했어요. '어떻게 이 소설이 인기가 있어서 관객을 이렇게 끌어왔나' 십만을 넘어서 이십만 되는 동안엔 어떤 생각이 들었냐면 '이장희 영화음악도 참 효과를 탔구나' 사람들이 음악 얘기를 많이 하니까. 근데 삼십만이 드니까 그제야 비로소 내 잃어버렸던 자존감 '영화도 잘 만들어서 그런 거 아닐까? 이런 생각이 드디어 싹트기 시작하더라고요. 근데 그게 삼십만이 넘어서 사십만이 드니까 정말 거짓말 하나 안 보태고 슬퍼져요. 뭔가 배신당한 느낌. 이 영화는 어느 누구의 것도 아니구나, 혼자 달려가는 말 같구나, 주인 없는 말처럼 달려가는 구나.

그때 〈별들의 고향〉을 처음으로 출판한 출판사 사장이 그전까지 빚쟁이에 시달렸다는데 〈별들의 고향〉소설을 상·중·하 세 권으로 출판해서 단번에 충무로에다 빌딩을 샀어요. 최해운이란 사장인데 지금은 죽었다고 합니다. 그 출판사 사장하고 술을 마시면서 내가 그랬어요. 요즘 왜 이렇게 센티멘털해지는지 모르겠다고 슬프다고 얘기했더니, 나이가 많은 사람이라 그런지 다 이해한다는 듯이 말하더라고요. 첫 아이 낳은 여자들이 이감독 같은 생각을 갖고 있다고, 아이가 예쁘면 예쁠수록 다 그렇게 허무하다고. 왜냐면 아이가 태어나자마자 내 아이라고 생각할 틈 없이 시어머니가 와서 아이만 예쁘다고 그러고 남편도 전부 아이만 보고 그러니까 산고의 고통이 심한 부인일수록 소외감이 그만큼 심하다는 거예요. 산후에 그런 센티멘털이 있대요. 그래서 나는 여자가 아니지만 아이 낳은 부인의 심정을 그렇게 실감했습니다.

지금 영화감독들은 어떻게 보면 진짜 감독이에요. 진짜 감독이고 작가인데, 〈별들의 고향〉 만들고 나서 텔레비전이고 신문이고 나를 그냥 놔두지 않았어요. 아마 그 당시에 요즘 연예인 프로그램이라면 '1박2일'이나 '무한도전' 그런 데까지 출연했을 거예요. 쇼프로란 쇼프로는 다 나오게 하더군요. 가면 지금처럼 똑같은 얘기를 해요. 내가 느낀 것을 숨김없이 얘기하는데, 그러면 그 당시의 사람들은 전부 꾸민 얘기만 들었는지 나처럼 노골적으로 공부 못했다는 얘기, 뭐 내가 영화 만드는 것 때문에 우리 아버지 어머니 싸운 얘기, 이런 이야기를 하면 사람들이 다 재밌어 했어요. 너무 어린애가 영화를 만들었다고 생각하는 거예요. 그러니까 그게 더 상승효과를 가져와서 연예인처럼 여기저기 불려 다니면서… 저번에 장진 감독, 봉준호 감독 좌담회 하는데 선배감독들을 어떻게 보냐 물었더니 "저는 이장호 감독 보면 연예인 같아요" 그러더라구요. 감독 같지 않다고. 그런 얘기를 할 정도로 팔려 다녔어요. 그러니까 어떤 게 생기냐면 아주 심한 열등감 상태에 있다가 갑자기 유명해지니까 어리석게 점점 뭐라 그럴까, 교만해지고 교활해지기 시작하는 거죠.

당시에는 내가 영화감독을 했어도 스물아홉 이른 나이에 감독이 됐고 장가도 갔고 딸도 있었지만 아직도 나는 고교시절 생활주임 선생, 우리 때는 훈육주임이라 그랬는데, 그 선생님이 나를 계속 감시하고 있는 것처럼 그렇게 착각하는 신세대였어요. 신세대는 지네들끼리 있을 땐 까불고 해도 윗사람이 딱 나타나면 전부 기가 죽어서 고개 숙이고, 장발도 자기가 마음 놓고 기르면서도 윗사람이 보면 이걸 가리고 싶어 하고… 뭐 그런 시대라고 할까요. 단속이 심했고 실제로 머리카락을 잘리고 그랬기 때문에 지금 세대처럼 아무 허물 없이 자유롭고 발랄하게 살 수 있는 때가 아니었습니다.

우리는 음침하게 숨어 다니다가 우리만 있을 수 있는 공간이 생기면 그제야 기를 펴고 까불다가 나갈 때는 다시 목을 움츠리고 고개 숙이고, 그리고 세상을 돌아다니고 우리끼리 만나야 또 즐거워하는 그런 시대였거든요. 그러니까 나도 그렇게 변하기 시작하는 거예요. 어디 가서 내 세상 만나면 막 까불고, 그러다보니까 어떤 일이 생기기 시작하느냐면 윗사람들이 보기에는 내 옷차림이나 행동만 봐도 '퇴폐'라고. 그때 우리가 가장 많이 썼던 말이 기성세대가 우리를 보기에는 퇴폐라고 했고, 우린 말하자면 히피처럼 평화주의자들이라 그리고 반전주의자라기도 하고, 당시에 유행하는 코드가 그랬으니까. 이런 생활을 하다보니까 저절로 사람이 이중적이 돼요. 이중성이 있어서 기성세대 앞에서의 모습과 우리끼리 있을 때의 모습이 이중적이 되는데, 우리한테 어떤 심리가 있었냐면 정말 불쌍하게도 범죄심리가 있었다고.

범죄심리가 나한테 잘 나타난 게 대마초흡연사건입니다. 그 당시에 연예인들의 대마초흡연으로 인해서 상당히 큰 사건이 일어났었는데 그때 제가 활동정지를 당하게 되죠. 그전에 나온 것이 〈너 또한 별이 되어〉라는 영화였는데 〈별들의 고향〉, 〈어제 내린 비〉까지는 어수룩하면서도 열등감이 풀리면서 동시에 교활해지면서 영화를 만들었고, 완전히 교만과 자신감에 차서 만든 영화가 〈너 또한 별이 되어〉라는 소위 호러영화였어요. 어렸을 때부터 말하자면 초현실적인 세계에 관심이 많으면서 호기심도 많았고, 여러분들이 믿든 안 믿든 난 대마초도 호기심으로 피워봤어요. 이걸 피우면 정말 환각이 생길까? 내가 무서워하면서도 보고 싶은 게 유령인데 그런 유령과 같은 세계를 접할 수 있을까? 이런 호기심이 있었어요. 〈너 또한 별이 되어〉를 만들었을 때 주변에 영화를 좋아하는 대학생들이 많이 모였는데 그 사람들하고 어울리면서 대마초를 알게 됐고 그리고 심령과학 세계에 심취했어요.

아직 나한테 종교가 없었을 때라 그런 심령과학 세계에 심취했었는데 마침 세계적으로 당시에 큰 화제가 되고 베스트셀러가 됐던 『엑소시스트』라는 소설과 영화가 있었습니다. 그걸 보고나니까 그런 영화를 너무 만들고 싶은 거야. 그 당시에는 내가 무슨 기획을 한다고 하면 모두 돈을 대줄 때니까, 제작자가 나서고 그런 영화를 하나 만들기로 했는데 시나리오 써온 게 마음에 안 들어서 고치고 또 고치고 하다보니까 어느 틈에 내 콘티는 점점 〈엑소시스트〉하고 똑같이 되어가는 거예요. 그래서 속으로는 두려움이 있었는데 안심할 수 있는 면이 어떤 것이었냐면 〈엑소시스트〉가 세계적으로 히트를 치자 한국에서도 그 영화를 비싼 가격에 수입하려 했고, 그러자 정부에서 영화수입으로 인한 외화낭비를 막기 위해 오십만 불 이상은 안 된다고. 근데 그쪽에선 백만 불 정도의 돈을 주지 않으면 한국에다 팔지 않겠다고 했으니까 〈엑소시스트〉라는 영화를 도저히 수입할 수가 없었습니다. 그게 나한텐 일종의 희소식이야. 〈엑소시스트〉에 나오는 유명한 장면들, 물론 영화는 보지 못했지만 당시에는 영화를 볼 수 있는 기회가 일 년에 스물다섯 편이나 서른 편 정도예요. 왜냐면 영화사가 그것밖에 없었고 한 회사가 하나씩 들어오는 정도라면 매분기마다 영화를 볼 수 있는 게 스물다섯 편 정도였는데, 그 외에는 프랑스문화원 말고는 영화를 볼 기회가 없는 거죠. 그래서 〈엑소시스트〉라는 영화는 보지 못했지만 그 소설을 읽으면서 인상적인 장면들을 저절로 받아들이게 된 거예요.

드디어 영화를 촬영하고 한 달쯤 됐는데 불길한 소문이 들리는 거예요. 로비에 의해서 그랬겠죠. 〈엑소시스트〉가 드디어 한국에 수입되는 거예요. 내 영화가 중앙극장에서 개봉을 했는데 절묘하게 그보다 닷새 전에 〈엑소시스트〉가 지금은 없어진 광화문의 국제극장에서 개봉을 한 겁니다. 그러니까 내 얼굴이 어떻게 됐겠어요. 아주 참패하고 누렇게 뜬 얼굴이죠. 너무 비슷한 장면이 나오니까. 내가 그때까지 얼마나 웃기는 놈이었냐면 그전에 두 작품밖에 안 했는데 내 영화는 항상 히트 치는 걸로 착각을 한 거예요. 그래서 〈너 또한 별이 되어〉도 틀림없이 흥행이 된다, 라는 그런 아주 강한 믿음이 있었다고.

그걸 증명해주려 하듯이 한번은 이상한 편지를 받았어요. 한국심령과학협회라는 데서 편지가 왔는데, 심령과학협회 수호신이 이장호를 도와주라고 그랬으니 만나자는 거예요. 그래서 갔더니 당신 심령과학영화 이거 대히트를 칠 텐데 우리 수호신이 이걸 도와주라 했다고 자기들이 참여를 하고 싶대요. 그날 삼선교에 있는 삼층 건물에 날 초대해서 가봤는데 사람들이 모여 있더라구요. 근데 여자를 앞에 의자에다 앉혀놓고 최면을 걸어요. 여자아이가 최면에 걸렸어. 너 몇 살 때 무슨 일이 있었지? 물어보니까 애가 자면서 얘기를 해요. 점점 시간이 거꾸로 가면서 나이가 어려지더니, 너 지금 어머니 뱃속에 있는데 어떠냐 물으니까 또 얘기를 하고 그러더니 전생으로 넘어가요. 나는 물론 그 당시에 심령의 세계에 심취해 있었지만 의심스럽기도 하고 믿을 수도 없고 안 믿을 수도 없고(웃음).

그런 일이 있고 나서 시사회 날 출연한 배우들이 아침에 극장에 모였어요. 아니나 다를까 극장 앞에 줄이 쫘악 섰어. 그러면 그렇지, 이제 사장도 기분이 좋아가지고 주머니에서 돈 딱 꺼내더니 가서 식사하라고. 그래서 점심 먹고 왔더니 아까 그 긴 줄이 다 없어졌어. 이게 어떻게 된 거지, 하고 가만히 생각해보니까 1회 때 항상 우리가 줄을 만들려고 무료초대권을 돌리거든요. 그 무료초대권을 우리가 착각한 거야. 이게 다 인기가 있어서 오는 손님인줄 알았는데 1회 초대권이 끝나니까 극장 앞이 한산한 거야. 그러더니 뭐 다음날도 한산하고 그 다음날도 한산하고, 난 이해가 안 가더라고. 내 영화니까 당연히 히트 쳐야지 왜 이래?

그러나 나중에서야 깨닫지만 흥행이 내 뜻대로 되는 건 아니라는 걸 알게 되었죠. 요즘엔 지혜가 있어서 일이 안 됐을 때는 '두려움 상태에선 아무것도 하지 말라' 그런 지혜가 생기는데 그 당시에는 더 허둥지둥하면서 일을 마구 저지릅니다. 그때 기획한 것이 〈그래 그래 오늘은 안녕〉. 다음 작품은 뮤지컬을 하고 싶다는 생각을 했어요. 그래서 최인호가 시나리오를 참 쓰기 싫어하는데 겨우 설득을 해서 뮤지컬을 써달라고 했거든요. 그래서 뮤지컬을 예쁘게 써줬어요. 그게 〈그래 그래 오늘은 안녕〉. 그 당시에 〈어제 내린 비〉, 〈너 또한 별이 되어〉, 〈그래 그래 오늘은 안녕〉 이런 제목을 다 어디서 찾았냐면 시에서 많이 찾았는데 강은교라고 내가 좋아하는 시인의 시에서 다 나왔습니다. 〈그래 그래 오늘은 안녕〉은 뮤지컬에 대해서 공부한 적도 없고 그냥 감각만으로 잘 만들 수 있을 거라고 생각해서 덤벼들었죠. 헌팅을 어디다 했냐면 지금 대학로 동숭동 뒷산 위에 보면 전에 '시민아파트'가 있었어요. 아주 가난한 달동네, 거길 가서 보니까 너무 내 영화 환경하고 잘 맞는 거예요. 그래서 크랭크인 날짜를 잡았어요. 현장에 가서 즉흥연출을 하는데 그제야 '아, 뮤지컬을 만들려면 노래가 이미 작곡부터 다 돼 있어서 거기에 맞춰서 찍어야 할 텐데, 겁 없이 노래도 만들어놓지 않고 뮤지컬을 하겠다는 생각을 어찌 했을꼬' 하는 정말 상식 이하의 반성을 하는 거예요.

실은 내 생각에 음악이 없어도 카메라 워킹으로 충분히 음악을 나타낼 수 있다고 생각을 했어요. 전에 고등학교 밴드에서 봤던 아주 인상적인 기록영화가 있었는데 베토벤의 피아노 콘체르토에 맞춰 흐르는 시냇물을 영상으로 표현한 거였어요. 그 인상이 너무 강해서 화면으로도 충분히 음악을 나타낼 수 있다는 그런 생각을 갖고 있었죠. 가령 여주인공이 모델 오디션을 보고 와서 기분이 좋아서 산동네 시민아파트에 뛰어 들어오면 여기저기서 "선희야! 선희야 어떻게 됐니?" 창문으로 내다보는 주부들, 할머니들 이런 모습을 높낮이로 찍고 음악적 계산으로 편집하면 이것이 음악이 된다고 생각을 했는데… 실제로 접해보니 음악적 요소와 음악적 영감을 주는 것은 요만큼도 없어요. 지저분하고, 쓰레기 쌓이고, 여기서 뻥튀기 소리가 나면 저쪽에서 아이가 울고… 그런 것들을 보면서 내가 아무것도 준비가 안 돼 있구나. 엄두가 안 나서 배우도 없이 시민아파트의 풍경만 스케치하고 돌아왔어요. 배우들은 다 쉬고. 편집실에서 그걸 틀어놓고 보니까 내가 큰 잘못을 한 것이 리얼리즘을 만들어야 할 장소에서 뮤지컬을 꿈꿨구나. 그래서 그 날로 뮤지컬을 포기합니다. 그리고 뮤지컬적 요소가 강한 시나리오를 가지고 리얼리즘 영화를 만들어야 되는 그런 어처구니없는 결심을 하게 된 겁니다.

리얼리즘에 대해선 또 어떤 기억이 있냐면 아버지하고 같이 어렸을 때 본 영화 중에 이탈리안 네오리얼리즘의 비토리오 데 시카라든지 페데리코 펠리니라든지 나한테 기억에 남는 많은 것들이 있거든요. 이거는 참 자연스러워요. 나는 저절로 표현할 수가 있어. 그렇게 하다보니까 영화는 결국 나온 게 멜로드라마지만 상당히 가난한 사람들의 모습들을 많이 담았어요. 그런데 아까도 얘기했지만 영화검열은 가난한 모습, 비참한 모습은 이적행위처럼 색안경을 끼고 감시하던 때여서 아주 위기였습니다.

영화 속의 주인공들은 시민아파트의 가난 속에서 살지만 둘이 얘기하기를 언젠가 이 가난한 아파트를 떠나서 저 화려한 도시 불빛 속으로 가자면서 화려하게 살자는 게 목적이에요. 남자주인공은 권투 스파링 파트너, 주로 얻어맞으며 일당을 버는 선수고 챔피언의 꿈을 갖고 있지만 아주 막연하죠. 여자아이는 패션모델을 꿈꾸고, 그런 아이들이 결국은 다 깨지고 비참하게 돼서 여자아이는 죽어서 장례차로 그 아파트를 떠나는 이야기거든요. 검열에 들어갔는데 마침 대마초파동이 생겼어요. 그래서 난 수사를 받으면서 영화를 마무리 지었는데 중앙정보부, 경찰, 문공부 이런 사람들이 검열할 때거든요. 영화평론가도 한 명 끼고, 최무룡씨란 배우도 끼어 있었고, 최무룡씨가 보고나서 내 손을 잡고 "이감독 큰 일 났다. 너 이거는 공산주의 영화야" 난 공산주의도 잘 모르는데 공산주의 영화라 그러니까 암담하죠. 그러더니 해결책이 나왔어. 마지막의 비참한 장면들을 사용하지 못하니까 그걸 희망적으로 긍정적으로 만들어야 된다는 거예요. 그럼 이야기 흐름도 그렇고 참 어쩔 수가 없는데, 또 주인공을 맡았던 내 동생이 대마초 때문에 수사기관에 붙잡혀 있었거든요. 어쨌든 촬영을 다시 한다면 다른 방법이 없다. 우선 스틸로 마지막을 처리하겠다. 내가 하고 싶은 라스트 장면이 아니어서 여자아이는 톱모델이 돼 가는 과정들을 스틸로 찍고 남자아이는 드디어 챔피언이 되는 장면을 스틸로만 설명하기로 했는데, 동생을 수사하던 수사관한테 마침 연락이 왔어요. 형이 와서 각서를 써라, 그러면 추가촬영을 허락해주겠다고.

그래서 보증을 하겠다고 갔더니 수사관이 하는 첫마디가 "형은 대마초 핀 적 없어?" 너무 자연스럽고 너무 여유 있는 자리여서 동생도 풀어준다고 하니까 별 생각하지 않고 "한 번 폈죠" 솔직하게 말했어요. 그랬더니 수사관이 "아, 그래?" 하면서 주머니에서 진술서 용지를 꺼내더니 한 번 피워 봤다는 그 말을 쓰라는 거예요. 이상하잖아요. 그래서 "왜 이러십니까?" 그랬더니 앉아서 무릎에 올리고 있던 오른발을 구두를 신은 채 날려서 내 뺨을 탁 차는 거예요. '어이쿠, 이거 내가 잘못 걸려들었구나!' 아니나 다를까 진술서를 끝까지 받아내더니 그 자리에서 날 수갑 채워서는 그대로 합동수사본부로 끌려갔죠. 영화홍보고 뭐고 못하고, 어쩌고저쩌고 하다가 영화를 붙였는데 〈너 또한 별이 되어〉가 부끄러울 정도로 참패를 했어요. 영화 두 편 성공하고 두 편 실패하면서 제목처럼 '그래 그래 오늘은 안녕' 하고 일단 내 첫 시즌을 마무리합니다.

김홍준 사실 관계를 잘 모르는 분들을 위해 조금 설명을 하자면, 이장호 감독님의 동생 분이 이영호님이시죠? 〈별들의 고향〉에는 출연을 안 했고 〈어제 내린 비〉에 출연했고요. 그 후에 감독님 작품에 출연을 많이 하셨는데, 〈어제 내린 비〉에 출연을 해서 그 해 아마 신인상을 받았을 정도로 유망한 배우였어요. 〈그래 그래 오늘은

〈바람 불어 좋은 날〉

홍익대학교 미술대학 건축미술과에 다니던 시절

안녕〉에서는 주연배우로 출연을 하셨는데, 참고로 대마초파동이란 것의 배경을 말씀드리자면 우선 좀 이상한 생각이 들 수도 있어요. 아니 대마초 피지 말라는데 왜 그걸 피워 가지고 걸리고 막말로 인생이 어떻게 되나. 근데 왜냐면 저도 75학번이니까 아는데 1974년, 1975년 그 당시에는 대마초라는 것이 불법도 아니고 합법도 아니었어요. 그러니까 단속 자체가 없었어요. 그래서 사람들은 이게 어렴풋이 나쁜 거라는 건 알았지만 이걸 하는 게 불법이란 의식 자체가 없었을 때예요. 그러니까 젊은 사람들이 뭔가, 요즘 용어로 하면 쿨하고 엣지 있게 보이려고 자기들끼리 있을 때 대마초도 한 번씩 피워보고, 대마초를 구하는 게 어렵지 않았거든요. 삼베 잎이 대마초예요. 대마초 강의로 넘어가면 안 되는데(일동웃음).

이장호 아니 그 당시 풍속을 얘기한 건데 대학교 앞에 노점상들이, 지금은 이대 앞에 가면 수레를 갖고 있잖아요. 근데 그 당시에는 할머니들이 와이셔츠 상자를 놓고 여러 가지 물건을 파는데 그중에 담배도 팔았어요. 근데 그 담배 옆에서는 항상 대마초를 넣은 담배를 팔았다고. 그래서 구하기가 아주 쉬웠어요. 전국적으로 딴따라들 내버려두면 안 되겠다, 그렇게 해서 중앙정보부, 경찰, 보건사회부 합동수사가 시작돼서 하루아침에 그냥 몽땅 잡아들인 겁니다. 줄줄이 연쇄적으로 들어가게 됐는데 〈너 또한 별이 되어〉를 만들자 영화가 흥행은 안 됐지만 컬트영화나 호러영화 광팬들이 그랬어요. "감독님, 대마초 피고 〈너 또한 별이 되어〉 한 번 감상해보세요. 기가 막혀요. 영화 결점은 하나도 안 보이고 장점만 보이는 거예요" 그래서 아마 내가 대마초를 피지 않았을까요(웃음)?

김홍준 사실은 그 당시에 여러 가지 사회적 분위기나 이런 것으로 볼 때 말하자면 유신이 선포가 되고 사회가 폭압의 시대로 갔지만, 이른바 섹스와 스포츠 이런 것을 통해서 사람들의 욕구를 해소해주는 정책을 쓰고 있을 때예요. 그래서 뭐 청년문화도 풀어주고 했는데 가만 보니까 김민기 같은 사람도 등장을 하고 미국을 보면 반전운동 이런 데에 대중문화 쪽의 사람들이 많으니까, 어쩌면 똑똑한 누군가가 권력의 측근에서 대중문화를 가만 놔뒀다간 저 딴따라들 때문에 문제가 생길 수도 있다. 그래서 하나의 탄압의 구실을 찾던 중에 우리나라의 사회통념이나 또 본인들도 꼼짝할 수 없는 걸로 걸고 넘어진 게 대마초파동이라고 저는 생각을 합니다.

이장호 아마 그때 사회의 반감이라든지 사회의 저항적인 흐름의 눈을 돌리기 위해서 연예인들을 쉽게 이용한 것이 아닌가 생각이 들어요. 정치적으로 큰 이슈가 있을 때 한 번쯤 그런 정치적인 쇼맨십이 필요한데 하필이면 그게 대마초가 됐던 거죠.

김홍준 그런 것을 꼭 의도를 했다기보다 결과적으로 그렇게 됐다고 볼 수도 있지만 심증은 있는 것이, 유난히도 엄청나게 가혹했어요. 오늘은 거기까지 얘기하고 〈바람 불어 좋은 날〉을 얘기할 때 감독님의 드라마틱한 재기담을… 그래서 오늘날 여기까지 오시게 된 얘길 듣겠지만요. 이장호 감독님 같은 경우에도 단순히 실정법으로 처벌받는 것에 끝나는 것이 아니라 마치 50년대 미국의 매카시즘이 그랬듯이 완전히 블랙리스트에 올라가지고, 이 사람의 모든 사회적 활동이 중지되는 겁니다. 그러니까 법으로 그렇게 정해 놓은 건 아니지만 주변 사람들을 감시하고 못 살게 굴어서, 영화감독은 영화를 찍을 수가 없는 것이고….

이장호 아주 공식적으로 활동정지 명령을 받았어요. 그게 기한이 있는 게 아니고 무기한.

김홍준 가수는 노래를 할 수가 없고, 영화감독은 영화를 찍을 수가 없고, 작가는 글을 발표할 수가 없고, 그렇게 사회적으로 완전히 매장당하는… 주위에서는 마약 하는 사람이라고 나쁘게 인식이 되고. 그래서 완전히 자기의 사회적 존재가 말살되는, 여러분들이 상상할 수 없는 고통스런 상황이고. 더더군다나 박정희 대통령의 장기집권체제였기 때문에 언제 그게 풀릴지도 모르고 또 점점 풀릴 가능성은 없어지구요. 그런 상황이 1976년부터 1979년까지의 상황이었단 것을 얘기하고, 궁금하시면 그 시대에 관한 자료를 보세요. 감독님 오늘 거기 덧붙여서 마무리 말씀해주시죠.

이장호 그래서 나는 대마초 때문에 활동을 못 하고 있는데 공교롭게도 내 선생님이신 신상옥 감독님은… 상황이 또 내리막길인데 스카라극장이라고 지금은 없어졌죠. 거기에 홍콩에서 촬영한 〈장미와 들개〉라는 영화의 예고편을 붙이는데, 검열에서 다 잘렸지만 잘린 부분을 다시 삽입시켜 예고편을 틀었어요. 극장에서 항상 예고편을 틀어줬던 시긴데 그게 발각이 돼서, 아까부터 내가 자랑했던 신필름이라는 오랜 역사와 대규모의 큰 영화사가 문을 닫게 됩니다. 강제 폐쇄명령을 받고, 그러니까 제자는 대마초 걸려 활동 못 하고 선생님은 예고편 때문에 폐쇄명령을 받고… 그래서 가끔 만나게 되죠. 만나서 밥을 먹다가 신상옥 감독님이 이런 얘기를 했는데 그 얘기가 그 당시 절망감을 잘 나타냅니다. "야 너나 나나 다시 활동하려면 통일이나 돼야 되겠다" 그 얘기가 그 당시에 박정희 대통령 정권 말기의 우리들의 절망감을 잘 나타내고 있었어요. 도저히 이 장기집권은 끝날 것 같지 않고 통일이 되어서나 끝날 거라는 그런 암담함.

영화를 포기하고 있을 때 집이고 자동차고 다 팔아먹고 그야말로 〈그래 그래 오늘은 안녕〉 같은 시민아파트로 가서 마누라하고 딸년하고 살았는데, 막 정지명령 받은 지 3년쯤 됐을 때는 벽에다가 말하자면 아주 염세적이고 현실도피적인 낙서들을… 어른이 자기 집 벽에다 낙서하는 것부터 정신적으로 문제 있는 거 아닙니까? 막 낙서를 했는데 머리 깎고 절에 들어가고 싶다는 잡념들이 많았고, 또 실제로 그 당시에 좀 위로가 됐다면 반야심경 풀이를 보면서 '그렇지 세상이란 게 이렇게 덧없는 거야' 그런 생각을 하는데… 못 참겠는 건 〈쇼쇼쇼〉라고 유명한 코미디프로그램이 있었어요. 밴드가 나오고 내가 클래식에서 아주 좋아하던 '딴따단 따다라딘…' 그 음악에 맞춰서 무희들이 춤을 추는데, 갑자기 그냥 영화 만들고 싶다는 생각이 미치도록 강해지는 거예요. 그 음악에 맞춰 동작하는 것이 내 영화 표현의 극치라고 생각하고 있었던, 근데 그 얘길 하면서 눈물을 좌악 흘리니까 우리 마누라가 보다가 외면을 하더라고. 그게 대마초 마지막인데 그리고 일 년 후에 재기를 합니다(웃음).

김홍준 참고로 제 개인적인 에피소드를 덧붙이자면 저는 그전까지 이장호 감독님을 연예인 비슷한 영화감독, 그리고 〈별들의 고향〉을 보고 아마 태어나서 처음 영화감독의 이름을 외운 게 이장호 감독님의 이름이었던 것 같아요. 그렇지만 그때만 해도 영화 하는 사람들은 완전히 무슨 별종 인간들인 줄 알았어요. 저는 되게 모범생이었거든요. 그쪽은 막 무섭고, 그러다가 제가 이름이나 이미지가 아닌 살아있는 인간으로서 영화감독을 처음 만난 게 빔 벤더스 감독과 이장호 감독님이셨어요. 감독님이 대마초 때문에 활동을 못 하고 영화를 못 찍고 여러 가지 다른 활동을 하고 계시던 1977년에 빔 벤더스 감독이 한국에 왔던 때… 저는 대학생이었는데 그때 그 인연으로 해서 감독님을 처음 뵙게 됐고, 아마 그때부터 오늘까지 이렇게 감독님에 대해서 감히 옆에서 뭐라고 할 수 있는 사람이 된 것 같습니다.

감독님, 오늘 첫 만남 너무 감사드리고요, 또 끝까지 경청해 준 학생들에게도 고맙게 생각하고. 오늘은 맛보기였고 다음 주 〈별들의 고향〉 상영부터 본격적인 뒷담화와 파란만장한 일대기가 펼쳐질 것 같습니다. 그리고 공지사항이 있는데 〈별들의 고향〉이 사실은 저작권 때문에 35미리 프린트 상영을 못하게 됐어요. 근데 감독님께서 16미리로 직접 소장하고 계신 프린트가 있어서, 아마 여러분 세대가 평생 다시는 보지 못할 16미리 시네마스코프 상영을 할 겁니다.

이장호 가설극장 기분을 느낄 수 있을 거예요.

김홍준 화질은 35미리보다 후지고 비도 좀 오겠지만 16미리 시네마스코프 프로젝션이라는 거는 평생 못 볼 기회니까, 주변에 영화전공 학생들에게 와서 그게 어떤 건지 시각적 체험을 해 보라고 하시면 좋겠네요. 이러다가 안 되면 안 되는데, 우리 학교에 16미리 영사기는 있는데 16미리 시네마스코프 렌즈가 없어요. 감독님이 마침 갖고 계신 게 있어서 저희가 테스트를 해 볼 텐데 일단 최대한 〈별들의 고향〉은 그렇게 상영하도록 하겠습니다. 1시부터 상영이 있고 감독님과의 대화는 3시부터 시작을 하도록 하겠습니다.

이장호 김홍준 감독 만난 얘기를 해서 내가 덧붙이는데 정지명령을 받아서 내가 활동을 할 수 없었을 때, 《영상시대》라는 동인이 있다고 아까 얘기했죠. 우리가 거기서 정기간행물을 만들었는데 나는 영화를 못 만드니까 거기에 전념을 하고 있었죠. 그런데 어느 날 서울대 학생이 찾아왔어. 주변에 고대생, 연대생들은 많았는데 서울대 학생이 오기는 처음이야. 와서 뭘 보여줬냐면 빔 벤더스를 만나서 개인 자격으로 인터뷰를 한 걸 정리를 해 왔어요. 근데 인터뷰 내용을 보니까 그 당시에 한국사람들이 인터뷰에 익숙했을 때가 아니고, 인터뷰를 한다고 하면 짜증나게 천편일률적으로 질문을 하고 했는데 이거는 벤더스의 답변보다 질문한 사람이 돋보이는 거예요. 그래서 '야, 새로운 인물 하나 만났다. 이래서 서울대 학생들이 천재인가? 그러고 왔어요. 그리고 내가 프러포즈를 했죠. 잡지를 만들어야 하는데 도와줄 수 있냐고 하니까 기꺼이 도와준다고 해서, 아마 빔 벤더스가 창간호에 실리지 않았나? 두 번째인가?

김홍준 인터뷰는 못 실리고요, 다른 글이 실렸죠.

이장호 그래서 그게 인연이 돼서 김홍준 감독을 만나고 그 다음에 김홍준 감독을 통해서 박광수 감독을 만나고, 하여간 김홍준 감독을 만나서 최초의 서울대 학생과의 조우가 이뤄졌어요. 그때 천재였어요.

김홍준 감독님이 여러분께 왜 천재라고 하셨는지 아시겠죠? 천재의 기준이 좀 다릅니다. 그럼 여기까지 하도록 하고요, 다음 주에 또 뵙겠습니다.

호걸과의 유쾌한 첫 만남

흰머리라고 다 같은 흰머리가 아니었다. 아직 흰머리도, 새치도 생기지 않아 남의 일처럼 느껴져서일까. 흰머리라 하면 나이 듦의 상징이라는 단선적 생각만 있었다. 그러나 호걸의 흰머리는 달랐다. 대사사실 뒤에서 나타난 이장호 감독님의 흰 머리는 '원로' 이미지보다 힘 있는 호걸의 이미지로 다가왔다. 나이 듦으로 인해 힘이 빠지고 탈색된 머리색이 아니라 오랜 세월을 겪어낸 에너지의 연장선처럼 보였다. 그렇게 이장호 감독님과의 첫인상이 각인되며 첫 만남을 갖게 되었다.

머리카락에서 느꼈던 기운은 순간적 인상에 그치지 않고 수업 내내 강의실을 채워나갔다. 이장호 감독님은 솔직 담백하게 당신의 영화 인생을 풀어놓기 시작하셨다. 어떤 꾸밈이나 포장 없이 있는 그대로를 담담하게, 때로 유쾌하게 옛날이야기를 들려주셨다. 일주일 전 겁먹었던 손녀는 어느새 할아버지의 이야기에 조금씩 빠져들고 있었다. 영화를 시작하신 당대 시대상을 배경으로 이장호 감독님의 영화 이야기가 펼쳐졌다. 그 시간 속에는 1960년대 신필름 연출부를 견뎌낸 20대 초반의 '젊은' 이장호를 거쳐 70년대 유명해진 신인 감독 '이장호'가 있었다.

그런데 거기에 사람들에게 보여진, 그리고 그렇게 보이기를 바라는 겉보기 사람만 있는 것은 아니었다. 이장호 감독님은 신인감독 시절 당신 스스로가 연예인이 된 기분이었다고 회고하시며, 당시 심경을 구체적으로 묘사하셨다. 하루아침에 유명인이 되어 마냥 우쭐하기만 한 것은 아니었다는 솔직한 말씀에서 감독으로서의 '이장호'와 함께 사람 '이장호'가 느껴졌다. 스스로 감독이 아닌 조감독 같았다는 표현과 함께 당시 흥행 기록을 뛰어넘자 영화가 당신 작품이 아니라 '주인 없는 말'처럼 달려가는 서글픔을 느꼈다는 고백에서 성공한 감독 뒤에 현실과 그 이면까지 예리하게 감지하는 거장의 기운이 엄습했다.

66

이어 〈별들의 고향〉 성공 이후 당신 개인적으로 교활해졌다며 스스로를 냉정하게 평가하심에 이장호 감독님이 다르게 보였다. 자신의 젊은 시절을 적당히 그럴싸하게 묘사해도 될 텐데 이장호 감독님은 많은 사람들 앞에서 당신을 철저히 객관화해서 반추하고 계셨다.

주변상황이나 타인의 탓으로 돌리기 전에 당신 자신에 대해 냉정하게 묘사하는 이장호 감독님은 충격 그 자체였다. 세월의 흔적에 묻어 좋은 면모만을 부각하거나 좋지 않은 것을 애써 회피하기보다는 정면으로 보여주심에 진정한 '감독'은 자기 안에, 또는 자기 작품에 함몰되는 것이 아니라 거기서 벗어나 세상과 부딪히고 자신을 들여다보며 끊임없이 교감해야 하는 것임을 어렴풋이 느낀다. 이장호 감독님의 에너지 넘치는 흰머리는 그냥 생긴 것이 아니라는 지극히 개인적 감상 속에 호걸과의 첫 만남을 유쾌한 기억으로 반복 재생 중이다. 덧붙여 고작 한 번밖에, 그것도 먼발치에서 만나 뵈었지만, 조금씩 이장호 감독님에 대한 존경심을 싹틔우는 중이라고 조심스럽게 말하고 싶다. 다음주부터 펼쳐질 이장호 감독님의 영화세계가 기대된다.

_별들의 고향

· 1974년, 105분
· 제작 _ 화천공사
· 원작 _ 최인호
· 각색 _ 이희우
· 촬영 _ 장석준
· 조명 _ 김진도
· 편집 _ 현동춘
· 음악 _ 강근식, 이장희
· 미술 _ 이봉선
· 출연 _ 신성일, 안인숙, 백일섭, 윤일봉, 하용수

밝고 명랑한 직장여성 경아(안인숙)는 첫사랑인 직장선배 영석(하용수)에게 버림 받지만 곧 실연을 극복하고 중년남자 이만준(윤일봉)의 후처가 된다. 그러나 만준은 전처에 대한 그리움으로 경아에게 상처를 주고 경아의 과거 임신 사실까지 드러나면서 둘은 헤어지게 된다. 그러면서 술을 가까이 하게 된 경아는 건달인 동혁(백일섭)을 만나 유흥가로 넘겨진다. 그러다 도망쳐 나와 화가인 문호(신성일)를 만나 동거를 하지만 경아의 과거를 알게 되면서 문호는 경아에게서 조금씩 멀어지고, 알코올중독과 자학에 빠진 문호는 그녀를 사랑할 수 없다는 걸 깨닫고 경아를 떠난다. 남겨진 경아는 결국 자살을 선택하고, 한 움큼 눈과 수면제로 짧은 생을 끝낸다.

별들의 고향_1974

김홍준 원래 일정대로 다음 주에는 〈어제 내린 비〉를 35미리 프린트로 상영을 할 거고, 현재 예정으로는 3월 30일에는 〈바람 불어 좋은 날〉을 상영할 텐데… 항상 저작권 섭외를 해야 하기 때문에 저작권 섭외가 되면 우리가 영상자료원에서 프린트를 빌려와서 35미리 상영을 할 것이고, 안 되면 이장호 감독님이 손수 소장하고 계신 16미리 프린트 상영을 하는 형식으로 하겠습니다. 여러가지 준비도 많이 해야 되고 힘은 들지만 어쨌든 영화를 프린트로 보는 그런 수업으로 진행하겠습니다.

그리고 4월 7일은 여기서 수업을 하지 않고 영상자료원에서 2시부터 신상옥 감독님의 〈내시〉를 상영하게 됩니다. 그날 이장호 감독님의 작품이 아니라 신상옥 감독님의 작품을 상영하는 이유는, 그 주가 신상옥 감독님이 돌아가신 추모 주간이라서 이장호 감독님께서 특별히 본인이 직접 연출부로 참여하셨던 〈내시〉를 상영하고, 그 영화와 본인이 기억하는 신상옥 감독님에 대한 '이제는 말할 수 있다. 그때도 말할 수 있었다' 그런 얘기들을 나누도록 하겠습니다. 여러분이 이 수업에 나오는 영화들에 대한 기초적인 정보를 얻기 위해서는 좀 부실하긴 하지만 그래도 유일한 KMDB에 들어가 보면 돼요. 영상자료원 사이트의 일종이기도 한데, IMDB의 짝퉁은 아니고 한국영화데이터베이스라고 있으니까 들어가 보구요. 오늘 수업을 준비하면서 KMDB에 들어가 봤더니 재밌는 내용들이 많았는데, 특히 〈별들의 고향〉은 워낙 유명한 작품이라 이 영화에 대한 석사논문도 있고 여러 가지 연구도 많은 것 같아요. 거기 설명에 보면 이렇게 되어 있더라고요.

'〈별들의 고향〉은 이장호 감독의 데뷔작이다. 경아라는 한국영화사에 길이 남을 캐릭터와 동시대 청년문화의 감수성과 호스티스 영화의 절묘한 결합을 낳은 당대 최고의 흥행작이다.' 이런 약간은 낯간지러운 멘트가 있는데 여기서 아마 여러분은 청년문화, 호스티스 영화 이런 게 좀 생경하게 들릴지도 몰라요. 설명하자면 알다시피 해방둥이 세대인 이장호 감독 본인이 1945년생인데, 참고로 파스빈더와 같은 해에 태어나신 분이에요. 해방 후에 한글세대이자 민주주의 교육을 받은 첫 세대이자 소년기에 4·19를 겪었고, 70년대 들어와서 한국이 본격적인 소비사회로 들어가고 또 대중문화가 영향력을 넓혀갔는데 그것을 주도해나갔던 첫 세대라고 볼 수 있어요. 그래서 여러분의 부모 세대가 젊었을 때 지금은 점잖은 척하시지만 좀 노셨던 분들, 그 당시에 언론이 묘사하는 별로 생각 없이 노는 대학생들의 모습은 세 가지 단어로 요약이 됐는데요. 청바지 그 다음에 통기타, 기타를 둘러메고 청바지 입고 그리고 생맥주 집에서 맥주를 기울이는, 하길종 감독님의 〈바보들의 행진〉에 보면 전형적으로 드러나 있는 그런 모습이 그 당시의 모습이었구요.

그렇게 따지면 당시에 75학번이었던 내 모습도 크게 다르지 않았던 것 같아요(일동웃음). 치지도 않는 테니스 라켓을 들고 다니는 〈바보들의 행진〉의 주인공의 모습은 바로 내 옆자리에서 있었던… 추억은 방울방울(일동웃음). 그래서 이 영화의 줄거리가 인용처를 밝히지 않고 KMDB에 올라와 있는데 아마 70년대 언어감각과, 겉으로는 우드스탁을 표방하는데 몸은 아직 청계천을 떠나지 못 하고 있는 그 당시의 절묘한 감수성을 잘 표현하고 있는 언어감각인 것 같아서 요즘 이렇게 쓰라고 하면 아무도 못 쓸 거예요. 〈별들의 고향〉을 보기 전에 어차피 줄거리가 그렇게 중요한 건 아니기 때문에, 70년대 당시에는 어떻게 이 줄거리를 70년대의 언어로 요약했는지 읽어드리겠어요. 여러분이 또 영화를 본 다음에 여러분 나름대로 21세기의 언어로 요약을 하면 어떨지 비교해보면 재밌을 것 같아요. 〈나 그대에게 모두 드리리〉 같은 백그라운드 음악이 깔려야 되는데….

'첫사랑에 버림받은 경아는 아픔을 이겨내고 중년남자 이안준의 후처가 된다' 오랜만에 들어보는 단어네요, 후처. '그러나 임신한 과거 때문에 그와도 헤어져 술을 가까이 하게 된 경아는 동혁에 의해 호스티스로 전락한다. 화가인 문오를 알게 된 경아는 그와 동거를 시작하나 심한 알코올 중독과 자학에 빠진 문오는 그녀를 남겨두고 떠난다' 여기서부터 중요해요. '그리고 일 년이 지나 어느 눈 나리는 날, 거리에서 젊은 여자의 시체가 발견되는데 그녀는 다름 아닌 경아였으며, 그것은 착하고 천진했던 한 여자의 생을 무참하게 짓밟았던 도시의 절규이다' 박수(일동박수)!

　　지난 시간에 말씀하신 대로 이 영화는 어렸을 때부터 절친한 친구였던 최인호 소설가님의 그야말로 장안의 진가를 올렸던 원작소설을, 친구라는 사적인 친분을 최대한 활용해서 감독님께서 수많은 경쟁자들을 따돌리고 영화화 권리를 획득하신 후에, 지난 시간에 자세한 말씀 안 하셨는데 그 일로 해서 신필름에서 뭐라고 해야 되나요? 탈영이라고 해야 되나요? 에피소드를 들은 적이 있는데, 하여튼 그 당시로서는 핵폭탄 같은 영화였어요. 여러분이 그 당시의 〈별들의 고향〉과 이장호 감독님께 쏟아졌던 관심, 그리고 본인의 어떤 그 뭐랄까 상태라고나 할까요. 전 이렇게 한번 비유해보고 싶어요. 만약에 지금 우리나라에서 한 스물… 그 당시에 스물아홉이면 하면 상당히 어린나이 아닙니까, 연출부에서도요. 보통 조감독 하려면 최소한 10년씩 할 때였으니까, 스물아홉이면 요즘으로 치면 한 스물서너 살 정도의 취급을 받을 거라 생각하는데요. 스물세 살의 어디서 듣도 보도 못 했던 젊은이가 갑자기 영화를 만들었는데 그게 천만 관객을 동원했다, 라고 생각을 하시면 본인이 느꼈을 엄청난 스트레스를 여러분도 느껴보실 수 있을 것 같습니다.

　　우선 조금 엉뚱한 질문부터 시작을 할까 하는데요. 〈별들의 고향〉은 워낙 유명한 영화지만, 국도극장에서 105일 동안 46만 명을 동원했는데 속편이 두 번 만들어졌거든요. 〈(속)별들의 고향〉을 1978년에 역시 〈별들의 고향〉의 제작자인 화천공사에서 제작을 했고 하길종 감독님이 연출하셨고, 최인호 각본, 정일성 촬영, 주연은 신성일 그리고 장미희씨, 이렇게 돼 있고, 이 영화도 명보에서 327,730명을 동원한 그 해 흥행 1위였을 겁니다. 거의 알려지지 않았지만 1981년에 3편도 만들어졌어요. 〈별들의 고향〉3편은 연방영화사에서 이경택 감독님이 만드셨고 최인호 각본, 전조명 촬영에 유지인, 박근형, 그리고 이 영화도 아세아극장에서 49,338명이 들었는데 그 당시에 5만 명이면 그렇게 나쁜 스코어는 아닌 흥행에는 성공했다고 볼 수 있는, 지진으로 치면 여진까지 계속 왔던 그런 영화인데 속편들에 대한 감독님의 코멘트라든가 하실 얘기들이 혹시 있으신지요?

이장호 부끄러운 얘긴데 〈별들의 고향〉 만들고 영화를 한 편을 더 만들었죠. 〈어제 내린 비〉를 만들었는데 이미 화천공사에서 옮겼기 때문에 전편을 만든 영화사하고 저하고 사이가 나쁜 관계였습니다. 그쪽에선 계속 영화를 만들어주길 바랐는데 저는 다른 영화사로 옮겼고, 옮긴 이유는 돈 때문이었고요. 〈별들의 고향〉을 너무 싸게 연출해줬다는 생각이 들기 시작했죠. 그래서 회사를 옮긴 다음에 거기서 영화 3편을 만들었습니다.

3편을 만들었을 때 연예인 대마초사건에 말려들어서 활동정지명령을 받지 않았습니까? 그때 화천공사에서 〈(속)별들의 고향〉을 만들었는데 할 수 없이 하길종 감독을 택했어요. 하길종 감독은 제가 1편 만들었을 때 제작사인 화천공사에 저를 소개해줬어요. 그 영화사가 하길종 감독과 사돈 관계입니다. 하길종 감독의 동생인 하명중

씨 부인이 화천공사 사장의 여동생이에요. 하길종 감독하고 화천공사는 사돈 간인데 하길종 감독이 한번은 심심풀이로 나한테 되도 좋고 안 되도 좋고 하는 식으로 〈별들의 고향〉을 자기한테 양보할 수 없냐고 그랬어요. 그런데 내가 그건 말이 안 된다 그러니까, 그러면 자기가 제작사를 소개해줄 테니까 그 제작사에서 해라, 그래서 만났죠. 만났더니 사장도 괜찮고 해서 거기서 만들었기 때문에 하길종 감독이 속편을 만든다는 것에 저는 참 기분이 좋았고 안심했습니다.

그 당시에 속편 만든다는 것이 명예스럽지 못하다는 생각을 하고 있었기 때문에 하길종 감독이 속편을 만든다고 했을 때 고마웠죠. 그 다음 3편 때는 이미 너무 시기적으로 지나갔고, 그런데 공교롭게도 고등학교 선배인 이경태 감독이 그걸 하고 싶다고 해서 최인호하고 같이 만나 의논을 해서 이경태 감독이 만들었으니까, 저는 속편에 대해선 전혀 나쁜 기억이 없고 좋습니다. 그리고 대마초 때문에 활동을 못 할 때라 장미희의 친구로서 촬영장에 가끔 놀러 갔어요. 나는 촬영 못 할 땐데 남이 촬영하는 것을 구경하는 것도 상당히 재미있었습니다.

김홍준 감독님 인터뷰에서 보면 처음에 신필름에서 〈별들의 고향〉 얘기가 나왔을 때 신상옥 감독님께서 감독님보다 서열상으로 위의 퍼스트였던 이경태 감독의 데뷔작으로 시켜야겠다고 언급한 적이 있다고 하셨는데, 그 이경태 감독님이 나중에 〈별들의 고향 3〉을 연출하신 것도 묘한 인연이 되는 거네요. 그럼 이제 〈별들의 고향〉 얘기로 들어가겠는데요. 혹시 영화 본 사람들 손들어 보겠어요? 에, 내리고요. 이게 케이블에서 새벽 2시에 가끔 하나 봐요. 프린트로 보신 분 손들어보시겠어요? 어디서 봤어요? 아, 영상자료원에서. 오늘 16미리 프린트로 정말 오랜만에… 저도 어떨지 궁금한데 〈별들의 고향〉은 안 본 사람이 많기 때문에 내용에 대한 것보다는 좀 일반적인 것, 백그라운드 얘기를 먼저 하면 좋을 것 같은데요. 오히려 그 영화를 만들었던 그 당시 시대배경과 그 영화를 만들었던 스태프들, 캐스팅 얘기를 한번 들어보는 게 좋지 않을까 해서 여쭤보려고 하는데, 아까도 청년문화 얘기를 조금 했거든요. 감독님도 그 당시에 청년이셨고요. 〈별들의 고향〉 자료를 봤더니 제13회 대종상영화제에서 신인감독상을 받으셨고, 근데 신인상만 주고 감독상은 안 줬나 봐요. 그 다음에 백상예술대상에서 장석준 촬영감독님이 기술상을 받고 감독님께선 영화부문의 연출신인상을 받으셨는데, 이 영화는 영화흥행에 비해서 상복은 적었던 편이에요. 스필버그가 아카데미 영화상에서 외면당한 이유와 비슷한 것이 아니었나 싶습니다.

이장호 영화가 신통치 않았어(웃음).

김홍준 우선 캐스팅에 대해서⋯ 그 당시 주인공에 안인숙씨가 캐스팅된 것 자체가 큰 화제였고 또 영화계 분들은 많은 염려를, 왜냐하면 안인숙씨는 그전에 아역 배우였거든요. 그래서 이 분의 첫 번째 성인 역할인데 그동안 굉장히 청순하고 소녀 같은 이미지로 쭉 해왔던 배우에게 겁도 없이 이렇게 호스티스 역할, 그리고 그 당시 기분으론 상당히 찐한 "오랜만에 같이 누워보는" 여인으로 나오셨는데, 안인숙씨를 캐스팅하게 된 것은 누구 아이디어였고 감독님께선 어떻게 끌어가셨는지 여쭤보고 싶습니다.

이장호 먼저 여러분들이 16미리로 보는 것이 가장 좋을 거라고 생각해요. 그 당시에는 영화를 만든 사람들이 극장에 가면 늘 걱정했던 것이, 뭣 때문인지 대사가 잘 안 들린다는 것이었어요. 한국말 때문인지 아니면 기술 때문인지 대사를 정확히 알아들을 수 없어서 극장에 가면 그게 속상했고, 그 다음에 돌비 이런 게 아니었을 때라 사운드를 한 톤으로만 들을 수밖에 없었고요. 오늘 이 프린트는 어떨지 모르겠는데 '기저귀 채운다'고 해서 투명한 필름에다가 자막을 넣어서 원 네거티브와 겹쳐서 프린트를 뜨거든요. 그러니까 그게 오래 되면 붙여났던 것이 떨어져서 어디로 사라져 버리고 그림만 있어요. 그래서 비디오 나온 거라든지 보면 제작회사에서 타이틀을 엉터리로 집어넣더라구요. 여러분 16미리로 보는 것이 그 당시의 감각을 느낄 수 있을 겁니다.

그리고 캐스팅은 처음엔 제가 마음에 드는 탤런트가 한 사람이 있어서 여러 번 얘기하고 최인호도 보고 상당히 마음에 들어 하는 친구가 있었는데, 유명지라는 친구였어요. 그런데 이 친구가 연기력에서 자신이 없는지 도중에 사라져 버렸어요. 그러곤 통 만나질 못했어요. 그 다음에 화천공사로 제작진이 넘어가면서 신인공모를 하자고해서 했죠. 신문에 공고를 내고 신인 테스트를 했어요. 거기서도 마땅한 사람을 찾지 못했고 세 번째로 생각한 것이 지금은 나이를 먹었지만 탤런트 김영애씨 있죠. 김영애씨가 처음 나왔을 때 상당히 야무지고 난 그 역에 적격이다 생각을 했는데, 제작사에 보여줬더니 제작사에선 아니라는 거예요. 그래서 고민에 빠졌는데 제작사에서 그때 막 성인이 된 안인숙씨를 한번 보겠냐고 해서, 안인숙씨라면 좋겠다고 생각을 했죠. 안인숙씨를 만났더니 나와 제작사를 만나기 전에 매니저를 시켜서 이 역할을 하고 싶다고 적극적으로 프러포즈를 했대요. 그래서 결국은 안인숙씨에게 역할이 갔는데 조건이 뭐였냐면 '노개런티다, 돈을 안 받고 출연을 해라' 안인숙씨는 욕심이 나니까 오케이 했죠. 그래서 결국은 안인숙씨가 돈을 받지 않고 출연을 했습니다. 화천공사가 구두쇠인데 저한테 개런티로 45만 원을 줬거든요

45만 원은 어떤 기준이냐면 감독들이 덤핑이 심하니깐 감독협회에서 기준을 정했어요. 45만 원 이하로는 내려가지 못한다. 난 45만 원 받았는데 안인숙씨는 15만 원 받았대요. 히트 친 다음에는 나는 회사를 이미 다른 곳으로 옮기는 바람에 보너스를 받지 못했어요. 대신 최인호가 보너스를 받았죠.

김홍준 45만 원이면 지금 얼마죠?

이장호 지금은 4천만 원 정도로 보겠죠. 그 당시 명동에 우리 할아버지가 빌딩을 가지고 있었는데 시가가 3천만 원이거든요. 지금은 빌딩시가가 30억 정도 되지 않을까 생각합니다. 그걸로 불리면…

김홍준 1년 생활비.

이장호 아, 45만 원에서 15만 원은 또 조감독을 줘야 해요. 그러니까 30만 원이죠.

김홍준 예. 그리고 신성일씨는 60년대까지만 해도 한국영화를 주름 잡으셨던 분이셨고 그 분의 경력에서 〈별들의 고향〉이 굉장히 중요한 작품이라고 생각되는데, 신성일씨가 출연할 때 위상이 어떠셨고 이 작품에서 젊고 아주 애송이 같은 신인감독이 대스타와 만났을 때 어떤 일이 벌어졌는지 묻고 싶습니다.

이장호 적절한 예가 될지 모르겠지만 지금은 한석규 정도 되지 않을까. 하지만 한석규하고 신성일씨의 스타 밸류가 다른데, 그 당시에 한창 유명했을 때는 텔레비전이 없던 시절에 전천후 스타였죠. 사람들의 뇌리에 깊이 박혀 있었는데 나는 지금 영상으로 보아도 한석규 정도 됐을 때가 아닌가 생각이 들고, 조감독 때도 몇 번 만났기 때문에 잘 알고 있었습니다. '형, 형' 하던 사이였어요. 〈별들의 고향〉을 찍을 땐 현장에 늘 원작을 들고 다니면서 촬영을 했어요. 나중에 설명을 하겠지만, 신성일씨가 처음 만나더니 원작을 탁 뺐어요. "영화는 영화고 원작은 원작이다" 이런 이야기를 하더라고요. 신성일씨가 독서광이어서 자기 자신을 굉장히 믿어요. 자기의 지적인 부분을 믿고 영화감독도 자기가 했기 때문에, 또 나는 원작하고 사진을 몇 장씩 오려 다녔어요.

《아사히카메라》라는 일본판 카메라 전문잡지가 있었는데 콘티 대신 그 잡지의 사진을 항상 오려서 가지고 다녔어요. 그래서 촬영기사한테 이런 분위기다. 배우들한테도 이런 모습이다. 육안으로 확인할 수 있게끔 해줬거든요. 이걸 원작하고 같이 가지고 다니니까 신성일씨도 그거 가지고 더 이상 말을 안 했죠. 왜냐면 사진을 보여주면서 자꾸 설명하고 확인시켜주고 하니까. 시나리오는 이희우씨라고 그때 내가 생각하기에 천재적인 시나리오 라이터라고 생각했는데 이 양반이 각색을 했어요. 화천공사에서 돈을 받고 쓴 거는 보니까 마음에 참 안 들더라구요. 그래서 원작자 최인호 보고 다시 쓰라고 해서 아주 간편하게 원작을 다이제스트하게 빨리 썼죠. 그러고서 다시 보니 이번엔 회사에서 최인호 것을 마음에 안 들어 하는 거예요. 그리고 이희우씨 것이 좋다고 하는 거지. 이희우씨는 상당히 통속적인 신파처럼 시나리오를 썼는데, 감독이 보기엔 서툴고 하니까 쭉 가다가 신의 절반쯤에 최인호와 에피소드가 같은 쪽을 잘라 가지고 딱 합쳐버렸어요. 앞에는 이희우씨 시나리오, 뒤에는 최인호 시나리오.

〈별들의 고향〉

〈너 또한 별이 되어〉 촬영 중 카메라 앵글을 검토하는 이장호

지금 생각하면 참 무식한 짓인데… 그렇게 해서 회사를 설득하고 그 다음 인쇄를 해서 대본을 만들었어요. 그러니깐 그 대본 갖고는 연출을 못하는 거죠. 그래서 할 수 없이 원작을 들고 다니면서 원작에서 내가 찍고 싶어 하는 부분만을 찍었으니깐… 그 당시에 영화를 촬영하고 오면 러시필름을 회사 제작자가 보거든요. 필름을 보면서 제작자가 조금씩 안심하기 시작해서 그 다음에 작품에 대한 간섭은 제작자가 하지 않았습니다.

　　김홍준 이게 맞는 얘기인지 모르겠지만 제가 현장에 있을 때 들은 얘긴데요. 그때 감독님께서 신인감독인데도 그 당시 충무로의 관행이, 영화가 만 자면 만 오천 피트 1.5:1, 많아야 2:1정도의 비율로 장편영화를 완성해내라고 했던 시절인데, 처음에 계약을 하면서 영화사에서 신인감독으로서는 굉장히 파격적인 조건을 제시했고 받아들이게 됐다고 하셨거든요. 제가 찾아보니까 그 당시 일반적으로 영화에서 코닥필름이 후지보다도 좋았음에도 대부분 싼 영화들이 후지필름을 찍었는데 코닥필름을 쓰게 해 달라고. 그 다음에 필름도 삼만 피트인가, 많이 쓰게 해달라고 하셨다는데 그런 배경을 말씀해주세요.

　　이장호 코닥필름하고 후지필름하고 단가가 몇 십 원 차이가 안 나요. 그 당시에 그렇게 필름 값을 아꼈는데 코닥필름 쓴다, 그러면 예를 들면 신상옥 감독님 외 몇 사람만 코닥필름 쓰고 나머지는 다 후지필름을 사용했죠. 근데 후지필름은 이상하게 현상할 때 초록빛과 푸른빛을 제거하지 못하는 결점이 있었어요. 코닥필름을 쓰면 검정색을 잘 살려요. 후지필름은 초록색하고 청색이 검정색에 겹쳐져서 푸르뎅뎅한 색깔을 주기 때문에 그건 못 쓰겠다 하고, 코닥필름을 고집하고 삼만 자를 고집했죠. 제작사가 오케이 했는데 촬영 도중에 제작부장 '왕패'라고, 이승만 정권 때 유명한 조직폭력배인데요 (일동웃음). 이 친구가 계속 후지필름 쓰라고 압력을 넣는 거예요. 그리고 한 번은 촬영하는데 필름이 떨어져서 필름 보내라고 하니깐 후지필름을 들고 왔어요. 현장에서 그걸 쓰라는 거예요. 그래서 내가 못쓴다고 오늘 촬영 그만하자, 그러니깐 나한테 겁을 주느라고 필름을 땅바닥에 내치면서 "네 맘대로 해!" 이랬죠. 난 그날 펑크를 내고 돌아왔어요.

그러니까 여러 번 뭐랄까… 영화를 만든다는 것을 당시 스태프는 조직폭력배와 싸우는 기분으로 했고, 조감독 송영수 감독은 왕패라는 사람에게 봉변을 당했어요. 송영수 감독이 편집을 하고 있는데 왕패가 밖에서 보자고 해서 나갔었어요. 나가서 조금 있다가 들어왔는데 여기가 막 터져서 들어와서 우는 거예요. 왜 그러냐니까 왕패한테 맞았다는 거예요. 그래서 개봉날짜가 굉장히 촉박할 때인데 내가 촬영을 보이콧 했어요. 왕패를 자르지 않으면 촬영 안 하겠다고 버티니까 제작사가 할 수 없이 왕패한테 현장에 나가지 말라고, 그러고 우리하고 인연을 끊었다고.

김홍준 하여튼 충무로잔혹사는 나오기 시작하면 한이 없는데, 저도 처음 충무로 분들을 만났을 때 저의 쇼크, 문화충격이 있는데 감독님을 통해서 듣게 되었습니다. 일반 충무로 분들에 비하면 그때 감독님은 거의 빛나는 귀공자, 우윳빛이었습니다(일동웃음). 근데 일반 기준으로 보면 감독님도 조금 건달 같은 느낌이 있었습니다 (일동웃음).

이장호 이런 일화도 있었어요. 웨스턴영화 보면 인디언들이 절벽에서 바위 굴리잖아요. 밑에서 압사 당하라고. 우리 한참 촬영하고 있는데 바위가 막 촬영장으로(일동웃음)… 이렇게 올려다보니까 그 제작부장 깡패들이 촬영을 중단하라는 거예요. 자기네들이 배우 데려가야 한다고. 또 한 번은 세트 촬영하는데 세트가 막 무너지는 거야. 뭐냐면 뒤에 깡패들이 있어(일동웃음).

김홍준 임권택 감독의 〈하류인생〉을 보면 당시 겹치기 출연이 많을 때고 스타배우들을 데리고 찍어야 될 때니까 촬영시간이 늦어지면 막 강제로 데리고 가려는 장면이 있는데, 여배우가 드러눕는 장면이 있거든요. 그거보다 훨씬 스펙터클한 장면이 나올 뻔 했네요. 감독님이 다른 데서도 말씀하시기를 〈아사히카메라〉의 사진을 스크랩했다고 하셨는데 그거는 여러분이 잘못 해석하면 신인감독이 자신이 없으니깐 앵글이나 이런 걸 표절을 했구나, 생각할 수도 있겠지만 사실 그 당시 충무로의 분위기라는 것이 어깨너머 배운 것을 그냥 관습적으로 찍는 것이지, 여러분처럼 사진을 알고 회화를 알고 연극을 알고 이러면서 그것을 자신의 영화의 자양분으로 하겠다는 생각 자체가 거의 없었던 시절이에요. 그러니까 감독님께서는 그래도 그런 제한된 상황 속에서 사진잡지라도 들고 다니면서 이렇게 새롭게 해보겠다는 것에 대해 스태프들도 굉장히 가상하게 여기지 않았을까 생각을 했구요. 이 영화의 촬영감독이 돌아가신 장석준 촬영감독이었어요. 좀 더 오래 사셨으면 굉장히 큰일을 많이 했을 텐데 장석준 촬영감독님에 대한 말씀을 좀 해주세요.

이장호 촬영의 장석준씨는 학교 선배도 되지만 제가 조수일 때 이미 감독이었고, 아주 특이한 사람 중의 하나인데… 그 당시엔 오일을 담는 드럼통도 우리한테는 굉장히 중요한 자원이었어요.

처음 우리나라에서 나온 자동차가 시발자동차인데, 전부 드럼통으로 만든 자동차였죠. 그래서 가끔 미군부대에서 그런 드럼통이 나오면 잘 펴서 사용하고 했던 그런 시대예요. 그런 때 이 양반이 영화를 시작했기 때문에 카메라도 수입하는 게 아니라 자기가 청계천에서 깎고 해서 현상기도 만들고 70미리 촬영기도 만들고 입체영화도 만들고, 하여간 열심히 하는 분이었어요. 이분한테 카메라를 맡겼는데, 여러분은 지금 촬영한다고 하면 스태프들이 모니터를 통해서 어떤 장면을 찍는지 앵글이라든지 모든 걸 다 보잖아요. 그때는 촬영하는 사람만 그것을 들여다보게 돼 있었어요. 다른 사람은 볼 수가 없죠. 신상옥 감독님 같은 경우는 직접 촬영을 하시는 분이기 때문에 조감독이라든지 연출부가 들여다볼 수도 없고 들여다보다간 큰일 나죠.

참 애매한 게 신상옥 감독님 밑에 있으면 연출과 촬영의 경계가 모호해요. 신상옥 감독님이 카메라를 들여다보면서 말로 지시를 하고 연기 지도도 전부 말로 하거든요. 카메라 뒤에서 실제로 해보인 경우가 몇 번 없어요. 해도 연기력이 없는 사람이기 때문에 배우가 보다가 웃음을 터트리고 그러는데(일동웃음), 내가 연출을 배운다든지 카메라를 배운다든지 할 수가 없어서 말이 통하는 사람하고 해야겠다는 생각에 우리 장석준 기사하고 하게 됐죠. 장석준 기사한테 맡겨 놓고 러시필름을 보면서 촬영기사를 잘 만났다, 이런 생각이 들었죠. 그런데 사람이 오래 같이 하다보면 권태감이 생기기 시작해서 나중에는 자기 멋대로, 처음에는 고맙던 줌인Zoom in이라든지 자기가 마음대로 팬Pan한다든지 이런 것들이 나중에는 괘씸해지기 시작하고… 그래서 헤어졌죠. 그런데 유영길 기사가 장석준 기사의 조수였습니다. 유영길씨 장가보낸 것도 장석준씨가 여자를 소개시켜줘서 보낸 거거든요. 장석준씨와 헤어지면서 유영길 기사와 〈그래 그래 오늘은 안녕〉 하나 만들고 걸러서 못하게 됐죠.

김홍준 지금도 기억나지만 이 영화 속에는 트래킹숏Tracking short도 많이 나오구요. 인물이 이렇게 가면 트래킹이 반대로 간다거나, 그리고 아마도 요즘 관객들이 볼 때 걸리는 것은 줌이 굉장히 거슬릴 거예요. 조금 변명을 하자면 이 영화가 만들어졌던 70년대 중반에 한국의 젊은 영화감독들이나 촬영감독들이 동경해마지 않았던 건 할리우드의 이른바 아메리칸 뉴시네마, 코폴라 감독의 〈대부〉, 마이크 니콜스의 〈졸업〉, 〈우리에게 내일은 없다〉라는 이름으로 공개됐던 〈보니 앤 클라이드〉, 〈내일을 향해 쏴라〉로 소개된 〈버치 캐시디와 선댄스 키드〉… 사실 다 일본에서 번역되었던 제목을 들어온 건데요. 이런 영화들의 스타일을 보면 그 이전의 고전적인 할리우드의 안정적인 스타일이 아니라 역광촬영도 하고 줌도 들어가고, 줌 들어가는 게 지금은 촌스럽지만 그 당시에는 세련돼 보였었던….

이장호 〈황야의 무법자〉가 구로자와 아키라의 〈요짐보〉의 번안인데, 그때 한국의 영화인들이 전부 충격을 받았던 건 그 영화에서 망원렌즈를 정말 깜짝 놀라게 사용을 했어요. 웨스턴도 저렇게 만들 수가 있구나. 그 전에는 정통 웨스턴이기 때문에 이탈리안 웨스턴에 대해서 쇼크를 먹었어요. 그리고 잊을 수가 없는 게 〈007위기일발〉. 우리한텐 타이틀이라는 게 기저귀 채우듯이 그냥 고정된 타이틀이었는데, 이 007영화가 시작하자마자 타이틀을 보고 충격이었어요. 애니메이션이 나오면서 총소리가 나고 그 다음에 여자가 배꼽춤을 추는데 자막이 뱃살 움직이는 데서 움직이고, 우리가 완전히 촌놈이 돼서 '야… 저렇게도 만들 수 있구나! 정말 게임이 안 된다' 하면서 충격을 받은 기억이 나네요.

김홍준 저도 어린 나이에 배꼽에 충격을 받은 기억이 나네

별들의 고향

요. 그것이 여전히 이어져서 김연아의 007까지 이어지는 것 같아요 (일동웃음). 이제 음악 얘기를 안 할 수가 없는데 사실 〈별들의 고향〉은 시각적 스타일이나 영화의 소재도 그랬지만 음악이 아마 가장 큰 충격이었고, 감독님께서 지난 시간에 영화가 30만을 넘어가니깐 음악이 좋았던가보다, 생각했다고 하셨는데 전혀 틀린 말은 아니거든요. 당시 종로에 가면 고고장이라는 데가 많았는데 주로 생음악을 하면서 고고 3곡에 브루스 1곡, 브루스타임만 되면 약간 흐느적거리면서 〈나 그대에게 모두 드리리〉가 나오면 앞 다투어 플로어로 나가는 이런 진풍경이 있었던 기억이 나는데요. 영화의 주제곡인 〈나 그대에게 모두 드리리〉의 이장희씨보다도, 이 영화의 사실상 음악감독이라고 제가 생각하는 편곡과 기타를 맡았던 강근식씨 역할이 상대적으로 덜 알려져 있는데 강근식씨에 대한 소개를 해주시고요. 또 근황을 좀 아시면….

이장호 지난 시간에 그런 말을 했었는데 직업적으로는 안 나왔어요. 이장희씨에게 영화음악을 시킨다니깐 이장희씨도 당황했죠. 싱어송라이터이긴 하지만 영화음악을 할 정도는 아니고, 그래서 자기 친구 중에 당시 베테랑 기타리스트 강근식이라는 친구를 우리한테 소개해줘서 그쪽에서 이장희씨 노래의 편곡을 하기로 했어요. 이 영화에 모두 의욕적이었던 이유가 영화는 촬영하고 있는 중인데 음악은 미리 다 만들어 놨어요. 지금 이름이 생각나지 않는데 나영수인지, 나 무슨 희수인지 모르겠는데 신세계레코드사의 대표이사였어요. 그 사람이 경기고등학교 출신인데 플루트를 하는 사람이에요. 그래서 이장희씨, 강근식씨, 드러머 이런 친구들이 나사장의 녹음스튜디오에서 계속 〈별들의 고향〉을 가지고 매일 음악을 만들어내는 거예요. 더빙 시키는 거예요. 그 당시에 김동진 선생님도 있었고 유명한 음악가들이 많이 있었는데, 그 사람들은 스튜디오를 하루에 두 시간 빌려요. 스튜디오 빌리는 값이 비싼데다가 영화사에서 주는 돈 가지고는 안 되니까, 두 시간 안에 영화에 넣을 수 있는 음악을 거기서 다 넣어야 되는 거예요.

근데 이장희랑 강근식 이 사람들은 음악에 욕심이 있는 젊은 사람들이고, 거기다 나사장이 자기 스튜디오니깐 한 20일 동안 전체를 풀로 쓰게 해준 거예요. 녹음하는 데 한번 가보니, 모여서는 여기는 이게 들어가야 되지 않겠냐면서 자기들끼리 연주를 해보고 음악을 입혔다 뺐다 하면서 매일 입히는 거예요. 그 당시에 음반은 식스 채널까지 가능했거든요. 여섯 번을 계속 입히니깐 나중에 이 신시사이저라는 게 처음 나올 때이고 그래서 굉장히 큰 오케스트라가 연주하는 것 같은 음악을 만들어 냈어요. 그러고서 우리가 촬영을 다 끝내니깐 그때는 벌써 음반 비즈니스를 해놓은 상태라 방송을 통해서 음악이 나가기 시작했어요. 방송에서 반응이 금방 왔어요. 〈별들의 고향〉 주제가라면서 나가는데, 그 당시의 영화음악 주제가와는 게임이 안 될 정도로 음악이 월등하니깐 음악시장에서도 크게 히트를 쳤죠.

김홍준 하여튼 재밌었던 건 〈별들의 고향〉을 통해서 오늘날 흔히 이야기하는 OSMU라고 할지 부가마케팅 같은 것이 다 이루어졌는데… 가장 큰 이유는 기존의 영화산업 쪽에 일하는 사람들의 고정관념과는 무관한, 감독님이 아마추어리즘이라고 표현하셨던 겁없는 젊은 친구들의 무대포정신과 맨땅에 헤딩이랄까? 사실은 그런 것들을 갈망하던 대중들과 만났던 거죠. 그 당시 그 감독님은 만으로 스물아홉이셨고, 강근식씨나 이장희씨는 연세가 어떻게?

이장호 두 살 아래.

김홍준 스물일곱?(학생들에게)반성을 많이 해야겠네요.

이장호 그런데 우리가 촬영하는 필름의 시간은 생각 안 하고 음악을 만들었기 때문에 테이프만 잔뜩 갖다 주는 거예요. 녹음 넣을 때는 자기네들 테이프만 넘겨주고 오지를 않았어요. 녹음기사랑 효과맨이랑 같이 녹음 넣으면서 이런 곡이 어디어디 있을 테니 찾아봐, 하면 찾아서 틀어보고선 해야 되는데 나는 어디서 음악을 끊어야 좋을지를 모르니깐 전부 육감으로 감각적으로 하는 거예요. "쭈욱 깔아. 그냥 깔아. 쭉 가다가 잘 넘어간다. 아, 여긴 안 되는데 끊어(일동웃음)" 그러니깐 음악이 신과 신 사이를 막 넘어가는 거야. 그래서 굉장히 음악이 넘치는 영화가 되어버렸지.

김홍준 감히 비교하자면 대중음악을 영화 속으로 끌어들이고, 청년문화의 감수성이 영화 속에 들어가서 약간 변방에서 만든 영화가 성공했다는 점에서는 거의 〈이지 라이더〉와 같은 영화예요. 그리고 무수한 영화들이 그 길을 따라가서 성공도 하고 실패도 하고 그랬죠.

이장호 웃기는 게 요즘 드라마 보면 끄떡하면 노래가 막 깔리잖아요. 그 당시의 영화들은 주제곡 한 번만 노래가 나오는 게 정상이었는데 〈별들의 고향〉에는 5~6개의 삽입곡이 들어가요. 그러니깐 나도 한국영화에 대한 상식이 없었던 게 다행이었고, 또 욕심나는 것은 한번 다 깔아보자는 생각이 있었기 때문에 독특한 영화가 된 거지.

김홍준 하여튼 지금 여러분의 감각이 어떨지는 모르겠지만 저는 아까 인상적이었던 게 특히 〈한 소녀가 울고 있네〉 같은, 영화의 뒤에 깔리는 재즈 플루트 같은 곡은 한번 흥미롭게 들어보시면 좋을 것 같고요. 그 당시 한국영화 주제는 〈동백아가씨〉 같은 거였어요. 주제가가 하나가 있고 그걸 이미자씨가 불러서 히트를 하고. 그런데 여기서는 〈한 소녀가 울고 있네〉, 〈한잔의 추억〉 심지어 사운드트랙 음반도 처음 나왔고요. 감독님 기억하실지 모르겠지만 제가 지금 떠오르는데 영화 개봉 전에 이 음악을 만들었던 이장희씨, 강근식씨 이런 분들이 세션 밴드를 만들어서 다른 데도 아니고 이화여대 강당에서 '별들의 고향 콘서트'도 했었던 기억이 나네요. 혹시 거기 가셨나요?

이장호 기억이 잘 안 나네.

김홍준 개봉 준비하느라고 바빠서 못 가셨을 것 같네요. 영화 상영 때문에 10분 정도 시간이 남았는데요. 다음 시간에 〈어제 내린 비〉를 본 다음에 한꺼번에 여러 가지 질문들을 받으면 좋을 것 같은데, 조금 더 뭐 하시고 싶으시거나 들려주고 싶은 말씀 있으면 하시죠.

이장호 〈별들의 고향〉을 만들었을 때 가장 고통스러웠던 것은 촬영한 사람한테 전적으로 의지를 해야 되고 나는 화면을 보지 못하고, 내가 좀 다혈질이어서 연기자들한테 직접 설명을 해야 되잖아요. 설명을 해야 되는데, 연기자들이 신인이니깐 신인감독한테 신뢰를 못 할 거라는 강박관념 그런 게 있었어요. 재밌는 이야기는 안인숙씨가 촬영을 할 때였어요. 라스트신을 먼저 찍으려고 첫날 촬영 스

별들의 고향

케줄을 갑자기 바꿨어요. 내가 여기 처음 왔던 날도 눈이 갑자기 와서 근사했었는데… 그 날도 1974년 4월 개봉인데, 1974년 새해 들어서 자칫하면 눈이 안 올지도 모른다, 라스트신을 찍어야 되는데 그런 공포감이 있었거든요.

어느 날 무슨 촬영 첫날 크랭크인을 정해 놓았는데 아침에 눈을 떠 보니깐 눈이 하얗게 온 거예요. 그러니까 너무 다급해져서 그날 촬영하려던 걸 취소하고 '이거 촬영하자. 눈 촬영하자. 라스트 촬영을 하자' 갑자기 바꿨어요. 회사에서는 신인감독이 스케줄을 정해놓고 그걸 뒤엎으니깐 그것부터 좀 엉뚱하게 생각한 거죠. 그래서 장소를 어디로 할 거냐? 헌팅도 안 했는데 어떻게 할 것이냐… 제가 그 당시에 처갓집이 천호동이라서 광나루를 넘나들면서 그 하얀 벌판에 눈이 오면 좋겠다는 생각을 했었어요. 그래서 무조건 광나루로 정하고, 그래서 부랴부랴 가서 찍는데 갑자기 스케줄을 잡으니깐 분장이고 뭐고 준비한 게 하나도 없어요. 안인숙씨는 자기가 이제 타락한 장면인데 어떻게 분장을 했으면 좋겠냐면서 물어보는데, 갑자기 준비를 안 한 상태에서 그 말을 들으니깐 꼭 시험당하는 것 같아요. 어린 배우한테 내가 테스트 당하는 것 같아서 썩은 얼굴을 만들라고 했거든요. 그랬더니 분장사도 없으니깐 자기가 막 하면서 썩은 얼굴을 만들려고 해요, 과감하게.

나는 또 뭐가 겁나냐면 전부 다 테스트를 하는 것 같아요. 촬영기사는 촬영기사대로 저 신인감독이 제대로 하나, 조감독들도 나한테 테스트하는 것 같고, 제작부장도… 나는 눈 내린 벌판을 계속 돌아다니는 거예요. 발자국 내면 또 촬영 못 하니깐 뱅 둘러서 했는데 겨우 안심 되는 건 카메라가 멀리 있으니깐 그렇게 행복하더라고. 옆에 있으면 어떻게 찍어야 할지 몰라서 불안해. 그래서 옳지 배우를 저기 세워놓고 롱샷으로 찍어야겠다, 이 생각을 한 거예요. 그리고 버스에 가서 보니깐 안인숙씨가 얼굴을 이상하게 만들어놨어요. 그래서 그건 아니다. 다시 지우라고 했어요. 차라리 화장 없는 걸로 가자. 그 당시엔 짙은 화장이 유행일 때라 화장을 말끔히 지우니깐 너무 아름다운거야. 그래서 이걸로 간다, 해서 촬영을 하는데 "어떻게 해야 돼요?" 묻기에 저기 멀리 가 서 있으라고. 거기까지 안내해주고 카메라로 왔어요.

그러고선 레디고를 어떻게 하지? 역사적인 순간인데 서툰 게 나타날까봐 굉장히 두려웠는데 어느 틈에 보니깐 레디고를 오래전에 해버렸더라고, 이미 집중하기 시작한 거예요. 그래서 멀리 있다가 카메라를 들고 들어가자 해서 안인숙씨한테 카메라를 치켜 올리니깐, 이미 내가 감독인지 조감독인지 모르는 경지에서 한참 촬영을 하고 있더라고. 다행히 그 장면들이 라스트 장면으로 성공을 했던 것 같아요.

김홍준 그 장면이 눈 속에서 안인숙씨가 수면제 먹으면서 우는 그 장면이죠. 곧 보시게 되겠습니다. 감독님 일정 때문에 아마 끝까지 같이 못 계실 것 같아서 대화를 끝내고요. 여러분이 아마 평생 다시 보기 어려울 16미리 시네마스코프 프린트로 〈별들의 고향〉을 보도록 하겠습니다.

이장호 질문은 다음 시간에 같이 받도록 하겠습니다.

김홍준 감사합니다.

나팔바지 같은 영화

이장호 감독님의 〈별들의 고향〉을 보았다. 사실 난 영화적인 교양이 썩 뛰어나지 않아 시네마스코프 상영이 얼마나 가치 있는 일인지는 잘 알지 못하지만 뭔가 특별한 경험일이라는 것은 잘 와 닿았다. 약 3:1이 넘어 보이는(?) 영상이 스크린에 상영되는 것을 보고는 더욱 그랬다. 영사기 바로 앞에서 영사기가 돌아가는 소리를 들으며 고전 영화를 시네마스코프로 관람한 기억은 아마 오래도록 남을 것이다.

당시 유래 없는 흥행을 기록했다는 〈별들의 고향〉. 하지만 그 당시의 감성을 고려하지 않고 본다면 썩 재미있는 영화는 아니었다. 더 솔직히 말하자면, 이장호 감독님에 대한 존경심과 예우의 차원이 아니었다면 나에겐 컬트 코미디 정도의 영화였다. 애초에 명작 고전영화를 기대하고 영화를 본 내 접근방식에도 문제가 있었던 것도 사실이지만, 고전으로서 길이길이 회자될 영화라기보다는 '예전에 엄청나게 흥행했던 영화'라고 칭하는 것이 더 맞지 않을까 싶다. 그 당시에 가장 세련되었다고 느껴졌을 법한 감성들이 집약되어 있지만, 오히려 그런 점들이 시대를 넘어서 영원한 사랑받기에는 조금 힘들게 만드는 요소들이 아닌가 싶다. 찰리 채플린의 영화나 히치콕의 영화가 그러한 것과는 달리 매우 아쉬운 부분이 아닐 수 없다. 적절한 비유일지는 모르겠으나, 나팔바지 같은 느낌의 영화였다. 한때는 누구나 나팔바지를 입었지만 요즘엔 아무도 입지 않을뿐더러 입는 사람은 웃음거리가 되는. 하지만 패션사의 한 페이지를 장식하는 그런 영화 말이다. 하긴, 이런 논쟁 자체가 무의미한 영화일지도 모르겠지만….

하지만 그렇다고 해서 이장호 감독님이 쉬워(?)보인다거나 한 것은 절대 아니었다. 사실 지금까지 이름이 널리 회자되는 옛날 영화감독들이라고 말을 하면 전부 작가주의 영화를 찍었을 것이라는 막연한 선입견이 있었다. 하지만 그런 선입견이 무너졌다는 점에서 이장호 감독님의 〈별들의 고향)은 적어도 나에겐 충격이었다. 한국영화의 진정한 르네상스라고 불리던 시기, 무슨 영화가 없었겠냐마는 유행을 따라가며 키치적인 영화를 만들던 감독들 중 지금까지도 대중들이 이름을 기억하는 감독은 흔치 않다. 하지만 이장호 감독님은 유행과 사조를 따라갔음에도 불구하고 아직까지 우리에게, 혹은 영화를 조금 많이 본 일반 대중에게도 이름이 알려진 많지 않은 감독 중 한 분이 아닐까 싶다. 그 점만으로도 아직 영화를 시작하지도 않은 일개 학생에게는 충분히 빛나 보인다.

_어제 내린 비

· 1974년, 102분
· 제작 _ 국제영화흥업
· 원작 _ 최인호
· 각본 _ 김승옥
· 촬영 _ 장석준
· 조명 _ 김진도
· 편집 _ 현동춘
· 음악 _ 정성조
· 출연 _ 김희라, 이영호, 안인숙, 도금봉

〈어제 내린 비〉의 김희라, 안인숙

이복형제임에도 완전히 성격이 다른 영후(김희라)와 영욱(이영호)은 한 여자를 동시에 사랑하게 된다. 영후는 민정(안인숙)을 처음 보고 사랑에 빠져 구애를 하지만 동생 영욱의 여자임을 알고 마음을 다잡는다. 그러나 영후의 어머니가 재혼을 하던 날 복잡한 심경으로 민정을 만나 동침을 하게 되고, 영욱은 이복형 영후를 사랑한다는 민정의 말에 절망한다. 그날 밤의 일로 민정은 영후의 아이를 임신하고, 영욱은 마지막 바람으로 민정에게 이별여행이 될 둘만의 여행을 제안한다. 그러나 이것을 오해한 영후로 인해 세 사람은 파국을 맞는다.

어제 내린 비_1974

김홍준 수업 시작하겠습니다. 먼저 감독님께 환영의 박수를 좀(일동박수)… 갑자기 팬클럽 분위기가(웃음)… 오늘은 좀 화기애애하고 부드러운 분위기로 딱딱하지 않게 이야기를 해보면 좋겠네요. 지난 시간에 〈별들의 고향〉을 16미리 아나모르픽 시네마스코프로 보는 아주 희귀한 체험을 했고, 사실 눈이 좀 아프더라고요. 저는 고다르의 〈미치광이 삐에로〉 그런 영화를 다 16미리 시네마스코프로 프랑스문화원에서 뿌연 화면으로 봤었는데 그때 생각도 나고, 오늘 〈어제 내린 비〉는 35미리로 제대로 봤습니다. 다시 말해 자랑삼아 이야기하자면 영화를 35미리 프린트로 튼다는 게 참 힘들거든요. 영상자료원에 있는 프린트를 다 저작권자의 승인을 받아야 하고 가져와야 하고 돌려보내야 되고 또 영사도 해야 되고 하는데, 그 모든 조건이 다 맞아떨어졌고요. 〈어제 내린 비〉 같은 경우에는 감독님께서 저작권을 갖고 계셔서 가장 손쉽게 감상할 수 있었습니다.

여쭤볼 말씀이 많은데 일단 이 〈어제 내린 비〉에 대한 이야기를 몇 마디 여쭈어보고, 여러분이 〈별들의 고향〉, 〈어제 내린 비〉는 다 보셨으니깐 자유롭게 질문을 하고 감독님께서 대답하시는 시간을 가지도록 하겠습니다. 먼저 첫 시간에 감독님께서 또 말씀하셨지만 구체적으로 〈별들의 고향〉이 신인감독의 작품으로서 흥행 기록을 깨고 엄청나게, 그야말로 영화감독이 대중문화의 스타가 되는 선례를 남기셨는데 〈별들의 고향〉의 후유증이라고 할까요. 후폭풍 속에서 다음 작품을 준비 하신다는 게 상당히 부담도 되고 여러 가지 사건들이 있었을 것 같은데요. 〈별들의 고향〉과 〈어제 내린 비〉 사이에 감독님의 생활에 어떤 일이 있었는지 얘기를 해주십시오.

이장호 한마디로 밥맛없는 태도였을 거예요. 저번 시간에도 얘기했던 것 같은데 영화를 만들겠다는 어떤 준비된 감독이 아니

〈어제 내린 비〉 로케이션으로 나로도 가는 배에서 스탭 촬영. 제일 왼쪽 끝이 촬영감독 장석준, 오른쪽 끝이 주인공 이영호.

었어요. 의식 없이 감각적으로만 영화를 만들어서 크게 성공을 했을 때도 나 스스로 어리둥절했죠. 신상옥 감독님이 한번 그런 말을 했어요. 감독님 시대에는 영화 만든다는 것은 소리라도 제대로 나고 화면이라도 사람이 알아 볼 수 있을 정도면 됐다, 뭐 그런 시대였다고 해요. 나 역시 이 영화가 사람들 보기에 영화구나! 그런 인상만 줘도 다행이다, 라고 생각할 정도로 자신 없이 만들었던 영화가 갑자기 흥행이 되니까 어리둥절했죠. 그러다가 시간이 지나면서 차츰차츰 자꾸 여기저기 불려 다니고 매스컴을 통해 알려지게 되면서… 겸손하게 살 수 있는 사람은 그릇이 큰 사람이어야 하는데 졸장부가 되면 금세 변하게 되고 우쭐해져요.

성경의 사무엘서에 사울이라는 사람이 등장해요. 이스라엘 민족이 사사기 시절을 지나고 왕이 필요하다고 해서 왕을 뽑겠다고 하는데, 하나님이 화가 나셨지만 허락을 하고 사울이 왕이 되거든요. 사무엘이 처음에는 겸손했는데 왕이 되고 나서 왕의 자격이 없는 여러 가지 행동을 해서 결국은 다윗한테 왕을 빼앗길 수밖에 없는 입장이 돼요. 〈어제 내린 비〉를 만들 때쯤 되면 〈별들의 고향〉 때하고는 달라서 어떻게 보면 좀 뭐라 그럴까, 졸장부의 싹이 조금씩 나타났던 것 같은데요. 〈별들의 고향〉 때는 대배우 신성일씨가 있어서 조심스러웠고 또 처음이니깐 여러 가지 테스트 받는 기분으로 주눅이 들어 있었는데, 〈어제 내린 비〉는 배우가 나보다 나이 어린 김희라였고 또 내 동생 이영호의 첫 데뷔작이었고 그러니깐 조금씩 폭군 기질, 그동안 숨겨져 있었던 내 본 성질이 나타나기 시작한 거죠. 그렇게 해서 〈어제 내린 비〉가 흥행이 되고 나서는 정말로 기고만장해졌는데… 지금 우리 김홍준 감독이 나한테 물어본 것은 아마 〈별들의 고향〉과 〈어제 내린 비〉 사이에 그 시절을 어떻게 살았을까, 하는 이야기겠지.

어
제
내
린
비

〈별들의 고향〉을 제작한 화천공사에서 보너스를 좀 줄까 싶어 기다렸는데 소식이 없고 하던 차에, 국제영화사라는 데서 갑자기 개런티를 〈별들의 고향〉의 한 4배 정도를 올려서 준다고 해서 난 벼락부자 된 기분으로 두 말 않고 옮겼죠. 그리고 회사 옮기고 나서 〈별들의 고향〉 제작회사하고는 담을 쌓았어요. 그런데 그 회사에서 뭘 준비하고 있었냐면, 날 놓치니까 최인호를 꽉 잡아서 최인호의 『바보들의 행진』 판권을 사서 하길종 감독에게 맡겼고, 나는 최인호의 작품 중 미완성 작품이 있는데 『오래된 정원』인가? 아니, 이런 영화가 있지 않았나?

김홍준 『오래된 정원』은 나중에….

이장호 아, 이건 황석영이 거지. 아! 생각났다. 『정원사』! 내가 늙긴 늙었구나(일동웃음). 최인호의 『정원사』라는 작품인데 미완성 작품이에요. 왜 미완성이냐면 최인호가 연세대 다닐 때인데 거기에 〈연세춘추〉라고 일 년에 한 번씩 나오는 교지가 있었어요. 거기 연재를 하다가 다음해에 계속 또 써야하는데 뭐 때문인지 그때 안 썼다고, 그래서 미완성 작품 중 『정원사』라는 게 있는데 구입했어요. 그걸 소설가 김승옥씨하고 시나리오 작업에 들어갔죠.

김홍준 김승옥씨하고 어떻게 만나게 되신 거죠? 이전에도 시나리오 작업을 하셨던가요?

이장호 그전에 김승옥씨는 벌써 영화감독까지 했죠. 〈감자〉 그리고 〈장군의 수염〉 등 여러 개의 시나리오를 썼고 〈안개〉도 썼고, 이미 영화계에서는 신동 같은 취급을 받았었어요. 나와는 어떻게 아냐면 내 친구의 형이 박태순이라는 소설가인데, 박태순씨랑 모두 동년배죠. 그러니까 그 집에 드나들면서 알았고 영화감독이 된 다음에 본격적으로 영화 시나리오를 써 주던 분이니까 만나서 이야기를 하다가 〈어제 내린 비〉의 시나리오를 부탁한 거죠.

김홍준 〈어제 내린 비〉는 지금 들어도 감각적인데 제목은 어떻게 지으셨는지?

이장호 제목을 최인호가 지어준 것 같은데 강은교 시인의 시에서 따왔을 거예요. 강은교씨 시에서 따온 게 또 〈너 또한 별이 되어〉, 〈그래 그래 오늘은 안녕〉 이게 전부 강은교씨의 시에서 따온 거죠.

김홍준 지난 시간에 〈별들의 고향〉을 말씀하시면서요. 그 당시에 한국영화들이 예산을 아끼기 위해서 신인감독의 영화나 아니면 그냥 일반적인 오락영화들이 테크니스코프라고도 부르고 영화 현장에서는 하프사이즈, 혹은 하프프레임 이런 식으로 불렀는데… 간단히 말하면 원래 시네마스코프를 찍으려면 아나모르픽 렌즈로 풀프레임을 찍어야 되는데, 필름을 반으로 아끼려고 카메라를 개조해서는 퍼포레이션이 네 개가 있는데 두 개만 걸리게 하는 거예요. 그러면 화면의 절반을 쓰니까 시네마스코프 비슷하게 나오는 거죠. 대신에 해상도는 거의 1/4로 떨어지는 거구요.

그렇게 일단 찍어서 촬영할 때 필름을 절반만 소모한 다음에 나중에 현상할 때는 네거티브 필름을 그대로 아나모르픽 상태로 해서 프린트를 내는 방식이었는데… 보통 그런 테크니스코프 방식을 신인감독들이 하던 때, 감독님께서 후지필름이 아니라 코닥필름을 써야겠다는 조건이었지만 테크니스코프가 아니라 제대로 된 35미리 시네마스코프로 하겠다. 이렇게 제작자랑 말했다고 하셨는데, 이 영화도 그렇게 해서 만들어진 영화죠?

이장호 그렇군요. 신인시절 내가 고집했던 것이 있죠. 〈별들의 고향〉부터 코닥필름을 써야하고 3만 자 써야 한다. 이런 게 조건이었는데 그 당시는 신임감독뿐만 아니라 모두 만 오천 자, 2천 자 이렇게 사용하라고 하니깐 하프프레임을 써야지만 유지가 되었어요. 하프프레임 시스템이 어떻게 되는지는 잘 모르겠어요. 프린트 뜰 때는 다시 확대가 되는지 아니면….

김홍준 프린트할 때는 다시 축소해가지고…

이장호 그렇게 하나? 아, 어떻든 〈어제 내린 비〉 때는 개런티도 높아졌고 모든 조건이 더 좋아졌죠.

김홍준 아까 말씀하셨듯이 〈별들의 고향〉에서는 신성일씨가 주연이고 거기 신인 안인숙씨, 두 분이 주연을 했는데 〈어제 내린 비〉에서는 안인숙씨가 또 나오고요.

이장호 조건이었어. 영화사에서.

김홍준 아, 안인숙씨를 캐스팅 해 달라, 〈별들의 고향〉의 뒤를 이어서.

이장호 인기 때문에.

김홍준 아마 이게 마지막 작품 아니었나요?

이장호 내가 알기로 마지막이었어. 다른 영화를 했는지 안 했는지는 기억이 안나요.

김홍준 대부분의 사람들, 저도 마찬가지로 저희 세대는 이 영화까지만 기억하거든요. 그리고 여기서 비로소 감독님과 몇 작품을 같이 하게 된 친동생이시기도 한 이영호 선생님께서 나오거든요. 감독님이 인터뷰하신 걸 보면 동생의 등록금을 가지고 뭘 했다거나 각별한 사이셨던 것 같은데 그런 에피소드와 함께 배우로서의 이영호씨의 연기를 말씀을 해주시죠.

이장호 〈별들의 고향〉 판권을 살 때 최인호씨에게 돈을 줘야 하는데 조감독 수준에 거금을 마련할 수가 없으니깐 마침 동생이 홍익대학교 신학기 등록을 해야 할 때 아, 2학기 등록인가보네… 그걸 빌렸어요. 동생이 또 쾌히 양보를 했고요. 그래서 그때 너는 꼭 배우를 시켜주겠다고 약속했어요. 동생이 나하고 여섯 살 차이에요. 여섯 살 차이라는 게 대학교 1학년 때 중학교 1학년이고 거의 어린애하고 어른, 이런 차이잖아요. 좀 커진 다음 내가 8미리를 하나 구해서는 집에서 동생을 놓고 몇 번 찍어봐서 저 정도면 연기를 하겠구나, 라는 걸 알았죠. 그래서 동생을 배우로 쓰려고 〈어제 내린 비〉 때 안인숙씨를 쓰겠다는 조건하고 신인을 하나 쓰겠다는 조건을 걸었는데 제작자도 좋다고 하더라고요.

몰랐는데 오늘 이렇게 동생 연기를 보면서 눈이 좀 의심스러운 게 지금은 보이네. 그 당시에는 발견을 못했어요. 얘가 눈이 나빠요. 동생이 지금도 살아있는데 눈이 실명됐어요. 완전히 실명을 해서

어
제
내린
비

103

지금은 앞을 못 보는 사람이 되었는데, 그 당시 이미 병이 진행되고 있었던 거죠. 처음 나와서 연기는 서툴지만 표정이라든가 이런 것들이 그 당시 젊은 배우들 중에서는 사람들에게 인상적이었던지, 많은 외화 팬들이 뭐와 비교를 했냐면 몽고메리 클리프트라고 〈젊은 사자들〉인가에 나오는 배우와 인상이 비슷하다는 소리를 많이 했어요. 신인으로서는 잘 나갔는데 눈이 나쁜 것 때문에 연기는 계속 어딘지 모자란 듯한 모습이 나타나네요.

김홍준 기억을 더듬으면 이 영화가 나왔을 때 제가 대학교 1학년이었는데 대개 한국영화 속에 나오는 그런 20대 초반의 젊은이들의 모습이, 김희라씨가 여기 22살이라고 우기고 있잖아요(일동웃음). 그게 그 당시에는 평균적인 22살의 사람들이 갖고 있는 이미지였어요?

이장호 실제로 〈어제 내린 비〉도 만으로 내가 스물아홉 살 때 만들었으니깐 희라가 나보다 두 살 아래거든요. 그럼 스물일곱이잖아, 그런데 스물두 살이라고 했으면 그렇게 어긋나는 건 아니잖아.

김홍준 제 눈에는 서른일곱 살처럼 보이는데(일동웃음). 아무튼 이영호씨가 나올 땐 만으로 스물셋, 넷 그 정도였겠네요.

이장호 그렇지 여섯 살 차이이니깐.

김홍준 근데 영화를 보면서 '어? 진짜 우리 주변에 있는 대학생 같은 친구가 나왔네' 라고 느꼈던 기억이 지금도 납니다. 이영호씨하고 거의 비슷한 때 나왔던, 아마 앞서거나 뒤서거나 개봉됐던 것 같은데 〈바보들의 행진〉에 나왔던 배우 분들, 이분들이 아마 한국영화에서 동시대의 젊은이들이 비로소 화면에 나오는 것 같은… 그러니깐 어떻게 보면 김희라씨 같은 모습이 그때 텔레비전 드라마나 영화 속에서는 20대 젊은이들의 모습에 조금 더 가까울 수도 있었던 그런 스테레오타입이죠.

이장호 그러고 보니까 여러분들을 보니 시대가 자꾸 발전하고 변화할수록 사람들이 어려지는 모양이네. 여기에 나오는 안인숙씨도 지금 생각해보면 30대 이상인 것 같은 느낌이 드는데 화장 때문에 그랬을까? 그 당시의 화장이 눈썹 붙이고 그랬을 땐데 지금이라면 눈썹 같은 건 허용 안 했을 것 같아. 배우가 이상하게 나이가 많이 들어 보이는데, 내 동생도 그렇고(일동웃음).

김홍준 감독님만 카메오로 젊게 나오신 것 같은데(일동웃음)… 사실 그 말은 맞는 것 같아요. 40년대나 일제시대 때 보면 요즘으로 치면 거의 50대라는 분들이 나와서 20대라고 우기는 그런 모습을 볼 수 있는데, 영양 상태나 그 시대 분위기 등과 관련이 있는 것 같습니다(일동웃음). 그리고 김희라씨에 대해서 말씀을 부탁드리고 싶은데요. 아버지가 김승호씨죠. 이 영화에 출연할 때 김희라씨가 어떤 위치에 있었는지 또 어떤 생각으로 이렇게 캐스팅하게 되셨는지 사연이 좀 궁금합니다.

이장호 여러분 김승호씨 알아요? 모르죠? 김승호씨 연기에 대해 공부를 좀 했으면 좋겠어요. 진짜 김승호씨 연기는 지금 봐도 저런 천재가 없구나… 흑백영화 시절에 아시아에 김승호 같은 배우는 다시없을 거라 생각해요. 김승호씨의 연기를 흉내 낸 게 이대근,

어제 내린 비

백일섭, 주현 이런 사람들인데, 아들 희라는 아버지보다 연기력이 떨어지는 것 같아요. 건들건들한 역할로서는 괜찮은데, 어쨌든 이 당시는 김희라가 스타였어요. 김희라가 젊은 배우들 중에 많은 배역을 해냈고, 〈어제 내린 비〉에서는 그 당시 스타로서 안인숙과 김희라를 썼던 거고 거기에 신인을 하나 꽂아 넣은 거죠. 김희라는 뭐랄까… 거친 청춘 배우, 그 당시에 뒷골목 깡패들, 조직폭력배 영화가 많았거든요. 명동 사자와 무슨 호랑이, 이런 식으로 그런 쪽에 많이 나왔기 때문에 연기가 아주 거기에 굳어버린 것 같아. 〈어제 내린 비〉에서의 이런 역할에는 좀 모험적이었던 것 같아요. 내가 지금 보니깐 미스캐스팅으로 김희라가 눈에 띠네요.

김홍준 저는 조금 다르게 느낀 게요… 사실 이 영화가 70년대 당시에는 첨단감각이었어요. 어느 시대나 저는 그런 것을 느끼는데, 가장 패셔너블한 게 제일 먼저 낡아지는 것 같아요. 여러분이 보기에는 좀 촌스럽게 생각되고 실소도 나오고 했겠지만, 촌스럽다고 생각하는 부분이 당시 관객들에게는 가장 세련되게 느껴졌었다는 이 아이러니를 좀 생각을 해주시고. 그래서 김희라씨 같은 경우 저는 미스캐스팅보다는 오히려 이런 영화 속에서 세월이 지났음에도 불구하고 감정이 살아남는 게, 영화 속에서 어머니 역할의 도금봉씨하고 김희라씨의 신 같은 경우는 영화 맥락과는 무관하게 이상하게 찡하게 울리는 것 같아요. 제가 나이가 들어서 그런지 그런 부분에서는 김희라씨의 우직스러운, 요즘 같으면 짐승돌 같은(일동웃음)… 죄송합니다. 오히려 굉장히 잘 맞아떨어진 것 같다는 생각이 들구요.
　　　　영화 속 도금봉씨의 모습도, 도금봉씨는 아시다시피 60년대 한국영화에서 요부, 아주 강인한 생명력을 가지고 있는 잡초 같은 인생 이런 역할을 주로 하셨는데, 이 영화에 나오셨을 때는 전성기가 지나서 아마 40대의 중년이라고 생각되는데요. 영화 속 김희라씨의 명대사 "우리 엄마 섹시하지"라는 그 대사에서도(일동웃음) 도금봉씨 모습이 섹시하면서도 슬프기도 하고 그런데요. 이런 감정을 감독님께서 계산하시고 뽑아 내신건지 아니면 그 분의 연기 속에서 나온건지 개인적으로 궁금해지네요.

이장호 기억이 없어요. 당시 저런 게 시나리오에 있었나, 없었나, 기억이 없는데… 패션 감각을 보니까 부끄럽기도 하고 해서 따로 설명하고 넘어갑시다. 여러분이 지금으로부터 35년 후 지금 여러분들의 모습을 한번 돌아본다면, 2045년의 20대들이 여러분들을 보았을 때 아마 격세지감이 있을 거라는 게 확실하죠. 그 생각을 하니까 1975년이 이해가 되더라고요. 나도 보기에 이거 뭐 거미가 기어올라가는 것처럼 니글거리는 데가 있더라고(일동웃음), 심리묘사를 왜 저렇게 했을까… 느껴지는 게 참 많아요. 침착하지 못했던 것들, 또 영화 마지막 한 장면 아이디어 가지고 쭉 버티지 않았나 하는 생각이 드네요.

김홍준 보니까 서울대 관악캠퍼스도 보이고 또 마지막에 추락하는 다리는 다름 아닌 용비교예요. 저 용비교 짓고 있을 때 서울이 저때만 해도 참 한가했구나. 남부순환도로에 차 한 대도 안 다니고, 그래서 그런 세월을 생각한다면 영화가 갑자기 다른 시각으로 보이기도 하고… 제가 여쭤 보고 싶은 건 대충 여쭤 봤고요.

이장호 용비교 촬영할 땐데 그 당시 서울이 얼마나 엉성했냐면 촬영을 나가잖아요, 그런데 허가를 안 맡았어요. 그 당시에는 도둑촬영이라는 말이 유행했듯이 몰래 재빨리 찍어야지, 허가가 될지 안 될지 모르니깐… 일단 다리 위에서 촬영을 끝내고 다리 밑에 카메라를 숨긴 다음에 차를 밀어서 추락하는 장면을 촬영한 거예요. 그 다음 또 불을 지르고 폭파 장면 찍고 그러고 그냥 놔두고 사무실로 왔더니 시경에서 조사가 나왔더라고(웃음), 그 정도로 엉성했었던 거예요. 지금은 감히 상상도 못하는 촬영이었는데… 어쨌든 영화를 촬영하고 나서 러시를 볼 때 〈바람 불어 좋은 날〉 같은 경우도 나중에 이야기가 나오겠지만, 바쁜 시간에 빨리 찍어내 놓고는 검토할 시간도 없고 NG도 못내는 거잖아요.

그런데 러시필름 보니까 너무 고마운 거야. 태양이 있는지도 몰랐어. 근데 보니까 새카만 연기가 올라오면서 태양이 딱 가운데 걸렸는데, 그런 게 공짜로 줍는 거죠. 공짜로 줍는 커트인데 앞으로 이 말을 많이 쓰겠지만, 천수답天水畓이라는 말 알아요? 여러분 천수답이라는 말 모르죠? 천수답이라는 말은 농사지을 때 인위적인 방법으로 농사를 짓는 것이 아니고 하늘에 맡기는 거예요. 비가 오면 비에 맡기고 가물면 망하는 거고 그걸 천수답이라고 하는데, 촬영 나갈 때 운 좋으면 좋은 촬영을 하고 운 나쁘면 힘든 촬영을 하겠구나, 당시 한국에서 영화를 찍는다는 것은 그런 시대였습니다.

김홍준 그러니까 여기서 마지막에 차 떨어지는 용비교 촬영 장면은 천수답이 아주 성공한 케이스인데, 날씨와 태양과 연기의 방향과 이런 것들이 다 맞춰진 케이스겠네요. 어쨌든 요즘 같으면 그런 장면을 얻겠다고 며칠을 기다리거나 아니면 CG를 쓰거나 했을 텐데… 옛날이야기를 계속하게 됩니다. 자, 여러분들 지난 시간에 〈별들의 고향〉 보시고 감독님 말씀도 듣고 리뷰를 받아 보니까 여러 가지 생각과 감정이 소용돌이 쳤던 것 같은데 허심탄회하게 소감을 밝혀도 좋고 감독님한테 질문의 시간을 갖기로 하겠습니다.

이장호 나도 궁금해요 여러분들이 어떻게 생각을 하는지.

김홍준 그러면 손을 들어서, 원래 첫 질문이 어려운데….

학생1 마지막에 차가 추락하는 결말이 굉장히 충격적이어서 깜짝 놀랐고, 그 뒤에 나오는 마지막 장면이 굉장히 기묘하게 다가왔었어요. 그런데 아까 그 마지막 한 장면 아이디어를 가지고 쭉 버티고 나갔다고 말씀하셨는데, 그 마지막 장면이 어떤 건지 그리고 어떤 식으로 밀고 나가셨는지 궁금하고요. 폭군기질이 드러나기 시작했다고도 하셨는데 어떤 식으로 드러났던 것인지 묻고 싶습니다.

이장호 감각적이고 즉흥적인 연출로 내가 옛날에 보았던 어떤 영화에서 파생된 아이디어를 밀어붙이는 건데, 〈페드라〉라는 영화가 학생시절 때 꽤 인기를 얻었죠. 한국 제목으로는 〈죽어도 좋아〉라는 제목이 붙었어요. 안소니 퍼킨스인가… 마지막에 자기 계모, 아버지의 부인하고 정사하는 이야기거든요. 마지막 장면에 보면, 안소니 퍼킨스가 바흐의 유명한 음악이 격렬하게 나오는 장면에서 결국은 절벽에서 떨어져 죽어요. 그 라스트를 김승옥씨랑 시나리오 쓸 때부터 연상하지 않았을까 생각이 듭니다.

또 영화에서는 소도구가 큰 아이디어를 줄 때가 있는데, 웃는 기계를 누가 홍콩에서 사왔어요. 근데 한국에는 그 장난감이 없을 때라 재미있게 인상적으로 사용하고 싶었어요. 그걸 들으면 웃음이 전염이 돼서 저절로 웃음이 나왔는데 그것을 비극적으로 사용하려는 게 아이디어였죠. 주인공이 죽은 다음에 그 소리만 남는 라스트 장면을 생각해서, 형이 동생을 주고 동생이 다시 형에게 주려고 그러다가 돌려주고… 그런 것을 미리 깔아 놓고 라스트를 그렇게 밀어붙였던 것 같아요. 형 때문에 죽는 동생, 서로 천적처럼 죽일 수밖에 없는 운명, 그런 것을 놓고서 이야기를 치달으려고 하지 않았나 하는 생각이 듭니다.

김홍준 그런데 바로 그 뒤에 갑자기 음악이 명랑해지면서 김희라씨가 뛰어가는 뒷모습이 터널로 보이고, 앞에서 코치가 이야기했던 "돌아보지 마라" 그게 붙어 있거든요. 어떤 의미로 생각을 하고 그렇게 하신건가요.

이장호 〈투캅스〉에 보면 나중에 가죽옷을 입고 나오는 형사가 있죠. 김보성인가, 뭐라 그러냐면 "아, 폼 나잖아요." 그 당시엔 슬프다, 라는 것을 계속 깔고 나가면 사람들 마음에 그렇게 찬사를 못 얻었어요. 슬픔 다음에 금방 감정 변화를 해서 냉정하고 멋들어진 걸 연출해야지 의식하고 하지 않았을까 생각이 드네요. 당시에 〈뒤돌아보지 마〉라는 유명한 연극이 있었고, 그래서 마라톤 하는 놈이 자꾸 뒤돌아본다, 하는 아이디어를 거기서 가져오지 않았나 하는 생각이 들어요.

김홍준 하여튼 요즘 식으로 이야기하면 쿨한 엔딩이라고.

이장호 아, 맞아. 쿨하다는 말이 생각이 안 났어(일동웃음).

김홍준 제 기억에도 그때 충격이었던 것 같아요. 보통 한국영화에서 우울할 때는 감정을 쥐어짜고 끝났는데, 저렇게 해서 둘이 죽나 했다가 감정이 급히 변해서 상당히 깊은 뜻이 있나보다… 뭔지 모르지만 쿨하다는 생각이 들었습니다. 두 번째 질문은 감독님께 폭군의 기질이 드러났다고 하셨는데, 현장에서의 어떤 모습을 말씀하신 건지 구체적으로 들려주세요.

이장호 지금은 세대에 맞지 않아서 그런 사람이 없는 것 같은데, 내 기억으로는 〈결혼이야기〉를 하면서부터 연기자들이 연기를 참 잘해요. 그런데 김의석 감독은 굉장히 민주적인 감독이지 폭군은 아니거든요. 폭군이 아닌 가운데 연출이 저렇게 연기자들에게 좋은 연기를 끌어낼 수 있을까… 제가 한참 묵상을 했었습니다. 우리 때에는 연극이나 영화의 연출자가 아주 폭력적이고 폭군적인, 그런 것이 거의 당연한 것처럼 알려져 있었거든요. 그러니깐 같은 값이면 폭군적인 연출자가 연출을 잘한다, 라는 말처럼 현장을 쥐어 잡는 방법… 이런 것 때문에 무조건 폭군적이어야 된다, 라는 생각을 했던 것 같아요.

또 신상옥 감독님 현장을 보면 전부 욕설이거든요. 그런 것에 익숙해져있다 보니 저절로 배우가 만만해지기 시작하니까 자연히 욕설부터 나오고, 욕설을 하다보면 심리적으로 행동까지도 그 욕설에 걸맞게 거칠어지죠. 뭐, 툭하면 제일 만만한 게 조감독이잖아요. 배우는 건드리면 큰일이 나고 조감독한테는 폭행하는 경우가 더러 있었고… 또 제작부장들, 제작부장들도 〈별들의 고향〉 때는 깡패들이었는데 〈어제 내린 비〉부터는 내 중심이 돼서 제작부장도 밖에서 내가 직접 데리고 오고… 저절로 현장을 장악하는 데 폭력적인 말, 폭력적인 언행을 하지 않았나 생각이 듭니다.

김홍준 갑자기 얼핏 드는 생각인데요. 당시 감독이 대개 조감독을 거쳐서 데뷔하는 게 유일한 길이었는데 그러려면 아무리 빨라도 30대 중후반, 심지어 40대 이럴 때였으니깐 어쩌면 〈어제 내린 비〉 찍으실 때도 감독님이 최연소 아니셨나요?

이장호 정진우 감독이 스물네 살 때 감독을 했고 그 다음이 나였던 것 같은데, 스물아홉 살이었지만 스태프들하고 배우들이 다 어리고, 충분히 거기에 맞추어 할 수 있었던 것 같아요.

김홍준 뭐 감독님과 배우만 보면 다 20대들이 모여서 감독님은 스물아홉 살, 주연배우들은 스물일곱, 스물다섯, 스물넷 이랬으니깐 거의 무슨 영상 워크숍 정도의 연령 분포였던 것 같습니다. 또 질문 받도록 하죠.

편장완 저기 제가 그….

김홍준 아, 저희 편장완 교수님께서 질문하시겠습니다(일동 웃음).

편장완 제가 스무 살 시절로 돌아가서 질문 드리겠습니다. 〈별들의 고향〉이 개봉되고 10년 있다가 재개봉 때 봤거든요. 그때 제 나이가 스무 살 때였던 것 같습니다. 〈별들의 고향〉은 영화로 먼저 보고요, 나중에 소설을 읽었거든요. 스물한 살 때로 기억하는데 제가 〈어제 내린 비〉를 극장에서 봤어요. 그런데 그전에 『내 마음의 풍차』 소설을 읽었어요.

이장호 이게 아마 중앙일보에 연재될 때였을 거예요.

편장완 그게 단행본으로도 나왔었어요.

이장호 단행본으로 나왔었나요, 벌써?

편장완 책으로 나왔었는데 제가 왜 그걸 기억하냐면 소설책을 감동 있게 읽어서, 청춘에 읽었던 아주 기억에 남는 작품인데요. 〈어제 내린 비〉의 내용을 모르고 그때 영화를 봤었는데, 영화를 보니깐 기본 캐릭터의 설정하고 플롯이 『내 마음의 풍차』와 굉장히 유사한 부분이 많더라고요. 그래서 혹시 감독님이 각색을 하실 때 『내 마음의 풍차』를 보고서 많이 참고를 하셔서 시나리오 작업을 하신 건지가 그때 굉장히 궁금했었거든요.

이장호 내가 확실하게 기억이 안 나서 그런데, 이 〈어제 내린 비〉 영화가 나오는 바람에 최인호가 피해를 본 게 『내 마음의 풍차』를 영화로 하고 싶어도 못 했어요. 그래서 김수용 감독님의 영화 〈내 마음의 풍차〉는 한참 후인 3년인가 4년이 지나서 만들어졌죠. 내 잘못이 아니고 『정원사』라는 미완성 소설이 원 소스가 되어… 첩의 아들이 본집에 들어오면서부터 이야기가 시작되고 그 동생의 여자친구와 형이 연애하는 것부터 시작되니깐, 뭐 꼼짝 못하고 최인호의 또 다른 단편 소설 「침묵의 소리」나 장편 『내 마음의 풍차』처럼 비슷한 구조를 갖출 수밖에 없었지.

편장완 『정원사』가 나중에 『내 마음의 풍차』로 완성이 된….

이장호 완성이 된 거지. 그 당시 최인호 소설이 잘 팔렸잖아

어
제
내
린
비

113

요. 그러니깐 최인호 입장에서도 소재의 고갈이 있으니까 『정원사』의 미완성을 확대시켜서 단편 「침묵의 소리」와 장편 『내 마음의 풍차』를 만든 거죠.

편장완 엔딩부분까지는 그때는 안 나와 있었던 거죠?

이장호 엔딩부분은 달라요.

편장완 저는 그래서 『내 마음의 풍차』를 먼저 읽고 굉장히 궁금했었거든요. 27년 만에 드리는 질문인데요. 원래 『내 마음의 풍차』는 굉장히 긍정적인 성장소설이잖아요.

이장호 성장소설이고 나이도 훨씬 어리게 갔고.

편장완 예. 그래서 영화를 각색하시면서 삼각관계하고 멜로드라마의 중심축을 잡으시깐 비극적인 결말 쪽, 장르적으로 가신 건가… 하는 궁금증이 있었거든요. 그런 결말이 나와 있는 건 아닌 건가요?

이장호 김승옥씨는 그 시나리오 쓸 때부터 속을 무지하게 썩였어요. 한 달 만에 끝내야겠다고 해놓고 석 달 걸렸는데… 그 바람에 영화사에서 사람 계속 보내고, 사람이 오면 붙잡혀서 같이 지내야 되고, 조감독이 날 찾으러 왔다가 함께 휩쓸리고 그랬지.*

* 질문의 요지를 잘못 이해한 것 같다.

편장완 근데 〈별들의 고향〉 판권은 감독님이 사신 것 아니었나요?

이장호 〈별들의 고향〉은 최인호가 판권을 갖고 있었던 게 아니고 소설을 내면서 영화 판권은 그 출판사 사장과 의논한다고, 혼자서 독단적으로 팔수 없게 해놨어요. 그래서 〈별들의 고향〉 판권을 얻기 위해서 고생 숱하게 했죠. 왜냐면 금방 주질 않아서… 그래서 출판사 사장을 감동시키려고 내가 책 세일즈를 하러 다니고 그랬어요(일동웃음).

편장완 그러면 판권이 결국은 화천공사로 넘어간 건가요?

이장호 그렇죠. 내가 우선 판권을 확보한 다음에 제작사가 나서니깐 그 다음에 제작사에다가 물려줬죠.

편장완 넘겨주신 거에요?

이장호 넘겨주었죠.

편장완 그래서 화천공사가 나중에 연방영화사인가 그쪽에 양도한 거에요?

이장호 그때는 연방영화사의 속편, 3편은 최인호가 다 처리했죠.

김홍준 여러분 생각할 동안에 제가 조금 야한 질문 하나 해도 될까요? 지난 시간에 여러분의 리뷰를 잠깐 봤더니, 〈별들의 고향〉

에 나오는 안인숙씨의 몸을 사리지 않는 연기에 굉장히 충격을 받았다는 학생들도 있었는데… 그 당시 1974~5년이면 사실 검열기준이 왔다갔다 해서 영화에서의 성적인 표현이 허용이 되는 때도 있고 아닌 때도 있고, 여러분이 지난주에 본 〈별들의 고향〉은 제가 보기에는 검열을 거치기 전의 원판입니다. 거기서도 몇몇 장면은 극장에서 못 봤던 장면들이고 옛날 한국영화를 보다보면 갑자기 화면이 흐리고 스크래치가 많이 나 있는 부분이 있거든요. 그런 부분은 대개 검열에서 지적당했기 때문에 네거티브를 일단 잘라 내서 프린트를 떴다가 나중에 다시 붙여놔서 네거가 손상된 케이스들이에요. 그래서 검열의 흔적이 고스란히 네거에 남아있어요. 오늘 〈어제 내린 비〉에 한두 군데 그런 데가 있는 것 같은데 〈별들의 고향〉 같은 경우에… 두 영화 다 안인숙씨가 주연인데, 이 정도면 그 당시의 다른 한국영화랑 비교할 때 노출이나 성적인 표현의 수위가 어느 정도였는지, 감독님께서는 어떻게 배우와 커뮤니케이션을 통해 이런 연기를 끌어내셨는지?

이장호 〈어제 내린 비〉는 노골적인 장면이 안 나온 것 같은데 〈별들의 고향〉은 사람들이 오해할 정도로 전라신이 나오지 않았나, 하는 생각들을 할 거예요. 근데 그 당시에 베드신 수준이 어떤 식이었냐면 여배우의 유두만 가리는 거예요. 거기다 반창고를 붙여요. 반창고를 붙이고, 이게 여배우의 마지막 자존심만 채워 주는 거죠. 안인숙 이전에도 가령 홍콩영화와 합작을 할 경우 홍콩에서도 여배우에게 완전 나체 노출을 요구하니깐, 한국 여배우들 중에서 완전 노출을 했는데 정작 그게 많은 대중들 앞에 공개가 된다면 억울하지 않을 거예요. 근데 스태프에게만 노출하고 일반영화에서는 검열당해서 나가지도 못하죠. 그러니깐 여배우들이 어차피 찍어봐야 허가가

이장호 감독의 마스터클래스

안 될 텐데 왜 벗기냐고 하는 소리가 나왔죠. 안인숙 같은 경우는 자기가 무료로 출연을 결심했을 만큼 열성이었으니깐, 더군다나 아역 배우에서 성인 역을 맡는 계기라 스스로 어떤 각오가 되어 있었던 거죠. 사실 반창고를 붙이고 거기에 파운데이션 같은 색을 칠해서 조명이 어두운 어둠 속에서 봤을 땐 나도 깜짝 놀랐어요. "어, 저게 어떻게 나왔지?" 근데 그게 사실은 노출이 아닌 거죠. 그리고 키스신도 〈별들의 고향〉에서 굉장히 노골적으로 시도를 했어요.

편장완 감독님 며칠 전에 하명중 감독님을 뵀었어요. 우연한 기회에 소주 한잔했는데 문득 스쳐지나간 기억이 나서요. 〈별들의 고향〉 속편 있지 않습니까? 하길종 감독님이 연출하셨는데 최인호 작가님이 하길종 감독님이 돌아가시고 나서 추모하는 글을 쓴 게 기억이 나거든요. 근데 그 〈별들의 고향2〉를 하감독님이 연출하실 때 최작가님하고 두 분이서 맥주 한잔하시다가 하길종 감독님이 그랬다고 그러시더라고요. 후회 된다고… 이게 속편이고 호스티스 영화고, 그래서 전채린 여사가 연출하는 걸 되게 말렸다고. 그랬더니 최인호 작가님이 화가 나서가지고 굉장히 언성이 높아지고 한동안 두 분 다 안 만나고 그러셨대요. 근데 개봉하는 날 만나서 반갑게 이야기했다고 하셨는데, 그 영화가 개봉됐을 때 하길종 감독님이 혹시 뭐 이장호 감독님께 하신 말씀이 있나요?

이장호 하길종 감독이 틀림없이 자존심 많이 상했을 겁니다, 단지 속편이라는 이유만으로. 그런데 하길종 감독이 그 당시 흥행시킨 게 하나도 없잖아요. 하나도 없으니깐 최인호의 『바보들의 행진』을 영화로 만들었을 때 주변에서 권고를 많이 하고 아마 전채린씨도 말리지는 않았었던 것 같고… 하길종 감독이 자기 자존심에 걸려서 최인호한테 그런 얘기를 할 수 있었겠지만 하길종 감독으로선 새로운 돌파구를 만들어 놓는 기회가 되었고, 그 진실성은 내가 믿을 수가 없네요. 어쨌든 하길종 감독은 〈바보들의 행진〉 한 다음 계속해서 〈병태와 영자〉를 만들 정도로 흥행의 매력에 확 빠져있었던 게 사실입니다.

편장완 예. 한 가지만 더 질문하면 제가 뉴욕에서 대학원에 다니고 있을 때 오시마 나기사 감독님이 오셨었어요. 그때 오시마 나기사 감독이 질문을 받는데, 서양 애들이 꼭 그런 식으로 질문하잖아요. 누벨바그 뭐 고다르 이야기를 하면서 "어떻게 영향을 받았나?" 그랬더니 오시마 나기사 감독님이 굉장히 불쾌해 하시더라고요. 자기가 그런 이야기를 많이 들었는데, 하도 그래서 나중에 고다르 영화를 봤다고 그러시더라고요. 그래서 아마도 동시대를 살았으니까 자기 영화와 비슷한 면이 있다고들 말하지 않나, 싶다고 하셨던 말씀을 인상 깊게 들었는데요. 가만 보니깐 60년대 일본의 영화들이 굉장히 모더니즘의 훌륭한 면을 보여주고 있더라고요. 오시마 나기사, 이마무라 쇼헤이… 그래서 제가 그때 느낀 게 뭐냐면 영화가 따로 있는 게 아니라 일본 전체의 대중문화라든지 문화의 한 줄기로, 부분으로 같이 가고 있다는 느낌을 많이 받았거든요. 아메리칸 뉴시네마가 60년대 후반에서 70년대 초반에 많이 개봉이 됐잖아요. 그래서 드는 생각이, 감독님의 〈별들의 고향〉하고 〈어제 내린 비〉 이전에는 제가 많이 보지는 않았지만 그런 어떤 아메리칸 뉴시네마에서 보이는 새로운 캐릭터, 새로운 가치관, 새로운 결론, 이런 것들이 없었던 것 같아요. 그러니까 우리 나이에서 보면 도시적인 감성이라고 얘기하나? 야구로 치자면 엘지 트윈스 같은 느낌이 드는… 근데 그때 영화가 제가 보기에는 감독님, 최인호 작가님, 이장희씨 이렇게 서울고등학교 동

문이자 이십대 새로운 세대의 젊은이들이 모여서 만들었던 감성이
고 전기였던 것 같거든요.

그래서 저는 감독님 영화를 보면서 영화적으로 볼 때 굉장히
재미있게 본 것이, 고전적인 스타일로 편집도 가고 인물도 찍고 그러
시는데, 또 어떤 부분에 가서는 여태까지 봤던 고전적인 한국영화는
다르게 플래시백으로 이루어지는 게 아니라 일종의 몽타주시퀀스로
굉장히 빠르게 압축시키는 이런 두 부분이 산재해 있는데요. 새로운
영화적 접근 방법이 당시에는 굉장히 신선한 부분이 아니었을까? 이
런 생각이 들고요. 그런 문화적이고 도시적인 감수성이 한꺼번에 모
여서 〈별들의 고향〉의 신화라든지 새로운 영화에 대한, 그리고 새로
운 청년문화에 대한 이야기로 나오지 않았나, 그런 생각이 들거든요.

이장호 이랬던 것 같아요. 내가 영화를 공부할 때 김승옥
씨의 소설이 많이 알려져 있었고, 또 한국문학보다는 프랑스문학…
〈문학사상〉이라는 월간지가 있었는데 이어령 선생이 관여를 해서
프랑스 소설들을 많이 소개하고 그랬을 때거든요. 그런 역량에다가
또 프랑스문화원에서 계속 마음 놓고 볼 수 있는 영화는 프랑스영화
였고, 그리고 저번에 내가 고백했듯 AFKN 시작 전 시험방송 나갈 때
다큐멘터리필름들을 팝송에 맞춰서 틀어줬던 장면에서 강한 인상을
받았던 것들… 그런 것들이 있었고요.

지금 제목이 얼른 생각이 안 나는데 『세계 전후 문학 전집』
에 보면 시나리오들이 몇 개가 있었어요. 거기에 유럽영화도 있었고
일본영화도 있었는데, 일본영화 중에 〈태양의 계절〉인지에 이시하
라 유지로라는 배우가 있었어요. 그 사람이 한때 일본의 신성일처럼
독점적인 청춘스타였어요. 그 사람이 나온 영화 중에 〈태양의 계절〉
인가, 당시엔 일본영화를 보지 못했으니까 시나리오에 내가 너무 반

어제
내린
비

119

해있었어요. 지금 재미있는 이야기를 하나 털어놓는데, 그걸 모작하는 시나리오를 여러 번 시도를 했어요. 그래서 하루는 최인호하고 청주에 있는 화장사라는 절에 가서 최인호는 소설을 쓰고 나는 시나리오를 쓰고 했는데, 나는 시나리오가 서투니깐 최인호한테 보여준다고… 어느 정도 보여주면 어디어디 지적해주고 고치고. 이런 일이 있었는데, 아직도 그건 내가 깊이 보관하고 있어요. 내가 죽은 다음에 내 박물관에 기증을 할지 어떻게 할지(웃음)… 나중에 최인호가 얼핏 한번 고백을 하더라고요. "야, 너『별들의 고향』이 어떻게 나왔는지 모르겠냐?" 나는 "전혀 모르겠는데?" 하니깐 "인마, 사실 네가 시나리오 쓰던 거 그걸 내가 소설로 완성했다"라고 그러더라고.

김홍준 거기서 모티브를 얻었다는 건가요?

이장호 그래서 어쩌다가 집에서 굴러다니던 것을 찾아보니까 제목을 최인호가 지어줬는데 '도시가 죽인 여자'라고 돼 있더라고요. 그런데 보니 네온사인에서 쇼윈도에 있었던 여자가 느닷없이 아파트에 찾아오는 장면으로 시작돼서 동거하고 있는 이야기… '아! 여기서 인호가 착상을 했다는 것이 가능하구나' 최인호하고 이야기를 하면 뭐랄까, 도시적인 이야기를 많이 했다고. 나중에 내가 다른 감독의 영화를 보면 영화들이 도시적인 이야기를 다루는데 다들 맘에 안 들었어. 한국의 영화감독들이 만들었던 도시적인 이야기가 맘에 안 들었던 이유가, 나는 프랑스문학이나 프랑스문화원에서 많은 영화들을 봤고 서울에서 태어나 서울에서만 자랐던 내가 봤을 때… 난 상당히 내 세계를 가지고 있었는데 다른 한국영화는 갖추지 못했다고 생각했거든요.

심지어는 임권택 감독님이 〈내일 또 내일〉이라는 영화를 만들었는데 '아니 임권택 감독님이 참 영화를 잘 만드는데 어떻게 상류사회를 이야기할 때는 저렇게 촌스러울까?' 그런 생각을 했죠. 나중에 생각해보니깐 임권택 감독 태생이 농촌에서 아주 뿌리 깊게 자라서 자기의 토속적인 정서가 있기 때문에 대도시의 어떤 감성을 그리지 못하는 것 같다. '아, 나는 앞으로 영화 만들면 도시 이야기나 해야지. 농촌 이야기는 하지 말아야겠다' 라는 생각을 가졌고요. 그걸로 내가 좀 어렵다고 생각한 게 〈명자 아끼꼬 쏘냐〉를 했을 때 내가 갖고 있던 정서 이상의 것이 나오니깐 벅차구나, 그런 생각을 했어요.

김홍준 또 질문?

학생 1 보면서 깜짝깜짝 놀랄 만한 장면들이 되게 많이 있었는데요. 지금 봐도 촬영기법들, 그러니까 키스신에서 카메라가 떠서 반대쪽으로 넘어가는 것까진 이해가 되는데 또 안으로 들어가는 이유는?

이장호 그 '데모찌'를 뭐라 그러지?

김홍준 핸드헬드라고 합니다(일동웃음).

이장호 일본말로는 데모찌라고 하는데 한국영화를 이렇게 보면 바쁘게 찍잖아요. 하루에 뭐 40커트에서 60커트를 찍어야 되는데, 그걸 찍으려면 아주 바쁘게 찍어야 돼요. 보통 시간이 걸리는 앵글은 잡지를 않아요. 대개 빨리 찍는 사람들을 보면 가장 평범한 앵글로 촬영을 끝내는데, 나만 해도 그때 욕심도 있고 배짱도 있고 하니까 시간을 많이 잡는 것을 두려워하지 않았죠. 촬영기사가 어떤 장면을 찍기 위해서는 여러 번 연습을 해야 될 거 아니에요? 시간이 걸리는 장면들은 여러 번 시간을 갖고 연습을 해서 그런 영상들을 얻을 수가 있었던 것 같고.

아주 우스운 얘기 중에 심우섭이라는 코미디영화 감독이 있었는데요. 이 사람은 이동신을 어떻게 찍냐면, 그 사람은 하루에 100커트 이상을 찍는 사람이야. 이동차를 깔고 하는 시간이 굉장히 많이 걸려요. 이 사람은 리어카 위에 촬영기사를 하나 태워서, 만일 칼을 들고 연기하는 배우가 계속 혼자 칼을 가지고 이러고 온다 그러면, 그걸 계속 이동하면서 찍잖아요. 그러면 반대로 이제 이쪽에서 오는 사람은 또 세워서 계속 찍는 거야. 그런 식으로 백 몇 커트를 찍는 사람이 있었거든요.

조잡하게 하면 제작자가 원하는 하루 작업분량을 다 끝내고, 근데 우리처럼 일하면 준비하고 계획했던 것, 하루치 약속했던 분량을 다 못 찍고 다음날 또 촬영을 나가야 되고… 그러면 제작사가 아주 싫어하죠. 자기 작업량을 그날 못 찍고 오면 배우 잡아내야 되지, 진행비 더 들어가지, 웬만한 감독들은 한 쇼트 한 쇼트에 충분한 아이디어를 사용하지 못 하게 되는 거예요.

김홍준 네, 이제 시간도 좀 지나고 해서 다음 시간 예고를 전해드려야겠는데요. 다음 시간에는 〈너 또한 별이 되어〉 그리고 〈그래 그래 오늘은 안녕〉을 찍으시고, 첫 시간에 말씀하신 모종의 식물과 관련된 사건으로 인해서(일동웃음) 활동을 중단하게 되시고… 그리고 인고의 세월을 보내고 계실 때 제가 개인적으로는 처음 감독님을 찾아뵌 적이 있었습니다. 빔 벤더스 감독 때문에 그렇게 됐는데, 그 이야기는 다음 시간에 시간이 되면 하기로 하고요.

그러고서 1980년에 컴백작품이자 재기작인 〈바람 불어 좋은 날〉이 나오는데 이 작품이 그때 태동하기 시작했던, 막연하게 뭔가 좀 한국에서 영화를 통해 의미 있는 일을 하고 싶은 학생들이나 젊은 이에게 끼쳤던 영향은 어마어마한 것이었거든요. 그 작품 자체가 걸 작이냐 아니냐를 떠나서, 〈바람 불어 좋은 날〉은 어쩌면 그 작품 한 편으로 한국영화의 역사가 바뀌었다고 이야기해도 과언이 아니라고 할 정도입니다. 운명 같은 영화였어요. 그래서 〈바람 불어 좋은 날〉 을 상영을 하고 거기에 대한 이야기를 들으려고 하는데, 그 사이에 대한 이야기를 좀 알기 위해서는 감독님께서 《영상시대》 동인으로 활동하신 적이 있는데 그 얘길 들어야 하거든요. 〈어제 내린 비〉가 나온 직후였죠. 당시 하길종 감독님, 김호선 감독, 홍파 감독, 평론하 시는 변인식씨 그리고 이원세 감독도요. 그래서 《영상시대》라는 이 름을 기억하시고 여러분이 네이버에 한번 검색을 해서 《영상시대》 가 어떤 활동을 했고, 어떤 그룹이었고, 그 당시 한국영화에서 어떤 의미였는지를 숙제로 알아보시면 좋겠습니다.

그 속에서 감독님이 〈바람 불어 좋은 날〉에 이르기까지의 시간이 나오게 됐는데요. 오늘 여기서 학생 한 명이 한 코멘트 중에 이런 말이 있어서 말씀드릴게요. 대답하실 필요는 없고요. 아마 이 질문에 대한 대답이 〈바람 불어 좋은 날〉인 것 같아서 인용을 하겠 습니다. "〈별들의 고향〉을 보고나서 그 시대를 살아보지 않아서 70 년대에 영화를 찍는다는 것에 대해서 잘은 모르겠다. 이번에 1974년 에 만들어진 〈별들의 고향〉을 보면서 그런 생각이 들었다. 박정희의 유신정권시대에, 내가 보기에는 대중을 겨냥한 듯한 영화를 만든다 는 것에 대해 이장호 감독님은 어떤 의견을 가지고 있을까? 지식인과 대학생들은 정권타도를 외치며 정보기관에 끌려가 갖은 고문을 당 하며 고통스러워하고 있을 때 과연 마음은 어떠하셨을까? 그래도 되

어
제
내
린
비

었던 것일까? 하는 생각과 궁금증, 현재 우리는 그것을 어떻게 받아들여야 하는 것일까?' 아마 이 질문에 대한 대답은 〈바람 불어 좋은 날〉이라는 영화를 보면서 대답하면 될 것 같습니다. 오늘 마무리 말씀해주세요.

이장호 그래요. 35년 전의 이야기를 지금 돌이켜보니깐 내게도 생소하게 느껴지는 장면이 많고 대한민국은 급변하는 사회고 경제성장도 급변했고, 내 생애의 사람들이 누구나 다 자기 생애가 급변하는 것을 봤는지 모르겠지만, 나는 한 번도 안정된 시대를 못 살았던 것 같아요. 늘 과도기의 연속이었는데, 실제로 정권도 혁명이 일어나면 과도 정권이라는 것이 있어서 사이에 끼였고… 내가 어렸을 때 서울의 괜찮게 사는 집안도 부엌은 바닥이 맨 땅바닥이었어요. 질척질척하고, 싱크대라는 것도 부엌 바닥에 세워놨지만 작은 바둑판 같은 네모난 모양의 타일을 붙여 놓은 조잡하기 짝이 없는 데였고, 사람들이 국산품이라고 하면 뭐랄까… 국산품은 혐오스럽고 미제는 아주 이상적인 것이라 여기고 온돌을 부끄러워하고 토종 돼지, 토종 농산물을 굉장히 부끄러워했어요.

반대로 돼지도 외국 것, 온돌 대신 침대를 이상적으로 선호하는 사회 속에서 자랐다가, 〈별들의 고향〉을 만들고 시간이 지나고 나서 세상이 어떻게 바뀌었냐면요… 인사동의 골동품가게가 인기를 얻기 시작하니깐 그 동안에 농촌에서 버렸던 외양간 구유, 시골에서 버렸던 떡살 이런 것들, 또 요강이라는 거 잘 알죠? 요강이 인사동에서 골동품으로 나오기 시작하고 이런 걸 보면서 어리둥절했어요. 아니 이 괄시받던 것들이 언제 살아나기 시작했는지, 지금은 우리가 신토불이라고해서 우리 것을 제일로 치잖아요. 이런 격세지감을 느끼고 정치변화, 경제변화, 사회변화, 문화변화 잠깐 사이 정신을 못 차릴 정도로 변했어요. 그래서 나는 내가 살아오는 동안 꾸준히 변화해야 한다는 것이 중요한 모토였어요. 변화하지 못하면 죽는다, 썩는다. 그런 생각을 쭉 가지고 왔기 때문에 영화를 만들면서도 시대의 변화에 굉장히 민감하게 만든 거였는데, 그러다 보니까 어느 틈에 지난날의 화려한 풍속이나 유행들은 얼마 안 있으면 촌스러워지는 거예요.

그래서 내가 만든 영화들을 쭉 보다가도 왜 저렇게 촌스러울까, 하는 생각이 들었는데… 클래식에 걸맞은 게 무엇일까 생각해 보았더니 내가 가난한 사람들의 영화를 그린 것은 다 클래식하게 느껴져요. 왜 그럴까 했더니 가난한 사람들의 모습은 최근 달동네에 가서 본 거나 35년 전이나 40년 전이나, 가난한 동네의 모습은 하나도 변화가 없어요. 그래서 지금도 가난한 사람들을 그린 영화를 보면 요즘 사람들에게도 공감을 주고 촌스럽지 않은데, 상류사회를 그린 것은 몇 년 만 지나도 촌스러워져요. 여러분도 마찬가지일 거예요. 지금 여러분이 상류사회를 그린다고 하면 앞으로 20~30년 후에 보면 정말 촌스러울 겁니다. 그러나 자신 있게 확신하건데 가난한 사람들의 모습은 앞으로 30년 후에도 똑같을 거예요.

김홍준 네. 지금까지 봤던 영화와는 전혀 다른 세계로, 다음 주부터는 감독님의 작품세계 2기로 들어가겠습니다. 오늘 감독님, 감사드리고요. 다음 주에 뵙겠습니다.

어
제
내
린
비

REVIEW

학생리뷰_김소혜(예술사2008137009)

이도 저도 아닌 모호함 속에서

지난 시간엔 아쉽게도 중급워크샵 촬영 때문에 '별들의 고향'을 보지 못했다. 본 사람이 최고였다고 하길래 이번 시간을 나름 기다리고 있었다.

'어제 내린 비'는 감독님의 두 번째 작품으로 감독님의 말에 따르면 데뷔작의 흥행으로 조금 겸손하지 못한 마음가짐으로 촬영에 임하셨다고. 제목은 강은교 시인의 작품에서 따온 것. 나도 제목 지을 때는 시집을 좀 참고해야겠다고 생각해본다. 일단 영화를 본 후에 드는 첫 생각은 70년대 작품인데 2010년에 보기에 무리가 없을 정도로 세련되었다는 것이다. 물론 정서상으로 손발이 오그라드는 것들이 당연히 있지만. 그때는 어땠는지 모르겠지만 그런 대사들이 지금 듣기에는 약간의 코미디적 요소들이 가미된 것 같아 보인다.

젊은 최불암을 볼 수 있었다는 것도 신기하고 나에게는 액션배우로 인식되던 김희라의 드라마적 면모도 새롭다. 짐승남이라 불리는 스타의 반열에 너끈할 정도의 배우. 몇 년 전의 조승우와 비슷한 이영호의 인상. 전성기가 지났다지만 섹시한도금봉 등등의 배우들. 인상적인 배우들과 함께 인상적인 촬영. 수업이 끝나고 나서 과방에 앉아 그 장면은 어떻게 찍은 거지? 라는 의문을 함께 이야기했는데도 도통 각이 나오지 않아서 우리를 고민에 빠트렸던 장면들이 기억에 남는다.

영화의 고전적인 스타일을 유지하면서 매우 현대적인 스타일이 함께 섞인 영화가 나올 수 있었던 배경은 감독님의 생활배경 때문이었단 말에 역시 사람은 환경이 중요하다는 것을 느끼면서 그럼 나는 어떤 영화를 잘 만들 수 있는 걸까 생각했다. 나는 시골도 도시도 아니고 농촌도 어촌도 아닌 그 중간에 낀 애매한 곳에서 자랐고 제도권의 교육을 받지 않았으면서

이장호 감독의 마스터클래스

126

제도권 안에서 살고 있다. 어디에도 잘 섞일 수 없는 애매한 느낌. 그것은 쓸쓸함이고 모호함이었다. 그래서인지 나의 시나리오들은 쓸쓸하거나 모호하거나, 장르가 불분명한 것 같다. 아… 뭔가 괴롭군.

어쨌든 영화의 마지막 장면과 동생과 함께 엄마의 집에 찾아갔던 장면이 기억에 남는다. 전자는 앞 장면과 상반되어 독특한 느낌을 주었기 때문이고 후자는 이건 왠지 자식과 엄마라는 느낌보다 좀 더 야릇한 느낌이 들었기 때문이다. 개인적 취향이 이상해서인지는 모르겠지만 아들이 엄마를 섹시하다고 말하는 것이 나에겐 은근히 도발적인 대사로 들렸다. 실제로 그 장면의 도금봉은 정말로 섹시했다. 나만 그렇게 느낀 것이라면 어쩔 수 없고. 하하.

70년대는 세계 곳곳이 혁명과 전환의 시기였다. 나는 이 영화에서 혁명은 느끼지 못했지만 전환은 느꼈다. 그 전환은 사회적인 의미라기보다 영화적인, 영화예술적인, 감정적인 전환이다. 하지만 국내는 사회, 정치적 격변의 시기였다. 이런 때에 이런 영화가 과연 이상한 것이었을까. 그런 시기라도 영화를 보고 즐기면 안되는 것이었을까. 영화가 늘 시대를 반영해야 하는 것일까. 뭐 이런 저런 생각을 하면서 다음 시간을 기다려본다.

_바람 불어 좋은 날

- 1980년, 113분
- 제작 동아수출공사
- 원작 최일남
- 각색 이장호, 송기원
- 촬영 서정민
- 조명 마용천
- 편집 김희수
- 음악 김도향
- 출연 안성기, 김성찬, 이영호, 최불암, 유지인
  김보연, 임예진, 박원숙, 김희라

서울로 상경한 세 친구들의 방황과 애환을 그린 영화. 덕배(안성기)는 중국집, 춘식(이영호)은 이발소, 길남(김성찬)은 여관에서 일하면서 각자의 삶을 살지만 자신들의 미래에 대해선 불투명해 한다. 그러는 가운데 길남은 미장원 직원 진옥과 사귀지만 사기를 당하고, 춘식의 여자친구 미스유(김보연)는 벼락부자 김회장(최불암)에게 돌아선다. 덕배는 부잣집 처녀 명희를 만나지만 둘의 사이는 오래가지 못하고, 춘식은 김회장에게 칼을 휘두르다 구속당하고 길남은 입영통지서를 받는다. 길남이 입대하는 날 여공인 춘식의 여동생 춘순(임예진)은 홀로 남겨진 덕배의 곁을 지켜준다.

바람 불어 좋은 날_1980

김홍준 이 영화가 나올 때 사회적으로는 모처럼 다시 민주주의를 맛보게 되나 했는데 옛날보다 더 지독한 탄압과 검열 등, 영화계도 그런 시대적 상황과 맞물려 돌아갔죠. 그럼에도 불구하고 서울의 봄의 여진이 있어서 그랬는지 이 영화는 좀 논란이 있었지만 크게 다치지 않고 개봉이 되었고요. 오히려 나중에 듣겠지만 〈바보선언〉이 나왔던 1983~4년 이후의 문화정책은 더 정교해지고 더 악랄해지는 경향이 있었던 것 같아요. 어쨌든 이 얘기를 하는 이유는 그당시 20대 초중반이었던 저 같은 세대에게는 이 영화가 굉장한 충격이면서 일종의 희망 같은 영화였어요. 아, 이런 암울한 상황에서도 저런 영화가 나올 수 있구나.

이장호 감독님도 알고 보면 여러 가지 면에서 매우 특이한 인물이신데요. 지난번에 얘기했듯이 감독으로서 대중적인 스타가 된 최초의 인물이기도 하죠. 또한 제가 보기에는 본인의 실제와는 무관하게 상업영화이면서도 이른바 문화운동, 운동권 사람들이 관심을 가지고 추앙하는 최초의 인물이 됐다고 생각해요. 어쨌든 이따 감독님께서 지난번과는 또 다른 이미지를 보여주실 것 같아 저 또한 기대됩니다. 제가 앞서 얘기했던 시대적 배경을 영화를 본 후에 여러분들이 직접 각자 다른 자료를 통해 더 알아봐도 좋을 것 같아요.

그리고 이 영화가 나온 1980년에 한국영화를 좋아하고 보러 다니던 청년들끼리 3편의 영화 가운데 어떤 것이 가장 좋은지 서로 논쟁도 벌이고 거의 멱살도 잡고 그랬었는데요. 그 3편이 뭐냐면 제대로 개봉도 못했지만 시사회 같은 데에 다녀온 사람들이 최고의 영화라고 얘기했던 임권택 감독님의 〈짝코〉, 가장 대중적으로 알려지면서 많은 사람들이 지지했던 이장호 감독님의 〈바람 불어 좋은 날〉, 그리고 일부 사람들이 지지했던 유현목 감독의 〈사람의 아들〉입니다. 이 3편의 영화가 모두 1980년에 나왔죠. 1960년 4·19 이후 굉장히 비슷한 때에 60년대를 대표하는 작품들이 나왔듯이, 사회적인 상황은 그렇게 암울했지만 80년대에 또 주목할 만한 작품들이 같이 나왔다는 것. 영화를 만드는 것은 개인들이 모여서 만드는 거지만 영화가 나오는 것은 결국엔 그 시대의 흐름, 그 시대의 정신과 무관하지 않다는 생각을 하게 되네요. 특히 굴곡 많은 한국영화는 더 그런 것 같아요.

그래서 2010년의 영화도 매우 기대됩니다. 영화보다 현실이 더 영화 같은 요즘이기도 하고요. 〈바람 불어 좋은 날〉은 다른 영화보다도 작품과 관련된 여러 가지 자료도 많아서 여러분들이 이야기를 많이 들었을 것 같아요. 그래서 어쩌면 사전에 이 영화에 대한 나름대로의 선입관을 가지고 있을지도 모르겠네요. 그래서 막상 영화를 보면 생각했던 것과 다를 수도 있고 같을 수도 있겠는데요. 그런 여러분들의 코멘트를 듣고 싶고요. 우선 교수님께 몇 가지 여쭤보는 걸로 시작하도록 하겠습니다. 저희가 어제까지 〈별들의 고향〉과 〈어제 내린 비〉를 봤고, 감독님께서 데뷔를 하시고 활동을 중단하셨던 그때까지의 얘기를 듣지 않았습니까? 이렇게 얘기를 한번 풀어보죠. 1979년 10월 26일, 박정희 전 대통령의 암살사건이 일어난 날 감독님은 어디 계셨고 어떤 느낌이 드셨으며, 그 후에 〈바람 불어 좋은 날〉을 만들기까지의 과정이 어떻게 진행됐는지 생생한 이야기를 듣고 싶습니다.

이장호 지금 질문에 대한 답변을 하기 전에 내가 저번에 얘기하지 못 했던 이야기가 생각났는데 그걸 꼭 들려줘야겠단 생각이 드네요. 〈별들의 고향〉을 만들었을 때 내가 영화사하고 의견이 맞지 않아서 이희우씨의 시나리오 절반과 최인호씨의 시나리오 절반, 스토리 연결이 될지 모르겠지만 분위기가 싹 다른 시나리오를 합쳐놨

〈바람 불어 좋은 날〉을 개봉한 명보극장 앞 인파

기 때문에 영화촬영 때는 원작을 중심으로 해서 촬영했다고 했죠. 불
완전한 각본으로 영화를 찍고 있었기 때문에 나중에 편집실에서 쭉
봤을 때 문제점이 많이 발견됐어요. 영화 시나리오의 이야기가 시간
순서대로 쓰여 있었는데 그렇다보니까 리듬이 아주 들쑥날쑥해서
영화가 상당히 산만하게 느껴졌어요. 이거 편집해서 정리하지 않으
면 영화에 큰 문제가 생기겠다는 염려가 들었죠.

　　　지금까지도 기억나는 게 신상옥 감독님이 편집을 할 때는 늘
직접 하셨거든요. 편집할 때 편집실에 가 있으면 옆에 조감독들이 쭉
서 있어요. 근데 신상옥 감독님은 필름을 목에다 잔뜩 건다고(일동웃
음), 쫙 훑어보다가 입으로 탁 끊어요. 그래가지고 그걸 주면 NG는
버리고 자른 부분에다 침 바르고 빡빡 긁어서 아세톤으로 붙이는 그
런 작업을 하는데요. 늘 그런 모습을 보면서 그 양반이 편집하는 데

달인이라는 생각이 들었어요. 그래서 오랫동안 그 사람 옆에서 편집하는 훈련을 받았는데 오성환이라는 편집기사를 알게 됐어요. 그 양반이 우리 편집실 한번 차려보자 해가지고, 그 사람은 편집기술을 제공하고 나는 충무로에다 방을 하나 얻어서 편집실을 했었어요. 그러니까 이제 편집하는 일이 상당히 많아졌죠. 연출현장에 나가보는 일만큼 쉬는 날이라든지 집에서 편집 일을 많이 하게 됐지요. 그래서 그런지 편집에는 서툴지 않았고 익숙했어요.

그렇게 막 찍어 온 필름들, 리듬이 잘 맞지 않는 필름들을 이제는 편집밖에 없다 해서 순서를 막 뒤죽박죽 섞어놨죠. 난 그때 영화 하면서 처음 느꼈는데 차례대로 진행하면 여기까지 왔던 이야기가 이쪽으로 탁 튀는, 그걸 뭐라고 해야 하지? 사이로 점프하는데, 갑자기 리듬이 다 깨지는 거예요. 근데 뒤쪽에 있던 걸 갑자기 앞으로 가져다 놓고, 앞에 있던 걸 뒤쪽으로 가져다 놓으면 리듬이 또 맞아요. 그래서 참 신기한 건데 〈별들의 고향〉은 이야기가 막 섞여 있다는 걸 여러분들도 느낄 거예요. 차례대로 찍었다지만 정확하지 않은, 완성되지 않은 각본을 가지고 촬영을 하고 또 그런 편집에 의해서 〈별들의 고향〉이 만들어진 거죠. 다른 사람들이 만든 영화는 매끈하게 진전이 잘 되는데 나는 왜 이렇게 툭툭 거칠게 넘어갈까? 그걸 의아해 했었는데 나중에 생각해보니까 잘된 각본이나 완성된 각본으로 연출하지 않아서 그랬던 것 같더라고요.

또 영화를 연출하는 방식도 즉흥촬영으로 진행되다 보니까 더욱 그랬던 것 같기도 하고, 〈어둠의 자식들〉과 같은 영화도 시나리오가 완성이 안 되고 현장에서 자꾸 메모하듯이 영화를 촬영해서 그랬던 것 같네요. 〈바람 불어 좋은 날〉 그때는, 그 사건 당시 끊임없이 술을 많이 마셨던 걸로 기억해요. 기억나는 것은 술을 잔뜩 먹으면 택시를 타잖아요. 그때 택시에 올라타서 택시기사한테 돈을 줬어요. 그리고 내가 운전을 좀 해보자고 했었어요. 왜 그랬냐면 〈별들의 고향〉 초창기에 영화사를 옮기고 개런티를 받고나서 처음으로 자동차를 샀거든요. 그런 다음에 무면허 운전을 하고 다녔었는데 운전에 재미가 들렸을 무렵 참 아쉬울 때 차를 팔아버렸단 말이에요. 그래서 다른 것보다 술에 취하면 그렇게 운전이 하고 싶었어요. 그 당시에 그렇게 말하면 택시기사가 나한테 또 운전대를 잠시 내줘요. 그 대신 그 사람이 하는 역할은 사이드브레이크인가 그걸 딱 잡고 있다가 내가 위험하게 차를 몰 때마다 제어를 해주는 거죠.

어쨌든 어느 날 아침이 오기도 전 새벽인데 갑자기 아버지가 2층에서 비명을 지르면서 "야! 박정희 죽었다! 박정희 죽었다!" 하는 거예요. 그 소리에 깨서 일어났는데 아버지는 기뻐하고 계셨죠. 그럴 만한 일이 있었던 게 여기 영화배우로 나오는 내 동생하고 둘이 대마초단속에 걸려서 4년 동안 활동을 못했던 데다가, 여동생은 대학에서 학생운동을 해서 여러 번 교도소에 들락날락했었어요. 어쨌든 그런 여러 집안일들이 겹쳐서 우리 아버지는 박정희 정권 때 너무 자기가 피해를 보고 살았다고 생각했던 거죠. 마치 광복절을 맞은 것처럼 그 뉴스에 기뻐하던 아버지의 모습이 생각나네요. 얼마 안 있어서 대마초를 했던 공인들이 활동을 재개할 수 있는 공식적인 이야기들이 나오기 시작했고, 그리고 동아수출이라고 나하고 일을 얼마 안 해본 곳에서 연락이 왔어요. 같이 일해보지 않겠냐고 말이죠. 때마침 최일남씨의 『우리들의 넝쿨』이라는 책을 읽고 이런 영화를 한번 만들고 싶다고 생각했는데, 나는 그전까진 영화를 만드는 데 사회의식 같은 게 없었어요. 감각적이고 사람들이 좋아할 것 같은 것에만 관심이 있었지 사회의식이라든지 역사의식에는 관심을 두지 않았거든요.

그러다가 대마초로 4년간 묶여있던 동안에 내 여동생의 책을 많이 읽었어요. 사회의식이 많이 들어간 책이었죠. 그중에 염무웅 선생의 『민중시대의 문학』이라는 책이 있었는데, 그 책을 읽으면서 지금까지 스스로 가지고 있던 것과는 다른 차원의 내용들을 습득을 했죠. 저번에도 프랑스나 러시아, 독일 문학 쪽의 영향을 많이 받았다고 했는데, 그 책을 읽고 나서 한국문학에 대해서 조금씩 눈을 뜨게 된 것 같아요. 우리사회 저변의 소외계층에 대한 관심을 갖게 된 거죠. 그러고 보니까 어렸을 때 이탈리안 네오리얼리즘을 봤던 기억들이 되살아났고요. 〈그래 그래 오늘은 안녕〉이란 영화를 뮤지컬로 만들고 싶어서 동숭동 시민아파트에서 가난한 이들의 모습을 화면에 담는데, 뮤지컬 영상이 아니라 리얼리즘적으로 구성되니까… 내가 어렸을 때 보았던 것들이 합쳐지면서 영화로 만들어보고 싶다는 생각이 강하게 들었죠.

그리고 존 러스킨의 어떤 글에서 어느 날 문득 '바람 불어 좋은 날'이라는 문구를 발견했어요. 하나님이 기후를 만들었을 때 눈과 비를 내리고 햇볕을 내리는 건 다 기뻐하라는 의미였는데 사람의 기분이나 감정 등에 따라서 좋다 혹은 나쁘다 얘길 하더라고요. 근데 그 시인이 하는 말이 결국엔 다 좋은 일이라고 하더군요. 거기에 탁 꽂힌 거죠. 왜냐면 이제 다시 활동할 수 있고 새로운 바람이 불어서 다시 시작할 수 있을 거란 생각이 저 자신에게도 미쳤거든요. 그래서 제목도 그렇게 붙인 거예요. 이전에 제가 만든 영화들이 즉흥적으로 만들어졌다고 생각되는 것에 반해 이 〈바람 불어 좋은 날〉이라는 영화는 정말 극본에서부터 철저하게 머릿속에서 그려지고 짜인 대로 만들어진 작품입니다. 그때 정말 영화를 만드는 데 분주해 있어서 그에 대한 의지나 열정이 마음 깊은 곳에서 우러나왔던 것 같다는 생각이 드네요.

김홍준 제 개인적인 얘기지만 〈바람 불어 좋은 날〉에 빠져서 개봉 당시 이 작품을 스무 번 정도 봤거든요. 지금 생각해보면 꼭 뭐에 홀렸지 않았나 싶은데, 저만이 아니라 그때 당시의 관객들에게 충격과 한편으로는 감동과 희망 등을 준 영화가 아닌가 싶은데요. 30년이 지난 지금에도 저도 지금 이 영화에 대해서 할 말이 많지만 조금 자제를 하도록 하겠습니다. 감독님께서 지금 간략하게 얘기하셨습니다만 사실 몇 년 동안의 공백기가 있었고, 또 그 동안의 영화판이랄까요? 그런 것도 많이 바뀌었고 그때 동아수출은 거의 메이저에 해당되는 회사였기 때문에 제작 조건이라든지 그런 것들은 문제가 없었겠지만 스태프들을 모으고 캐스팅을 하고 또 시나리오를 만드는 데, 이전에 작업했던 분들보다는 새로운 분들이 많았을 텐데 그중에서도 핵심적인 역할을 해준 분은 누가 있는지 궁금하네요.

그리고 그때 감독님께서 〈바람 불어 좋은 날〉 개봉 후에 "사실은 이 영화 시나리오는 내가 안 쓰고"라는 말씀을 하시면서 "아니야 그건 지금 얘기하면 안돼"라고 말씀을 다 하지 않으셨는데 그에 대해서 말씀 좀 부탁드릴게요. 이제는 말 할 수 있다(웃음).

이장호 대마초에 걸려서 몇 년 활동 못했을 때 이어령 선생을 만나 이런 얘길 했어요. 전에는 영화를 만들 때 그런 느낌을 받지 못했는데, 여러 감독들의 영화를 보러 다니다가 관객 입장에서 보게 되었다고. 나와 다른 입장에서 영화를 보기 시작하면서 '한국영화가 왜 이렇게 거짓말만 그리지?' 하는 생각을 하게 됐어요. 영화에 현실이 반영되지 않았다. 영화에서의 현실은 영화에서의 현실일 뿐이다, 하는 생각 말이죠. 이 허상은 어디서 오는 걸까 생각했는데 우리가 영화를 만들고 기획할 때 현실이 아닌 과거의 영화에서 무언가를 가져오는 거에요.

그 문제가 정책에 있다고 봤어요. 군인들이나 공무원의 비리

바람 불어 좋은 날

137

를 그릴 수 없다는 현실 등이 그런 거겠죠. 그 시절엔 그랬으니까요. 국가의 정책에 기반을 둔 영화에 상을 주고 그런 목적영화로 받은 상은 곧 외국영화를 수입해 들여오게 허용해줬던 시기였죠. 모두 다 그런 것에, 모든 영화인들이 다들 그렇게 길들여졌다는 생각이 들었어요. 한국영화에 대한 그런 이야기를 이어령 선생이랑 하다가 재밌는 얘기가 나와서 내가 아직까지 기억하고 있는데요. 재래식 변소 있죠. 이어령 선생이 그 얘기를 하면서 거기 오래 들어간 사람들은 악취를 못 맡는다는 얘기를 했었어요. 그런 사람이 새로운 공기를 맡고 다시 그곳에 들어갔을 때는 악취를 맡을 수 있다는 것이었는데요.

지금의 이장호가 한국영화를 관객 입장에서 본다는 것은 그런 면에서 좋은 경험이 아니겠냐는 생각이 당시에 들더라고요. 박정희 대통령이 집권하던 그 20년 동안 한국영화가 제대로 된 리얼리즘을 보여주지 못했단 생각이 들었습니다. 그래서 〈바람 불어 좋은 날〉을 만들 때 한국영화의 리얼리즘을 다시금 제대로 살려보자 하는 취지가 강했었죠. 그 다음에 '이제는 말할 수 있다' … 민족문학에 심취해 있을 당시 송기원이란 시인과 친분을 쌓게 되었는데 문화와 예술쪽에 큰 성취를 꿈꾸던 운동권의 작가였어요. 그 친구가 수원 근처에 농가에서 살고 있었는데 그 친구랑 어울리다가 내가 『우리들의 넝쿨』이라는 책을 보고 시나리오를 써야겠다고 하니까 자기한테 맡겨달라고 하더라고요. 그러더니 대학노트 같은 데에 불과 3일 만에 시나리오를 써갖고 왔어요.

그리고는 내가 그 시나리오에 대해 좋다 나쁘다 어떤 의견을 얘기할 새도 없이 그 친구와 시인 고은 선생 등이 무슨 내란 음모죄인가 하는 걸로 모조리 교도소에 들어가게 됐어요. 그러니까 나는 졸지에 그 대학노트 하나 딱 들고 다 책임을 져야 하는 입장이 된 거예요. 그래서 영화에도 송기원이라는 이름을 못 올리고 각본에 이장호라고 부득이 올리게 된 거죠. 그리고 그 당시 재밌었던 것은 영화와 관련 없던 사람들이 그 영화가 개봉된 이후에 명보극장 근처에 매일 어슬렁거리면서 날 만나는 거예요. 박광수 영상원장도 그 극장 근처에 살다시피 했었고, 김동원도 그렇고 여기 있는 김홍준도 그렇고 말이죠.

김홍준 〈바람…〉 폐인들(일동웃음).

이장호 우스갯소리 좀 하자면 자기들끼리 서울대학의 무슨 영화클럽에 있으면서 영화라고 만들어 갖고 왔었는데 참 한심해(일동웃음). 하긴 생각해보면 그때 당시 한국영화도 한참 힘들었을 땐데 그 대학생들이 무슨 돈이 있어서 영화를 찍었겠어요. 다들 주머닛돈 털어서 영화 했을 테니까, 그런데 지금은 뭐 영상원 원장도 되고 말이지. 그런 거 생각하면 감회가 깊습니다.

김홍준 빨리 이 상황을 모면해야겠네요(일동웃음). 참고로 아까 염무웅 선생님은 7~80년대 주로 민중문학, 민족문학 쪽에서 많은 이론을 발표하신 분이고, 책 제목으로는 잘 기억은 안 나는데 아마 창비에서 나왔던 책이었던 것 같네요. 당연히 금서였어요. 나중엔 풀렸지만요. 송기원 선생님은 중앙대 문예창작과를 나왔던 걸로 알고 있는데, 시인이자 소설가셨어요. 그 당시 민주화 운동이랑 연관이 돼서 고은 선생님 등등해서 문단에 계신 민족문학계 여러 분들이 고초를 겪었던 상황이었어요. 그런 분위기에서 당시 시나리오에 송선생님 이름을 드러냈다면 영화 상영은 불가능했겠지요.

이장호 대마초 1년 걸렸을 때였나. 여동생이 여학생 한 명을 집으로 데리고 오더니 쫓기고 있다며 집에 좀 숨겨달라고 얘기하더라고요. 나는 물론 거절했죠. 그런데 우리 집사람이 받아들여서 내가 모르고 있다가 나중에 나한테 들켰죠. 당장에 혼나서 쫓겨났었죠. 근데 그렇게 4년쯤 지나니까 내가 그런 친구들이랑 연을 맺고 있더라고요. 그렇게 변화한 거죠.

김홍준 여러분들이 영화를 보고 가장 흥미 있게 보는 것 같았던 부분이 바로 임예진씨 같은데요 (일동웃음). 요즘 예능 프로그램에 나와서 푼수 아주머니의 진수를 보여주시는 분이 저런 청초한 소녀일 때가 있었나 싶으실 겁니다. 그 당시로써도 저희들이 보기에도 대단한 일이었어요. 임예진씨가 이 영화에 등장하다니, 경이로운 캐스팅이었거든요. 주연배우들은 솔직히 유지인씨를 뺀다면 전혀 상업성이 없는 캐스팅이었거든요. 아시다시피 이영호 선생님은 동생 분이셨고 안성기씨는 신인이었어요. 아역배우를 거쳐 배우를 접고 있다가 외대 월남어학과에 진학했는데 월남이 망하는 바람에 써먹을 데가 없어져서… 아, 본인의 표현입니다.

어쨌든 아역배우가 성인배우로서 거듭나는 데 실패한 케이스로 여겨질 만한 찰나에 이 〈바람 불어 좋은 날〉에 캐스팅되었고, 영화에서 감동 있는 연기를 해주신 김성찬씨, 거의 신인이셨죠. 김보연씨, 박원숙씨와 김희라씨의 명콤비. 그밖에도 잠깐 나오시지만 김인문씨나 요새 황토화장품으로도 유명해지신 김영애씨도 나오고, 하여튼 기라성 같은 배우들이 나오는데 어떻게 이 배우들을 캐스팅하게 되었는지 궁금하고 안성기씨와의 인연도 궁금합니다.

이장호 아픈 데만 콕콕 찔러 질문하네(웃음). 배우를 찾는데 난 항상 덜 떨어지는 게… 원작에 부합하는 정말 사팔, 사시 청년

• 〈바람 불어 좋은 날〉 디스코클럽에서 안성기와 유지인
• • 〈바람 불어 좋은 날〉 양수리 느티나무 아래에서 안성기와 유지인

● 대본 연습하는 김성찬과 안성기
● ● 〈바람 불어 좋은 날〉 안성기가 권투 도장 링 안에서 얻어맞고 있다

을 꼭 캐스팅해야겠다 싶었었어요. 원체 원작이 그렇게 되어 있기도 했고, 이탈리아 비토리오 데 시카 감독이 만든 영화 〈자전거 도둑〉에 등장하는 배우가 직업적으로 배우였던 사람이 아니고, 길에서 픽업한 사람이었단 말이죠. 그런 것과 유사한 영화를 만들어보겠다는 생각을 해서 전국에 있는 사시 청년을 공모했어요(일동웃음).

그렇게 해서 영화에 출연해보겠다고 여러 명이 왔었는데 그 중에 눈 멀쩡한 친구들 빼고 가장 심한 친구를 골라서 집으로 데려왔죠. 그리고는 기숙을 시키면서 연기교육을 시켰어요. 그때 배창호씨가 조감독이었는데 자꾸만 옆에서 고개를 절레절레 흔드는 거예요. 당시 우리 딸이 초등학교 2학년인가 3학년이었는데 아이가 철없이 자꾸 그 청년을 쫓아다니고 좋아하니까 나도 좀 부담스럽고 해서 30일 이후에 다시 테스트했어요. 근데 그때까지도 어린아이 국어책 읽듯이 잘 못 읽으니까 참고 참던 조감독이 되지도 않는 걸 붙잡고 있냐 하더라고요. 그래서 그 청년을 데리고 독산동에 있는 안과에 가서 앓고 있던 사시나 고쳐주고 보냈죠.

그러던 어느 날 충무로에서 어떤 청년이 날 보고 꾸뻑하고 인사를 하는 거예요. 어디서 많이 본 배운데 좀 핸섬해보였어요. 그게 바로 안성기였죠. 그렇게 안성기와 헤어졌는데 어느 날 대뜸 조감독 배창호가 그 배역에 안성기가 어떠냐고 물어봤죠. 그때까지도 진짜 사시를 앓던 청년이 내 영화에 출연하는 것이 더 맞다 생각했던 터라 안성기가 마음에 딱 차진 않았어요. 하지만 상황이 상황이었던 만큼 그럼 안성기 한번 생각해보자 했죠. 그렇게 안성기라는 배우와 작품에서 연을 맺을 수 있었어요. 안성기씨의 배우 기질은 작품 중 장발을 설정하고 옷도 그날 이후로 아주 더러운 옷만 입고 다니는 등 준비를 하는 과정에 잘 나타나 있습니다.

김홍준 영화를 보면 카메오가 많이 나오던데요.

이장호 아. 나는 안 나온 데가 없고, 우리 아버지도 안 나온 데가 없지요(일동웃음).

김홍준 감독님 집안이 혹시 함경도 집안이신가요? 언제 신 필름에 있는 신상옥 감독님에 대한 자료를 찾아보다가 알게 된 건데 요. 이른바 함경도 사람들에 관한 기질이 거기 적혀있었거든요. 변방 이라서 굉장히 외래 문물을 받아들이는 데에 개방적이고 또 중심의 위계질서에 대해서 비교적 자유스럽다고 나와 있었거든요. 그러면 서 뭔가 야성적이고 유목민적인 성향을 가지고 있다고 적혀있던데 요. 그런 것들이 신상옥 감독님의 여러 가지를 설명해줄 수 있다고 하는데, 전 그걸 보면서 이장호 감독님에게도 그러한 내용들이 해당 되지 않을까 생각했어요. 한국영화사를 보면 윤봉춘 감독, 나운규 감 독 모두 함경도 회령 출신이시던데요. 감독님이 생각하기에 함경도 특유의 아바이 기질이랄까? 그것에 대한 스스로의 평가라든지, 그리 고 그런 부분이 특히 〈바람 불어 좋은 날〉에서는 굉장히 강하게 표 출된다는 느낌을 개인적으로 많이 받았거든요. 그런 것들을 가족사 와 함께 말씀해주시죠.

이장호 피는 함경도 피가 흐를지 모르지만 나는 서울에서 태어나서 자랐기 때문에 어떻게 보면 아주 뺀질뺀질한 도시형이죠. 근데 신상옥 감독은 그 기질을 숨기지 못하고 평생을 풍운아처럼 산 데다가, 영화를 만드는 것에 있어서도 끝까지 만들고 싶었는데 못 만 든 게 바로 〈칭기즈칸〉이에요. 언젠간 여러분께서 볼 기회가 있을 거란 생각이 드는데 소위 오리엔탈 웨스턴이라 해서 만주벌판의 마적들과 독립군과의 이야기를 영화로 4편을 만들었어요. 저 사람이 자기 기질을 참지 못하고 저렇게 나타내는구나 하는 느낌을 받았거든요. 나조차도 남한 정서 때문인지 함경도 특유의 기질이라는 걸 잘 이해 못하고 있는 것 같은데요. 옛날에 이랬대요. 유랑극단이 쭉 연극을 하면서 남한까지 내려가서 완전히 망하면 마지막으로 택하는데가 함경도래요. 가기 어려운 데라서 그런지 몰라도 어쨌든 함경도를 다녀오면 다시 돈을 벌어 나온단 거죠. 그만큼 함경도 사람들의 노는 기질 등이 강한 게 아닐까 생각해요. 북청사자 놀음도 우리가 보기엔 가장 독특한 놀음 중에 하나잖아요.

김홍준 감독님, 그럼 감독님의 아버님께서는 함경도 어디 사셨지요?

이장호 북청이요.

김홍준 그 말을 듣고 감독님을 보니까 사자가 연상되는데요(일동웃음). 이제 조금 방향을 바꿔 여러분의 질문을 받아 볼게요. 감독님께서 말씀하신 것처럼 〈별들의 고향〉에서도 이른바 도회적이고 청년문화적인 감성이나, 감독님 스스로도 말씀하신 것처럼 미국의 영향을 많이 받은 기법들이 영화를 보면서 눈에 많이 보였던 것 같아요. 〈바람 불어 좋은 날〉이 30년 전 당시 영화를 본 저와 같은 청년관객들에게 충격이었던 것은 바로 영화문법이 성숙해있었기 때문인 것 같단 생각이 들어요.

지금 여러분들이 보기엔 별 거 아닌 것 같지만 봉준호 감독을 '봉테일'이라 부르는 것처럼 여기 계시는 이장호 감독님은 그 당시 '이테일'이라고 불러도 될 만큼 대단했어요. 그 동시대의 영화들에서는 볼 수 없던 디테일한 면들이 많았기 때문이죠. 예를 들어서 안성기씨가 꽂고 다니는 젓가락이라든지 김성찬씨가 가지고 다니던 도끼빗이라든지, 이 영화에 등장하는 각 인물들의 계층적인, 계급적인 혹은 직업상의 특성에 따라서 의상이나 소품 하나하나까지 꼼꼼하게 다 배치된 것이 요즘 한국영화에서는 당연히 그래야 하는 상식 같은 것이지만, 그때의 한국영화는 그렇지 않았거든요. 그래서 놀라웠어요. 이 영화 속에는 물론 그런 감각적인 것은 그대로 살아있지만, 저는 이 영화의 크레디트 시퀀스가 한국영화 베스트 크레디트 시퀀스 중에 하나라고 생각합니다.

등장인물은 등장인물대로 보여주면서 흑백과 컬러로 왔다 갔다 하고, 그리고 음악이 마치 탈춤 같은 골계미를 보여주고 있고요. 또 보면 캐릭터들이 디테일하다가도 롱테이크도 있고요. 왜 그 장면 있죠? 3명에서 얘기하고 있는데 뒤에 포클레인이 왔다 갔다 하다가 나중에 건드리니까 물이 솟았던 장면이요. 참 기가 막힌 미장센이라고 할 수 있겠지만 사고로 수도관을 터트린 거랍니다(일동웃음).

이장호 운전수가 영화촬영을 하고 있으니까 흥분했어요. 계속 이거 하라니까 흥분해서 수도관을 터트린 거죠(웃음). 우리는 정말 굉장히 미안했지. 그 사람 돈 받고 한 것도 아니고 거기에 마침 있기에 좀 부탁한 건데 얼마나 당황했겠어.

김홍준 너무나 자연스럽게 카메라를 줌인해서 딱 들어갔던데.

이장호 그러니까 〈바람 불어 좋은 날〉로 재기하려고 준비하던 중에 옛날에 이만희 감독하고 일을 하던 사람이 인상에 남아서

• 서정민 촬영감독 〈바람 불어 좋은 날〉
• • 제19회 대종상에서 〈바람 불어 좋은 날〉이 감독상을 수상

수소문했더니 서정민씨인 거예요. 서정민씨의 강점은 바로 영상에 힘이 있다는 것이었죠. 화면 움직이는 것에 아름다움을 담을 줄 아는 사람이었던 거죠. 전쟁영화를 이만희 감독하고 작업해서 그런지 정적인 것보다는 동적인 것에 강했던 것 같아요. 그런 사람과 〈바람 불어 좋은 날〉을 만들어서 덕을 많이 본 것 같아요. 그렇게 꽤 많은 작품을 함께 했었죠.

그리고 음악에 대한 이야기를 하고 싶네요. 소위 의식화 되면서 내가 달라진 게 음악에 대한 부분이었어요. 그걸 〈무릎과 무릎 사이〉라는 영화를 작업하면서 딱 느껴졌죠. 녹음을 하다가 가만히 나를 돌아보니까 록이 나온다든지 서양음악이 나오면 계속 가슴이 두근거리고 내 정서가 흔들리는 기분이 들고 그렇게 흥분이 되더라고요. 반면에 동양음악을 들으면 마음에 찬바람만 쌩 불고 하나도 감흥이 없어요. 지루하고 말이죠. 이게 굉장히 가슴 아팠어요. 의식화는 됐는데 정서적으로는 국악이 전혀 와 닿지 않는 거예요. 그러면서 드디어 내가 시도를 해야겠다. 〈바람 불어 좋은 날〉을 하면서 국악을 안 쓸 수 없다고 결정 내린 거죠. 김도향씨를 만나서 내 생각이 이런데 신나는 국악을 한번 만들어주지 않겠느냐 제의했죠. 그랬더니 어느 날 음악을 하나 만들어서 들려주더라고요. 아, 난 정말 마음에 들더라고, 국악도 이렇게 신날 수 있구나 생각했죠. 그렇게 칭찬을 해줬더니 그 다음에 또 '오천만 분의 일'이라는 가사가 들어간 음악을 가져오더라고요. 그거 듣고 뿅 갔어요. 그 두 음악이면 〈바람 불어 좋은 날〉을 살릴 수 있겠구나, 하는 생각이 들더라고요. 그래서 내가 만든 영화 가운데 가장 독특한 영화음악이 나왔죠.

김홍준 영화음악 자체 스타일이나 시각적인 스타일 이런 것들이 정말 잘 들어맞는 영화라는 생각을 그때도 했고 지금 봐도 전혀 녹슬지 않은 것 같습니다. 상여소리도 들어가 있고요. 아까 그 서정민 기사님에 대해서 말씀해주셨는데 그분이 핸드헬드의 달인이시잖아요. 요즘 학생들은 스테디캠 컷으로 착각할 것 같은데 이 영화가 그 스테디캠이 발명되기도 전, 우리나라에 소개되기 무려 10년 전에 만들어진 영화라는 거죠. 이영호씨가 최불암씨한테 면도칼을 휘두르는 그 장면을 계단에서부터 방 안까지 핸드헬드로 찍은 거고요. 스테디캠이 흉내 내지 못하는 핸드헬드의 독특한 '거침'이 있죠. 아까 감독님이 말씀하신 카메라 영상의 힘이란 것이 그런 것에서 발현되는 게 아닌가 싶네요. 세련됐거나 아름답거나 그런 것보다는요.

여러분이 질문하기 전에 몇 가지 더 얘기해보자면 그때 감독님 따라 다니면서 본 건데, 뭐 속속들이 알지는 못하고요. 영화청년들에게 인상적이었던 것은 이 영화가 마케팅이 당시로써는 참 참신하고 세련됐었다는 거예요. 뭐, 사시 청년 공모는 제가 처음 듣는 얘긴데 영화가 나왔을 때 가령 명보극장에서 관객 혹평, '호好'가 아니라 이 영화의 혹평酷評을 모집한다는 것도 있었어요. 거기에 당선된 사람이 황규덕 감독이었죠. 영화 크레디트에는 안 나왔지만 제 기억으로는 그 당시 『나사렛예수』라는 책도 내셨던 김정률이란 분께서 홍보를 했는데, 그 얘기도 좀 해주시죠.

이장호 그 당시 영화 광고의 천재가 한 명 나왔어요. 명보극장의 상무로 스카우트된 사람인데 이 사람이 명보극장에 오기 전에 연극에서 이미 오태석씨랑 죽이 맞아가지고, 서울예술대학의 유덕형 이사장하고 잘 맞았어요. 이 사람은 소설도 쓰고 희곡도 쓰는 사람이었어요. 우리가 봐도 영화를 선전하는 데 다른 극장이 못 따라오게 앞서 있어요. 김정률씨가 명보극장에 〈바람 불어 좋은 날〉을 딱 붙이는데 그때만 해도 영화의 감독을 캐리커처해서 올려놓은 적

바람 불어 좋은 날

149

이 없거든요. 근데 한번은 내 얼굴을 크게 그려 붙인 거예요. 지금 생각해도 창피한 게 무슨 거장, 이런 수식어를 달아서 재기한지도 얼마 안 됐는데 되게 당황스러웠죠.

근데 그 친구가 얼마나 재빠르냐면 〈무릎과 무릎 사이〉할 때 내가 아이디어 하나만 달라고 했더니 새카만 종이에다가 '조금씩 조금씩 열리고 있다' 딱 그것만 써줬어요. 그리고 그걸 벽에다 붙이라고 하기에 벽에다 쫙 붙였죠. 그래서 제목과 그것만 가지고 효과를 봐서 돈을 벌었죠. 그 정도로 머리가 좋은 친구였어요. 〈바람 불어 좋은 날〉을 할 땐 그 친구가 내 스무 살 때 일기장 얘기를 듣곤 그걸 가지고 오라해서 가져갔죠. 그러더니 그 일기장을 보고, 이거 대박이라면서 일기장을 자기가 자기 글씨로 다 다시 쓰는 거예요. 그러더니 그걸 그대로 인쇄해서 책을 만들었어요. 『모두 주고 싶다』라는 제목으로 말이죠. 그렇게 최초의 일기장이 책으로 나오고, 요즘 인터넷에 들어가 보니까 어느 사이트에서 소개를 하고 있더라고요.

김홍준 저도 그 책 한 권 가지고 있습니다. 저는 그게 감독님 글씨인 줄 알았는데 속았군요(일동웃음). 그리고 마지막으로 한 마디만 더 하고 여러분한테 질문할 기회를 드릴게요. 애니메이션을 영화 홍보 티저광고로 사용하셨는데, 되게 획기적이라고 봤거든요. 그때 그 아이디어는 누구에게서 나온 건지 궁금합니다.

이장호 굉장히 오래된 얘긴데 그때 내 주변에 광고 쪽의 사람들이 굉장히 많았어요. 그 사람들이랑 얘기하다가 외국영화제에 가면 거기 사람들이 한국영화를 볼 때 첫 장면까지만 보고 말아버린다는 소리를 들었어요. 자막기술이 너무 뒤떨어져서 그랬다는 게 이유였죠. 그 당시 세계영화에 비해 한국영화의 기술수준이 조금 뒤떨

이장호 감독의 마스터클래스

150

어져 있었던 거죠. 그래서 첫 번에 무사통과할 수 있는 방법이 없을까 하다가 애니메이션 하면 이게 자막이고 뭐고 다 애니메이션에 들어가 있으니까 그런 편리한 방법을 내가 생각하지 않았나 싶어요.

학생1 영화 중반에 덕배가 디스코장에 가잖아요. 춤으로 분위기를 제압하는데 거기서 몽타주처럼 덕배 자신이 과거에 보았던 농악을 보면서 춤을 추기 시작하잖아요. 그게 되게 인상적이었거든요. 그 장면이 어떠한 착상에 의해서 이루어진 것인지 아님 원작에 의해서 이루어진 건지 알고 싶습니다.

이장호 원작이 아니라 송기원의 아이디어일 텐데, 나는 사실 농악이니 뭐니 하는 농촌의 정서를 가지고 있지 않기 때문에 그런 아이디어를 낼 수 없었죠. 그건 아마 송기원씨가 낸 아이디어일 거예요. 안성기씨가 농악을 배우기 위해서 무용학원을 한두 달 열심히 다녔어요. 그 장면 보면 딱 보기에도 안성기씨가 하루 이틀 춘 솜씨가 아니잖아요.

학생1 반면에 유지인씨는 조금 민망했던 것 같아요.

이장호 으음, 유지인씨가 춤 못 추지(일동웃음).

학생2 이 영화를 보니까 〈어제 내린 비〉하고 같은 설정이 있어서요. 그러니까 홀어머니가 있고, 홀어머니의 나이는 마흔 정도고 자식들이 있는 집에 재가를 하는… 이런 것에 관련한 인상적인 인물이 감독님 주위에 있었는지 아님 무의식적으로 그렇게 영화화된 것인지 감독님의 이야기를 듣고 싶습니다.

이 장 호 나는 계모 밑에선 안 자랐고(웃음) 글쎄, 그러니까 우리가 가장 상투적으로 생각하는 게 그런 것 같은데, 어렸을 때를 생각해보면 다들 엄마나 아버지 한 번씩 의심해보지 않아요? 여기서 비롯해서 한국영화나 드라마에서 자주 등장하는 게 그런 거 아닌가? 나는 오히려 일본서 한 관객이 던진 질문에 당황한 적이 있었어요. 내 영화에는 꼭 육체적 장애인이나 정신적 장애인이 나온다는 말이 었는데요. 근데 나는 그런 걸 전혀 의식을 못했거든요. 그래서 내 무 의식 속에 어떤 장애의 기질이 있나 싶었다니까요. 어쨌든 장애에 대 해서는 내가 우호적이에요. 아마 내 동생도 그렇고 휴머니즘적인 것 중에 제일 쉬운 휴머니즘이 장애에 대한 어떤 동정의 감정들이 아닐 까 싶어요. 그 질문에 대한 답변도 그런 우리의 기질, 이런 이야기들 과 맞물리는 게 아닌가 싶네요.

김 홍 준 사실 이 영화는 노출이 심한 건 아니지만 에로틱한 분위기 등을 보면 그 당시 검열 수위도 아주 아슬아슬하게 건드리는 것 같은데요. 특히 안성기씨의 화장실 자위 장면 같은 것들은 시사회 때 보고 놀랄 정도였거든요. 그래서 검열 때 무슨 문제는 없었는지, 오늘 우리가 본 게 완전판인데 혹시 삭제된 부분이 존재하는가도 궁 금하네요.

이 장 호 박정희 전 대통령이 돌아가신 이후로 체제가 많이 바뀌었죠. 이른바 서울의 봄이라고 불릴 만큼 민주화가 진행되던 시 기였는데요. 그때 김대중이라든지 김종필, 김영삼 등 모든 사람들이 정치적 복권이 되면서 서울에 봄이 온다고 막 좋아했을 때예요. 그런 사회적 분위기와 맞춰서 영화검열도 많이 풀어지게 됐어요. 그래서 과도기 때 소설 쓰는 박완서 선생님이 검열위원이 됐더라고요.

그렇게 촬영을 하는데 계속 수상한 소리가 들려왔어요. 왜 광주사태 같은, 그래서 분위기가 이상해지더라고요. 나는 예나 지금이나 그런 소식에는 좀 늦다는 생각이 들어요. 뉴스를 보고 아는 경우가 태반이라, 어제 최진영씨 사건도 그렇고 서해 사건도 그렇고요. 전두환이 진짜 대통령이다, 하는 이야기가 슬슬 돌고 했을 때 그렇게 실감은 못했어요. 그러더니 어느 틈에 그 정권이 굳어지더니 이 영화를 완성할 때쯤엔 다시 검열이 엄격해지기 시작했죠. 그때까지 박완서 선생이 버티고 있었죠. 이 영화가 들어가니까 뭐 안기부, 경찰, 문공부, 보안사까지 검열을 보더라고요. 이 영화에 문제가 있다고 하니까 박완서 선생이 항거를 하셨어요. 그 마라톤 회의를 10시간 했는데도 박완서 선생이 이 영화는 하나도 손보면 안된다고 했더라고요. 박완서 선생이 원래 말도 약하게 하고 그러는 분인데, 그 양반이 이름만 들어도 겁나는 그런 기관들에 맞서서 버틴 거죠. 그렇게 해서 결국 이 영화는 하나도 손댈 수 없다, 하는 주장을 10시간 동안 하니까 그쪽에서도 지쳤는지 포기하더라고.

　　그리고 다음날이었나? 영사실에서 나를 불렀어요. 검열위원회에서 불러서 박완서 선생님 덕분에 통과는 했지만 한 군데만 잘라 달라고 하더라고요. 박완서 선생이 못 자른다니까 감독인 나한테 직접 자르라고. 뭐냐고 물으니까 "영자를 부를 거나" 그 다음에 "순자를 부를 거나"가 나와야 하는 거였는데, '순자'를 자르라고 하더라고(일동웃음). 사실 우리가 전두환 전 대통령 마누라가 순자인지는 웬만해선 모르는 일이란 말이죠. 왜 영자는 놔두고 순자를 자르냐고 물어보니까 그건 그냥 묻지 말고 자르라는 거예요. 참 한심하더라고요. 지금도 잘려있어요. 우리 발음이 그렇잖아요. '순'을 발음하려고 하면 시옷이 먼저 나오고 그 다음에 우랑 니은이 나오잖아요. 거기서 시옷만 쳐냈지 뭐. 그래서 그 부분 보면 "영자를 부를 거나, 운자를 부를 거냐"(일동웃음)….

김홍준 영사사고가 아닙니다(웃음).

이장호 이 영화를 개봉할 때가 되니까 막상 관객들이 '운자'를 고치기 전에 '순자'로 바로 알아듣고는 막 웃더라고요. 검열의 효과가 별로 없었던 것 같아. 아무튼 이 영화가 검열을 무사통과할 수 있었던 건 우리 박완서 선생님 덕분이지요. 참 고마웠어요.

김홍준 좀 과장일수도 있겠지만 만약에 이 영화가 상영이 되지 못했더라면 80년대 수많은 사람들이 영화를 할 생각을 안 했을 것 같다는 생각이 들어요. 이 영화의 존재를 몰랐을 테니까.

이장호 나는 더 의식화 됐겠지.

김홍준 예, 감독님은 아마 지하 영화를 만드셨을지도 모르고요. 시간이 많이 지나서 아쉽지만 질문 하나만 더 받고 이 시간을 마쳐야할 것 같네요.

학생3 영화 정말 재밌게 잘 봤는데요. 영화에 보면 서울의 다양한 공간이 나오잖아요. 그중에서 김성찬씨하고 미용실 직원이었던가? 그 둘이 나오는 장면에 무덤이 나오는데 그게 되게 흥미로웠거든요.

이장호 예, 거기가 어디냐 하면 선정릉인데요. 제일 변두리였을 거예요. 능이 있고 아파트가 있고, 촬영할 때는 주로 역삼동, 길동, 명일동 등에서 찍었었거든요. 그 영화에서 안성기씨가 처음 철가방 들고 임예진씨 만나러 올 때 있던 곳이 바로 역삼동이죠. 지금은 뭐 역삼동 상상도 안 하죠(웃음). 그러니까 영화를 찍지 말고 땅을 사 놨었어야 되는데(일동웃음).

김홍준 여러 가지 재밌는 이야기가 더 남은 것 같지만 시간이 다 돼서 여기서 마무리를 해야겠네요. 마무리 말씀 부탁드리고 아쉽지만 이 시간 끝내도록 하겠습니다.

이장호 여러분 덕분에 굉장히 즐겁고, 지금 다시 활동하려고 준비 중인데 뭐랄까… 아주 제 철을 만난 것처럼 좋았어요. 지금 기분이 좀 업된 것 같아요. 이틀 전에 시나리오가 완성됐는데 내가 쓰지는 않았어요. 그런데 정말 잘 나왔어(일동웃음). 너무 잘 나온 것 같아서 발이 땅에 닿지 않고 걷는 느낌이네요. 이게 다 여러분 덕분입니다. 감사합니다.

REVIEW

학생리뷰_양경모(예술사2005137014)

전환을 이끌어내는 따뜻한 시선

이 영화는 내가 기대했던 대로 70년대에 감독님께서 만들었던 영화와는 큰 차이를 가지고 있다. 감독님께서 말씀하셨듯이 수년간의 공부를 통해 얻었던 우리 사회의 현실과 문제에 대한 고민들은 이 영화에서 커다란 이슈의 출발점이 되고 있고, 곧 영화의 주제로도 통하고 있었다.

이전의 한국영화들이 가지고 있지 못했던 리얼리즘적인 사회 반영, 그리고 생생한 인물묘사, 좌절과 고초를 경험해나가는 서민들의 이야기까지… 감독님께서 표현해내신, 그리고 담아낸 이야기의 의미는 30년이 가까이 지난 지금까지도 비슷한 문제들에 둘러싸여있는 우리들에게 새로운 느낌으로 전해져 왔다. 그리고 그와 같은 이야기를 표현해내신 감독님의 스타일 역시 놀라운 부분들을 담고 있었다. 디스코클럽에서 농악대의 춤을 추는 덕배의 모습과 여자와의 데이트에서 벌어지는 우스꽝스럽지만 요염한 장면들, 그리고 파격적인 편집과 포클레인 뒤로 터져 나오는 파이프관 수돗물까지….

물론 놀라운 장면들 중 의도치 않은 부분도 있으셨다는 말이 재미있는 점이기도 했고, 아이러니로 느껴지기도 했지만 배우를 캐스팅하는 과정과 그들에게서 끌어낼 수 있는 에너지에 대해 얘기하셨던 점들, 그리고 무엇보다 사회적인 환경 속에서 자신이 이야기해야 하는 것들에 대해서 고민하고 생각하셨던 부분들은 또 다른 감흥으로 다가왔다. 사실상 판박이와 같은 한국영화들만 나오던 시절에서 벗어나 새로운 영화의 물결로 전환되는 시점, 그 시기의 모습을 보면서 왠지 모를 부러움을 느꼈던 것도 사실이다.

지금 우리 영화학도들은 거대자본의 논리 속에서 영화를 해야만 하는 상황이다. 그리고 그 안에서 직업적 감독으로 살아남기 위한 방법들을

이장호 감독의 마스터클래스

모색하고 있다. 점점 더 우리의 얘기를 풀어내고, 펼쳐내기보다 붕어빵 같은 영화들을 찍어내야만 하고, 그러한 시나리오를 써야 하는 상황에 내몰리고 있는 것처럼 느끼고 있다. 어쩌면 이제 우리가 접어들어야 하는 것은 암흑기이고, 그 이후에 이장호 감독님의 〈바람 불어 좋은 날〉같이 그 시대를 과감하게 벗어나게 할 수 있는 또 한 편의 영화가 찾아올 때까지 어두움은 계속될 수 있다는 절망적인 생각도 들었다.

물론 희망과 절망은 작은 차이이다. 중요한 것은 지금의 시스템 안에서 감독님이 하셨던 용기와 결단, 그리고 용감한 자세를 가지고 밀어붙일 수 있는 힘일 것이다. 하지만 그를 위해서는 그보다 훨씬 이전에 세상을 바라보는, 그리고 이 사회를 바라보는 따뜻하고, 정직한 시선이 필요하다. 그리고 이 영화는 그런 시선을 느낄 수 있는 영화가 아니었나 생각해본다. 그리고 우리 세대가 자본의 논리에 순응하고 굴종하면서 그들이 원하는 대로 비슷한 이야기들만 풀어내기보다 그 안에서 새로운 이야기와 현실의 접점을 찾을 수 있기 위해서는 더 많은 공부와 경험이 필요하다는 생각을 다시 한 번 해보는 계기이기도 했다.

_내시

· 1968년, 90분
· 감독 _ 신상옥
· 제작 _ 신필름
· 각본 _ 곽일로
· 촬영 _ 최승우
· 조명 _ 함완섭
· 편집 _ 오성환
· 음악 _ 정윤주
· 출연 _ 신성일, 윤정희, 박노식, 남궁원

〈내시〉의 박노식, 남궁원

김참판(최남현)은 자신의 딸 자옥(윤정희)과 하급관리의 아들 정호(신성일)의 사이를 알고, 둘을 갈라놓으려 정호를 성불구자로 만들고 자옥을 왕의 후궁으로 만든다. 자옥을 잊지 못하는 정호는 내시가 되어 궁으로 들어가고, 사람들의 눈을 피해 몰래 사랑을 키우던 두 사람은 발각되어 별궁에 갇히는 신세가 된다. 그러면서 많은 음모와 갈등이 혼재하는 궁의 비화들이 그려지는데, 한편 자옥과 정호를 보며 마음이 동한 내시감은 두 사람을 풀어주고 잠시 행복한 시간을 보내는 듯했지만 끝내 붙잡혀 정호는 죽음을 당하고 자옥은 궁으로 끌려간다. 왕의 아이를 가진 자옥은 궁에 들어가 왕과 잠자리를 하지만 결정적인 순간 바늘로 왕의 목을 찌르고 자신도 목숨을 끊는다.

　"이쪽이 신필름이고 이쪽에 충무로 합동세트장이 있었다고.

　"신필름에 들어와서 신상옥 감독이 내 이름을 알게 된 게 한 4년이나 지나서였는데, 이름이 없는 사람이니까 그냥 '야' 지, '야 이 새끼야' , '야 인마' 아니면 촬영 도중에 실수하면 '등신' , '너 인마 그렇게 해서 라면이라도 먹겠어? 그런 욕을 수없이 듣고 자랐어."

　"신상옥 감독님이 그 젊은 아이가 배우 되고 싶어 하는 모습을 육감으로도 알 수 있었을 것 같은데 쳐다보지도 않더라고. 일종의 수치심이 생겼어. 그런데 다 끝날 때 좀 지나서야 날 턱 보더니 넌 뭐하고 싶냐고 그래. 그때 아까부터 느꼈던 수치심에다가 배우 하겠다, 그러면 너무 무시당할 것 같은 기분이 들어서 연출이 뭔지도 모르는데 어떻게 그때 내 입에서, 저 연출하고 싶습니다. 그렇게 내가 거짓말을 한 거지."

　"어느 날 신상옥 감독님이 우리가 생각하고 있었던 사극의 모습을 전부 뒤바꿔 놓더라고. 내시가 썼던 모자도 사모, 뿌리 없는 사모를 쓴 게 아니고 아주 멋쟁이 중국식의 모자를 갖고 와서 다 씌우고 그러더라고. 사극의 모습이 확 달라졌어. 촬영을 하다보면 일하기 바쁘니까 객관적으로 볼 일이 없는데, 어느 날 갑자기 객관적인 시야를 갖게 되는데 보니까 아, 굉장히 화려하다는 생각이 들면서 큰 흥행이 될 것 같은 그런 느낌이 잠깐 들었어. 그런데 과연 〈내시〉를 극장에 붙여놓으니까 줄을 쫙 잇는데, 흥행이란 게 이런 거구나."

내시_1968

"자기 작품 중에 애착을 가지고 있다면 의외로 그분이 흑백필름들을 사랑하지 않았을까. 내가 보기에도 신상옥 감독님 영화 중에 옛날에 〈사랑방 손님과 어머니〉, 〈벙어리 삼룡〉, 뭐 여러 가지 좋은 작품들은 흑백필름이었고. 영화 촬영방법의 하드웨어는 신상옥 감독님 그대로를 내가 갖고 있는 것 같아."

"고백을 하나 하자면 〈별들의 고향〉을 찍을 때, 이장호가 찍는 것 같지 않고 신상옥 감독님이 현장에 없는데 내가 조감독 일을 하면서 찍는 것 같은 기분이 들더라고. 그날 다 찍고 나서 문득 '아… 내가 오늘 영화 찍은 거는 내가 안 찍었다. 나는 조감독 일만 했는데 영화가 나왔다' 라는 생각이 들 만큼 신 감독 밑에서 일하던 그게 그대로 배어 있었던 거야. 해가 가고 영화를 자꾸 만들면서 점점 내가 신상옥 감독님 모습을 그대로 닮아가는 구나."

"글쎄… 그 센티멘털하게 생각한다면 내 청춘과 함께 신상옥 감독님이 천국으로 가셨다는 생각이 드는데, 지금도 그래. 나는 지금도 꿈에 촬영을 하고 있으면 내가 감독인 적이 한 번도 없었고 신상옥 감독님이 감독인데 여전히 나는 조감독, 신상옥 감독님이 돌아가셨다는 것은 어떻게 보면 절반이 나한테서 빠졌나갔다고 봐야 되니까."

— 한국예술종합학교에서 제작한 이장호 감독 인터뷰 영상 중에서—

김홍준 네 이렇게 와주셔서 반갑습니다. 저는 한국예술종합학교 영상원 영화과에 있는 김홍준 교수입니다. 오늘 이 자리에는 수업을 듣는 학생들도 와 있고, 또 일반 관객 분들도 와 계신데요. 간단히 설명을 드리자면 저희 영상원에서 이번 한 학기 동안 이장호 감독님을 모시고 귀한 '마스터클래스'라는 수업을 하고 있습니다. 그래서 매주 한 번씩 수업 시간에 이장호 감독님의 영화를 상영하고 또 감독님이 오셔서 그 영화에 대한 말씀을 학생들과 나누는 아주 소중한 자린데요. 한국영상자료원 측에서 이것을 외부의 관객들과 나누는 기회가 있으면 좋겠다 그래서 세 차례 수업을 공동으로 이곳 영상자료원에서 하겠습니다.

오늘이 첫 번째인데 특별히 이번 주가 신상옥 감독님께서 타계하신지 4주년이 되는 주간이라서, 이장호 감독님께서 연출부로 참여하셨던 〈내시〉를 상영하고 이장호 감독님께서 기억하시는 신상옥 감독님의 대한 이야기들, 또 이 〈내시〉라는 작품에 대한 이야기들을 수업과 강연과 토크를 통해 풀어가는 자리를 만들어 보겠습니다.

영화들 어떻게 보셨는지 모르겠네요. 저는 이 영화를 어렸을 때는 못 봤어요, 미성년자 관람불가라서. 지금도 미성년자가 보기에는 좀… 그러다가 최근에 학교 수업 때문에 봤는데 굉장히, 물론 오늘날 영화들의 표현의 수위나 강도에 비하면 별 거 아닐 수도 있지만 그 당시의 검열이나 사회적인 인식 같은 것들을 꿰뚫고 나온 영화기 때문에 어떤 더 강렬함이 있었던 것 같고요. 나눠드린 자료는 저희가 수업을 위한 간단한 보도자료를 준비한 것인데 앞으로 영상자료원과 학교에서 상영할 영화 스케줄이 나와 있구요. 참고로 학교에서 상영할 때는 1시부터 수업을 시작합니다.

〈내시〉는 1968년 작, 시네마스코프, 94분, 컬러이고, 국도극장에서 개봉, 공식기록에만 개봉관객이 32만 명이었다고 하니까 뭐 요즘으로 치면 거의 한 7~8백만짜리 영화가 아니었나 싶습니다. 당연히 아마 그해 흥행 1위였을 것 같고요. 그러면 이장호 감독님과 함께 얘기를 시작해보도록 하겠습니다. 감독님 먼저 소개의 말씀 해주시죠.

이장호 네. 아주 오랜만에 우리 선생님의 영화를 봤더니, 내가 연출부로 일을 했음에도 불구하고 저때 촬영을 어디서 했나, 기억이 가물가물한 장면도 많이 나오고. 음, 정말 옛날이나 지금이나 내가 〈내시〉에서 느끼는 감회가 똑같구나, 변함이 없구나, 하는 생각이 들었습니다. 〈내시〉를 했을 때 참 잊혀지지 않는 기억이 있어요. 신상옥 감독님이 소도구라든지 의상, 분장 이런 것에 상당히 신경을 많이 쓰시는 분이라는 걸 그때 느꼈는데, 많은 세월이 지나서 내가 감독이 된 다음에 동경국제영화제에 가서 구로자와 아끼라 감독을 대면하는 일이 있었어요. 그때 구로자와 아끼라 감독이 사극영화에 대해 신상옥 감독님과 똑같은 생각을 직접 얘기하더라고요. 자기는 영화에서 소도구라든지 대도구라든지 의상이라든지 분장에 있어서 굉장히 중요한 집착을 하고 있다고 말을 했습니다. 그 얘기를 듣고 나서 제가 〈어우동〉을 만들 때 비로소 신상옥 감독님이나 구로자와 아끼라 감독님이나 왜 그런 소도구, 대도구, 의상, 분장에 신경을 쓰는지 직접 체험을 했고, 그제야 그 사람들의 말이 직접 살아서 저한테 왔습니다.

요즘은 팩션faction이라고 해서 일부러 고증을 무시할 때가 많은데, 제가 영화 만들 땐 사극에서 고증이란 것은 굉장히 중요한 부분이어서 자칫하면 영화 평론을 통해서 고증을 잘못했다고 두들겨 맞는 경우가 많았어요. 연출에서 고증이란 것이 상당히 중요한 걸로 알고 있음에도 불구하고 또 고증이 얼마나 허상이냐면, 우리가 영

화를 한참 만들 때 한국에서는 소도구나 모든 것들이 조선조 후기에 맞춰져 있었어요. 그래서 시대에 맞춰 수많은 엑스트라의 옷을 다시 새로 제작하려면 돈이 많이 드니까, 역사물이 조선 초기든 중기든 모두 그냥 후기에 맞춰져서 영화가 만들어질 수밖에 없었습니다. 그건 뭐 신상옥 감독님이나 어떤 감독들도 마찬가지였죠. 그런 것 때문에 한국영화의 조선조의 모습은 그전까지는 쭉 똑같았습니다.

지금은 텔레비전 의상도 발달되고 많이 다양해졌는데, 오늘 보면서 그 당시로서는 신상옥 감독님이 거의 폭력적으로 고증을 무시한 대담한 도전을 하셨구나, 하는 생각을 다시 한 번 해보게 됐습니다. 이제 본격적으로 얘기 나눠볼까요?

김홍준 예. 무엇보다 제가 궁금한 것은 신상옥 감독님에 관한 것인데요. 현장에서 신상옥 감독님의 모습에 대해서 단편적으로 들은 바는 있는데 예를 들어 현장에서 직접 연기지도를 하셨다거나 직접 카메라를 잡으셨다거나, 신상옥 감독님이 카메라를 잡으시면 그러면 카메라 감독님은 무엇을 하셨나. 뭐 이런 것들을 중심으로 〈내시〉의 장면을 예로 들어주셔도 좋구요. 감독님 말씀을 듣고 싶습니다.

이장호 나도 굉장히 궁금하게 생각했던 것이 영화감독이 된 다음에 신상옥 감독님이 연출을 어떻게 했더라, 생각해보면 뚜렷이 기억에 남는 게 없어요. 왜냐면 늘 카메라 파인더를 들여다보면서 연출하셨기 때문에 저 양반이 뭘 연출했나, 하는 뚜렷한 기억이 없어요. 신상옥 감독님의 특징은 카메라 뒤에서 벗어나지 않고 거의 말로 지시하는 거예요. 그러니까 상당 부분을 연기자에게 맡기는 연출이죠. 그래서 보시면 알겠지만 언제나 신상옥 감독님의 영화에는 베테

내시

랑 연기자들만 나와서 연기를 하게 되죠.

신인들은 조감독이 지시를 합니다. 조감독이 나머지 단역들, 신인들 연기지도를 하고 신상옥 감독님은 늘 카메라 파인더 뒤에서 하고, 촬영은… 우리 때는 촬영감독이란 말을 쓰지 않았죠. 촬영기사가 퍼스트처럼 오퍼레이터 역할을 했어요. 오퍼레이터도 카메라 파인더를 보는 오퍼레이터가 아니고, 늘 포커스를 맞추고 노출을 맞추고 이런 역할을 했죠. 또 신상옥 감독님은 직접 촬영을 하기 때문에 조명에서도 상당한 노하우를 갖고 계십니다. 그래서 조명기사가 하는 일이 없을 정도로 일일이 자기의 특수한 이미지를 다 조명으로 살리는 그런 감독님이었습니다. 특히 신상옥 감독님이 갖고 있는 즉흥력이라는 거는, 오늘 보셨지만 시네마스코프(2.35:1)일 경우 그 사이즈에서 아주 파격적인 앵글들을 많이 잡았어요. 오늘도 보니까 남궁원씨가 분노에 찼을 때 화면의 1/5정도만 얼굴을 사용하고 빈 여백을 만들어놓는다든지, 그 당시 다른 영화에선 볼 수 없을 정도로 독특한 앵글을 만들었습니다.

김홍준 감독님의 연보를 보면 1968년에 신필름에 입사해서 어떤 계기로 신상옥 감독님 연출부로, 승격이라고 해야 되나요?

이장호 신상옥 감독님 연출부에는 당시 항상 두 팀이 있었어요. 보니까 교대로 작품을 하는데 나는 늘 차순으로 작품을 했어요. 예를 들면 내가 〈무숙자〉에서 처음 참여했는데 그전에 〈대원군〉을 신 감독님이 만드셨어요. 〈대원군〉에는 다른 조감독 팀이 붙었고, 〈무숙자〉에는 우리 연출부가 붙었고, 〈여자의 일생〉에 또 다른 연출부가 붙었고, 그 다음이 〈내시〉예요. 이런 식으로 교차로 하게 돼요. 신상옥 감독님 연출부 두 팀 중에서 나봉한 감독이라고 나운규 감독님의 아들이 신상옥 감독님의 조감독이었고, 또 임원식 감독이란 분이 조감독이었는데 신상옥 감독님이 〈청일전쟁과 여걸 민비〉라는 데서 두 사람을 데뷔시킨 거죠. 물론 신상옥 감독님이 다 촬영을 하고 이 두 감독의 이름으로 데뷔를 시켰는데, 제가 들어갔을 때가 〈청일전쟁과 여걸 민비〉가 막 끝났을 때예요. 그래서 신상옥 감독님이 절 나봉한 감독님께 배치를 시켜서 거기서 작품을 하다가 나봉한 감독이 충무로에 나가서 일을 하게 되잖아요.

충무로에 따라 나가서 일을 하다가 어느 날 김수동 감독님이라는 분을 만나게 돼요. 일본 '도에이'에서 연출을 하다가 신상옥 감독님이 픽업해서 한국에 와 영화를 만들었는데, 그 양반이 〈제8요일〉을 연출하고 〈만가〉라는 일본 작품을 연출했어요. 그 사람하고 일을 하고 싶어서 다시 나봉한 감독을 떠났어요. 떠났다가 좀 난센스, 내 실수로 그 작품을 중도에 하차했습니다. 하차하고 다시 신필름에 들어와서 신상옥 감독님의 〈무숙자〉부터 하게 됐죠. 특별한 사정이 있는 것보다 어차피 신상옥 감독님 연출부로 들어가야 할 입장이었는데 그동안에 다른 사람 밑에서 훈련을 쌓다 어느 정도 됐을 때 들어갔다고 봐야겠죠.

김홍준 약간의 방황은 아니었고요?

이장호 방황은 뭐 조감독 시절 내내 방황이 있었죠. 왜 방황이 있었냐면 연말이 돼서 신춘문예가 가까이 오면, 서커스죠. 뛰어넘어 보려고 집안에 앉아서 시나리오를 쓰기 시작합니다. 그러다가….

김홍준 시나리오 부문에 응모하신 거죠?

이장호 그렇죠. 그 당시에 동아일보하고 조선일보가 신춘 문예에 시나리오 공모를 했는데, 나는 시나리오에는 재능이 없는 것 같아요. 그렇게 준비하다가 마감이 될 때까지 완성을 못 하면 또 할 수 없이 손 털고 신필름에 나가서 연출부 생활을 해야 했고 그랬는데. 신상옥 감독님 밑에서 일을 하다가도 연말이 되면 어김없이 그런 연례행사가, 시나리오 공모에 응모했다가 포기하고 하는 것이 해마다 거듭됐던 것 같아요.

김홍준 조금 옆길로 새는 얘긴데요. 그 당시에 그럼 신춘문예에 시나리오 공모에 당선이 되면 조감독이 갑자기 팔자를 고치게 되는 그런 경우였습니까?

이장호 음… 지금은 시나리오를 쓰는 재능이 감독 데뷔하는 데 큰 역할을 하는데 그 당시에는 그렇지 못했던 것 같아요. 예를 들면 김수용 감독 밑에 이원세 감독이 조감독 시절에 동아일보 신춘문예에 당선이 됐거든요. 또 조문진 감독도, 조문진 감독은 소설까지도 데뷔를 하고 그랬는데도 그 사람들이 감독이 되는 데 큰 도움이 안 됐던 것 같아요. 왜냐면 그 사람들이 모두 한 10년 이상을 조감독을 할 수밖에 없었던 걸 보면.

김홍준 어쨌든 60년대의 우리나라 영화계의 이야기를 들어보면 오히려 지금보다도 문학과 영화 사이에는 굉장히 서로 관계가 가까웠던 것 같아요.

이장호 가까웠죠.

김홍준 사람들도 친했고, 문학작품이 영화화 되는 경우도 많은 결과들이 있었고요. 사실 본론으로 돌아오면 제가 이번에 감독님하고 마스터클래스를 진행하면서 말씀을 듣다보니까 제가 잘 모르고 있던 개념이 하나 있었는데, 그래서 정말 한국영화의 역사를 얘기할 때는 참 신중해야겠구나. 저는 그냥 옛날 우리나라 영화는 다 충무로를 보는 하나의 명사로 통일되는 줄 알았는데, 사실은 충무로가 있었고 신필름이 있었더라구요. 그러니까 신필름이 하나의 메이저를 지향하면서 신상옥 감독님의 지휘 하에서 월급제를 실시하고 지금 말씀하신 그런 전속 감독제, 전속 배우제, 스튜디오, 안양 촬영소… 이렇게 정말 할리우드식의 메이저를 지향하고 위치도 충무로에 있지 않고 처음에 원효로에 있다가 또 안양에 신필름이 있었고요.

충무로는 상대적으로 좀 군소 영화사들, 신필름과 다른 장르 영화나 뭐 그런 영화들이, 그래서 또 감독님도 얼핏 신필름에 근무한다는 것 자체가 굉장한 프라이드고, 우리는 충무로와는 다르다. 그러셨다 했는데, 제가 최근에 조준영씨가 쓴 책을 보니까 신필름의 전성기가 사실은 이미 60년대 초반부터는 여러 가지 내부적인 문제나 한국영화의 현실 때문에, 1968년 같은 경우에 작품은 많이 만들어지고 또 〈내시〉가 32만 명으로 흥행을 기록했지만 내부적으로는 하향세에 들어섰다. 이런 분석을 해놓은 걸 봤는데, 감독님이 입사하신 것은 한참 뒤인 1965년 〈성춘향〉 성공의 여진이 아직 가시지 않았을 때, 또 신상옥 감독님도 연출력이 절정에 올랐을 때였는데 1968년 〈내시〉를 만들 때의 분위기는 어땠습니까?

이장호 어… 한국영화가 이미 많이 사양길로 들어설 수밖에 없었던 게 제가 들어갔을 때, 흑백텔레비전이지만 대한민국에 텔레비전 보급이 많이 됐을 때 소위 안방극장이라는 말이 생겼으니까 한국영화에 손님이 떨어지기 시작한 때죠. 신상옥 감독님은 〈성춘향〉으로 이미 컬러를 만들고 계속 컬러를 만들기 시작할 땐데, 역시 충무로 영화들은 아직도 흑백영화를 만들었어요. 그 예로 내가 아까 얘기했던 김수동 감독님 연출부를 할 때 그 영화 제목이 〈죽어도 좋아〉였는데, 원작은 줄리앙 뒤비비에의 〈나의 청춘 마리안느〉를 한국식으로 번안한 이야기였거든요. 그게 흑백이었습니다. 그전에 나봉한 감독하고 같이 만들었던 영화도 다 흑백이었는데, 신상옥 감독님은 〈무숙자〉, 〈내시〉 모두 컬러로 만들고 계셨거든요. 그래서 신상옥표, 신필름의 영화들은 잘 될 수밖에 없었죠.

이미 한국영화는 사양길이었어요. 그다음에 신상옥 감독님은 60년대에 들어서서 수입보다 과도한 제작 시스템을 갖고 있어서, 아까도 얘기했지만 200명가량의 월급사원을 거느려야 하니까 늘 허덕였어요. 이 양반이야말로 충무로의 다른 제작자들처럼 부동산에 투자하는 게 아니고 만들면 만드는 대로 다 제작비로 쓰고 돈 생기면 생기는 대로 제작비로 들어가니까 늘 허덕였던 기억이 납니다.

김홍준 신상옥 감독님의 어떤 인터뷰에서 보니까 이런 말씀을 하셨더라고요. 본인이 직접 신필름의 대표로 있으면서 감독을 했기 때문에 모르는 사람들은 신필름에서 제작하고 감독한 영화가 굉장히 풍요한 환경에서 만들어질 거라 생각하지만, 사실은 그 반대였다. 오히려 회사를 끌고 나가려고 하다 보니 너무 많은 부담이 있어서 연출에는 전념할 수 없었다. 회사가 어려워지면 히트작을 만들고, 그래서 오히려 신상옥 감독님 본인이 만드신 영화는 제작비를 줄인 저예산 영화들로 만들고, 예를 들어 〈사랑방손님과 어머니〉 같은 영화들이 그런 예다. 〈내시〉의 경우는 그런 면에서 신상옥 감독님의 원칙에서는 약간 예외적인 작품이었던 것 같은데요. 〈내시〉의 그런 과감한 미술에 대한 투자랄지, 캐스팅이랄지, 제작여건은 어땠습니까? 다른 영화에 비해서.

이장호 늘 이렇게 일정하게 유지되는 게 아니고, 제가 신필름에 있었던 기억으론 돈이 들어올 때는 신상옥 감독님이 아끼질 않아요. 대신 일정하게 돈이 들어오는 게 아니니까. 또 회사 재정이 약해질 때는 모두 다 위축되고 그러는데, 저는 뭐 그 당시에 어렸기 때문에 회사 사정을 잘 알 수 없었지만 〈내시〉때는 제작여건이 굉장히 좋을 만큼 수입이 좋았다 생각합니다. 또 지방 흥행사들이 지방에서 성공을 했을 경우 신상옥 감독님한테 지원을 많이 해주니까 좋아지는 거죠.

김홍준 좀 얘기가 딱딱해지는 것 같아서… 화면에 보니까 윤정희 선생님의 한창 아름다운 모습이 나오는데요. 좀 있으면 우리가 윤정희 선생님의 신작영화를 곧 보게 되지 않습니까? 이창동 감독님의 〈시〉. 얼마 전에 기자 시사가 있었다고 하는데 영화가 좀 힘들다는 그런 말이 들리고 있습니다. 기대해보구요. 그래서 이 영화가 사실 그 당시 성적 표현의 수위랄지 이런 데서 상당히 과감한 영화였고, 신상옥 감독님의 자서전인 『난 영화였다』에서 〈내시〉에 대한 구절을 찾아봤더니 이런 구절이 있더라고요.
　　그러니까 좀 설명하자면 제가 유현목 감독님의 〈춘몽〉의 경우를 알아서 그런데, 화면에 찍힌 노출이 문제가 아니라 그 장면을 찍을 때 배우는 벌거벗고 있는데 그 벌거벗은 배우를 스태프들이 지켜봤기 때문에, 그걸 지시한 감독이 일종의 외설을 방조한 풍기문란죄를 지은 거다, 해서 걸린 거거든요. 〈내시〉도 보니까 똑같은 경우였다고 나와 있는데 이 검열 문제하고 실제 현장에서 노출 문제에 대

내
시

171

한 윤정희 선생님의, 시시콜콜하지만 혹시 저런 노출 연기를 할 때 대역을 썼는지 또 스태프들이 다 지켜보는 데서 찍었는지, 아니면 몇 명만 들어가 찍었는지 감독님은 그 자리에 계셨는지… 그걸 알고 싶네요.

이장호 윤정희씨 얘기 나오니까 생각나는 것부터 우선 얘기합시다. 윤정희씨가 촬영 크랭크인해놓고 잠적했어요. 한 달 정도를 잠적했는데, 한 달 후에 나타났는데 보니까 눈이 달라졌어요. 쌍꺼풀 수술을 처음 한 작품이 〈내시〉입니다. 지금 보니까 아직 가라앉질 않아 가지고 쌍꺼풀이 너무 두껍게 나오는데, 그래서 우리는 신상옥 감독님이 가만히 놔두지 않을 텐데 생각했죠. 신상옥 감독님이 윤정희씨를 엄청나게 훈련을 시켰어요. 초봄에 바닷물에 들어가서 내버려둘 정도로, 우리가 생각하기에 한 4~5분 정도를 찬 바닷물 속에서 목까지 잠기게 해놓고 있지 않았나 생각이 드는데, 그 정도로 혹독하게 했던 사람이 쌍꺼풀에 대해선 아무 말씀을 안 하더라고. 그래서 그전에 윤정희씨 눈을 본 사람들은 기억할 텐데, 저번에 〈안개〉를 여기서 봤는데 그때 눈은 쌍꺼풀이 전혀 없거든요. 그러니까 얼굴이 완전히 다른 윤정희 같았던 그런 기억이 나고.

처음에 윤정희씨는 베드신을 안 찍었어요. 안 찍고 윤정희의 몸종으로 나오는 배우가 김혜정씬데, 그 당시에도 육체파 배우라고 해서 지금도 보니까 몸이 굉장히 크네요. 김혜정씨 베드신까지만 찍고 윤정희를 찍지 않았는데 어느 날 촬영이 다 끝나고 한참 녹음만 했어요. 라스트신을 안 찍고 자꾸 진행을 하는데 이상하다, 생각을 했지요. 그런데 하루는 밤중에 느닷없이 촬영을 한다고 하면서 당시 통행금지가 있을 땐데, 12시 전까지 모두 안양 촬영장으로 내려갔어요. 보니까 이미 침전 세트를 다시 수리해놨더라고. 그 침전을 찍는데 모두 긴장 상태였어요. 신상옥 감독님도 긴장 상태였고. 그 당시에 베드신이 그리 흔하지 않았을 때예요. 우선 윤정희씨한테 노출을 요구하는데 이전과 달리 상당히 강한 어조로 명령이다시피 하고, 윤정희씨는 굉장히 망설이다가 결정을 했죠. 상대역 남궁원씨한테도 엄격하게 주문을 했는데 오늘 장면 보니까 그 장면이 내가 생각했던 것하고 다르네요.

　　말하자면 실제로 정사하는 것처럼 나오지 않았는데 우리가 촬영했을 때는, 내 생각엔 아마 검열에서 잘렸던 부분이라 우리는 보지 못한 것 같은데 신상옥 감독님이 그때 이런 말을 했어요. 남궁원씨 보고 "어이, 이건 실제라고 생각을 하고 움직여"라고 요구를 했거든요. 뭐 윤정희씨는 무방비 상태였고. 근데 촬영이 끝나고 나서 윤정희씨가 없어졌는데, 갑자기 스튜디오 세트장 안에서 통곡 소리가 나는 거예요. 보니까 윤정희씨가 촬영 끝나자마자 세트 뒤에 가서 통곡을 하더라고. 우리 모두 숙연해가지고 어떻게 가서 뭐 위로할 수도 없고. 모든 스태프들이 촬영 정리를 하다가 모두 숙연해져서 조용히 있고, 신상옥 감독님은 특유의 냉소적 반응만 보이고 그냥 가 버리셨지.

　　나중에 윤정희씨 소회가 뭐냐면, 자기가 이렇게 처음 베드신 같은 걸 해봤기 때문에 속을 풀지 않을 수가 없었다. 마음속의 카타르시스를 푸느라고 울 수밖에 없었다. 아마 시위적인 것도 있지 않았을까. 울려면 분장실 가서도 울 수 있었는데 끝나자마자 스태프들이 잔뜩 있는데 뒤에서 통곡을 한 거고, 일종의 시위성도 있었구나, 하는 생각이 들어요.

　　저는 저대로 그날 굉장히 바빴던 게, 왕을 죽이는 도구가 뭐냐면 옛날엔 항상 바늘을 준비했었잖아요. 옛날 여인들은 그걸 준비했어요. 왜냐면 정사 도중에 사태가 있을 때 기를 뚫어주는 거기 때문에, 죽이려고 하는 게 아니라 살리려고 하는 도군데. 어⋯ 신상옥 감독님이 어느 날 금은방에 가서 금으로 직접 그 소도구를 맞춰 오셨어요. 그걸 도금봉씨가 윤정희씨한테 주는 장면 때 한 번 찍었거든요. 그리고 나서 그걸 언제 다시 사용할지 모르니까 잊어먹고 있었는데 그날 밤에 마지막 장면을 찍는데 그 소도구를 챙기라고 지시가 왔어요. 그런데 내가 세컨드라 소도구 담당인데 깜빡하고 챙기질 못했어요. 안양 내려가는 길에 이미 통행금진데 그걸 가지러 서울로 올라갈 수도 없고, 안양에 소도구 창고가 있었는데 '첩지' 라고 해서 상궁들이 머리 위에 장식 하는 게 있어요. 궁여지책으로 그게 생각이 나더라고. 근데 그거는 '용봉첩지' 라고 해가지고 뾰족한 송곳이 아니잖아. 그걸 뾰족하게 만들기 위해서 너무 바쁘니까 그냥 세트장 뒤에 가서 시멘트벽에 계속 가는 거예요, 뾰족하게. 막 갈고 있는데 퍼스트가 날 찾아왔어요. 그걸 찍을 때가 됐는데 이놈이 나타나질 않으니까. 찾으러 와보니까 하는 짓이 그걸 갈고 있으니 "그럴 줄 알았다. 이 새끼야" 하는 소리를 듣고. 그걸 윤정희 입에다 넣어야 되는 건데 얼마나 미안합니까.

김홍준 시멘트 가루도 묻고.

이장호 아니 그건 썼었지만 신상옥 감독님이 이리 가지고 와봐, 하면 큰일이에요. 자기가 금은방에서 맞춘 거랑은 너무 다른 거 금방 아니까. 그래서 난 생명에 관한 문제라 생각을 하고 바짝 얼어가지고, 신상옥 감독님한테 보이지 않으려고 얼른 가서 윤정희한테 전해주고 가져왔습니다. 이러니까 입에다 넣으라고. 그래서 그날 목 안 잘리고 무사히 넘어갔던 기억이 나는데, 그 장면이 여기서도 보니까 저건 일생 내가 잊질 못 하겠구나, 하는 생각이 듭니다.

김홍준 그러면 영화 속에서 앞에 나왔던 그거랑 이거는 다른 거네요.

이장호 다른 거죠. 앞에는 진짜 금18K고 뒤에는 놋으로 만든 거죠.

김홍준 그럼 18K는 어디로 간 건지….

이장호 난 지금도 기억이 안 나네. 하여간 내가 팔아먹지 않은 건 사실입니다.

김홍준 네, 40년간 묻혔던 진실이 밝혀지고 있습니다. 조금 애기를 돌려보면요. 아까 감독님 추모영상물에서도 신상옥 감독님이 돌아가시니까 절반이 없어졌다, 이런 말씀을 하셨는데 나중에 신필름도 결국 몰락을 하게 되고.

이장호 그렇죠.

김홍준 또 감독님께서 청춘을 보내셨던, 특히 안양 촬영소가 문을 닫고 지금은 거의 흔적도 없지 않습니까. 제가 옛날에 감독님을 알 때 하루는 이런 말씀을 하셨어요. 안양 촬영소가 헐린다는 말을 듣고, 가서 어떻게 모습이라도 담아놓겠다고 스틸카메라 들고 가서 찍었는데 하염없이 눈물이 나더라. 그 말씀 좀 해주시죠.

이장호 참 영화적인 장면이었는데, 그 신필름 스튜디오가 지금 여러분은 상상이 안 갈 정도로 굉장히 큰 규모의 스튜디오였습니다. A세트장, B스튜디오, C스튜디오까지 세 가진데 한국에는 그런 스튜디오가 없죠. 할리우드의 워너브라더스 같이 근사한 그런 스튜디오였는데 그게 이제 없어지는데, 그 당시에 철거를 어떻게 하느냐 하면 지금처럼 하지 않아요. 이만한 둥그런 쇠 해머를 크레인에 달아 가지고 그 크레인이 '팡!' 벽을 치거든요. 스튜디오를 무너뜨리는데 갑자기 눈물이 그렇게 나요. 어떤 감정이냐면… 신필름이 문을 닫게 됐고, 그 당시 정부에 의해서 강제로 회사가 폐쇄됐거든요. 그리고 신상옥 감독님이랑 최은희씨는 이북에 가 있는 상태고, 그 건물 부서진 걸 보면서 마치 내 젊은 날이 부서져 나가는 것 같은 느낌이 들면서 막 눈물이 나더라고요. 그건 참 잊지 못할 아픔이었습니다.

김홍준 이제 신상옥 감독님이 북한으로 납치되신 것이 1978년이고요. 1983년에 북한에서 다시 등장하셔서 북한에 신필름을 설립하고 〈돌아오지 않는 밀사〉, 〈소금〉, 〈불가사리〉를 감독하다가 또 1986년에 탈출하지 않으셨습니까? 사실 저도 여기서는 이야기 속에 등장인물로 끼어있는데요.

이장호 미국에서 만났죠.

김홍준 1986년에 탈출하신 이후에 신상옥 감독님이 다시 활동을 재기하실 때까지 약 3년 동안 굉장히 그때 중요한, 다시 말해서 미국 정부가 보기에, 더 정확히 말하면 CIA가 보기에 굉장히 중요한 정보를 가지고 있는 인물이고, 또 북한의 보복 등등 여러 가지 문제가 있었기 때문에 각별한 보호조치 속에 있었던 분이었어요. 제가 왜 이 말씀을 드리느냐면 이제는 말할 수 있다, 이고 감독님께도 아까 미리 말씀드렸는데… 그러니까 한국사람이든 누구든지간에 신상옥 감독님께 접근할 수 없던 그런 시절이었죠. 뭐 한국정부도 당연히 만나보고 싶어 했을 것이고.

근데 제가 그때 1987년에 필라델피아에 살고 있던 가난한 유학생이었는데, 그전에도 이장호 감독님하고는 알고 친분이 있었죠. 갑자기 뉴욕에 오신다는 거예요. 1987년에 〈나그네는 길에서도 쉬지 않는다〉 영화가 뉴욕영화제에 초청이 됐었습니다. 그래서 오셔서 저한테 부탁할 일이 있다고 하셔서 제가 처음으로 그때 뉴욕영화제 가서 감독님 Q&A하실 때 통역해드리고 했는데, 사실 저를 보자고 하신 이유는 더 중요한 이유가 있었어요. 신상옥 감독님을 만나러 오신 것이었습니다. 그때 제가 모시고 가서 뵀었는데요. 그때 일을 조금 회고를 해주시죠.

이장호 그 앞부분에 이제 신상옥 감독님이 〈돌아오지 않는 밀사〉를 프랑스 낭뜨영화제에 출품하신다고 해서 마침 제가 그때 프랑스 초청으로 프랑스 영화계를 보고 있었거든요. 근데 낭뜨에 오신다고 하니까 보고 싶어서, 신상옥 감독님하고 최은희씨가 낭뜨에 참석하신다고 해서 갔습니다. 낭뜨에 갔는데….

김홍준 신상옥 감독님이 북한 대표로 오시는 거였죠.

이장호 대표로 오는 건데, 얼마나 가슴 두근거리는 해후이 겠습니까. 기다렸는데 안 오셨어요. 그리고 북한사람들만 잔뜩 있었는데 그때 참 묘했던 게, 내 선생님의 영화가 낭뜨영화제에 부쳐지고 한국에서는 배창호 감독의 〈그해 겨울은 따뜻했네〉가 붙었거든요. 근데 재밌는 건 배창호 감독은 내 조감독이었고 나는 신상옥 감독님의 조감독이었고, 내 선생님의 영화와 내 제자의 영화가 동시에 붙었던… 그런데 그날 기다리다가 결국은 오시질 못했기 때문에 뵙지 못하고 그러다가 3년인가 4년 후에 탈출하셔서 미국에 가 계셨어요. 나는 마침 그때 뉴욕필름페스티벌에 〈나그네는 길에서도 쉬지 않는다〉가 출품돼서 관객과의 만남을 하는데 영어통역을, 여러분들이 보았던 〈어제 내린 비〉의 이영호, 제 동생이죠. 동생이 통역을 했는데 영 그 뭐랄까, 의사전달이 잘 안 돼요. 샤머니즘 영화의 특수한 장면들이라든지 특수한 내용들이 있는데, 동생이 생활영어는 잘 하지만 영화의 깊은 내용까지 소개하는 것에는 관객들한테 전달하는 데 문제가 굉장히 많았어요. 근데 마침 우리 김홍준 감독이 서울대학교 인류학과 출신이고 샤머니즘이라든지 특별한 분야의 전문적인 용어를 많이 알고 있어서 통역을 바꿨죠. 우리 김홍준 감독이 도와줘서 정말로 관객 반응이 다르더라고요. 내 동생이 통역했을 때하고 김홍준 감독이 통역했을 때 반응이 확 달라지더라고, 너무 믿음직스럽지 않습니까? 그래서 계속 좀 같이 있고 싶고 마침 페스티벌이 끝난 다음에 그때 같은 해였나? 아님 다른 해를 내가 착각하고 있나?

김홍준 같은 해였지요.

이장호 신상옥 감독님 만난다는 것이 그 당시에 그렇게 공개적으로 할 만한 일이 아니었어요. 뭐 중앙정보부 문제도 있고 그래서 나는 그걸 밖으로 나타내지 않고 있다가 김홍준 감독한테 신상옥 감독님을 워싱턴 가서 만나야 하는데 같이 가자, 그래 가지고 우리 신상옥 감독님께 가는 데 동행했습니다. 그래서 만났는데 여전히 변하시지 않았어요. 나는 한 10년 못 본거니까 감독님이 굉장히 변했으리라고 생각을 했는데 너무 똑같아요. 그리고 머플러 한 거라든지 그 느낌이 저한테는 뭐라 그러죠, 피붙이 같은 느낌이 들어요. 신상옥 감독님이 아버지 같은 느낌이 들고 모든 정서라든지 호흡 이런 것이 서로 소통된 게 너무 많아서 그런지, 호텔 커피숍으로 그때 들어오시는데 뭐라 그러죠. 하여간 죽었던 아버지 되찾는 기분, 그런 느낌을 받았습니다. 그리고 그분도 국내 소식이라든지 이런 게 막힌 게 많으니까 저한테 굶은 듯이 질문을 하고 그랬던 기억이 나네요. 김홍준 감독이 옆에서 볼 땐 어땠어요?

김홍준 그 상황을 약간 시나리오 식으로 이야기를 하자면, 저는 되게 떨렸죠. 솔직히 말해서 겁도 났어요. 괜히 따라갔다가 이게 한국에 알려지면 나중에 귀국도 못하는 거 아닌가. 왜 이런 짐을 지우시나 했지만 또 사실 신상옥 감독님이라고 하면 저희 세대한테는 어마어마한 분이시고, 더더군다나 북한에서 탈출하셨을 때 전 세계 뉴스에도 나오시고… 그땐 정말 떨리기도 하고 궁금하기도 하고. 또 한국영화의 거장이시니까. 근데 전화번호는 조지아 번호였는데 계시는 곳은 나중에 보니까 버지니아 쪽에 CIA의 감시이자 보호 아래 계셨던 거죠. 감독님께서 어떻게 만났는지는 말씀 안 해주시니까 뭔가가 있었겠지만. 그래서 감독님을 모시고 접선 장소로 갔는데 호텔 커피숍이 아니었고요, 제가 지금도 기억해요. 인터내셔널 팬케이

내
시

크하우스였어요. 정말 허름한 패스트푸드 레스토랑. 전 또 미국에 살았기 때문에 좋은 데는 아니었습니다. 이제나저제나 하는데….

이장호 아, 그리고 또 위험한 게 뭐냐면 북한에서 신상옥 감독님을 암살하겠다는 그런 소문도 많았을 때거든요. 옆에 있다가 같이 총 맞을 수도 있죠.

김홍준 예, 제 목숨 걸고 나간 건 아니지만 하여튼 밖에 보면 패스트푸드 스토어니까 밖에 주차장이 다 보이거든요. 유리 너머로 보고 있는데 한참 있으니까 무지하게 운전을 험하게 하는….

이장호 맞아 맞아.

김홍준 커다란 막 이런 게 덜컹거리면서 오는 거예요. 저건 아니겠지 하는데 끽 서더니, 이런 떡대 있는 백인이 내리는 게 아니라 최은희 여사님이 내리시는 거예요. 그러니까 최은희 여사님이 운전을 하시고 감독님이 옆에 타고 오셨는데, 그때 제가 봤던 신상옥 감독님 첫인상은 진짜 멋쟁이구나. 보라색 스카프에 머리는 앞을 살짝 흐트러뜨리시고 아주 깔끔하게 입으시고, 그리고 들어오셨는데 저는 뭐 옆에 앉아서 방자처럼 찌그러져 있고 세 분이 앉으셨죠. 이장호 감독님은 그때 눈에 눈물이 그렁그렁하셨던.

이장호 근데 최은희 선생님 모습은 지금 하나도 기억이 안 나. 최은희 선생님은 옆에 계셨는데도 신상옥 감독님만 뚜렷이 기억이 나고. 나 지금 갑자기 가슴이 덜컥한 게 최은희 선생님한테 인사도 안 한 거 아닌가, 걱정이 들 정도로 최은희 선생님에 대한 기억이 없어.

김홍준 그래서 저는 그때 세 분의 모습을 옆에서만 봤는데 그때의 느낌이 진짜 이장호 감독님은, 외람된 표현이지만 집 나간 아버님을 찾아 헤매다가 몇 년 만에 만난 효자 아들 같은… 그리고 최은희 여사님은 옆에서 물끄러미 지켜보시는데 꼭 느낌이 신상옥 감독님의 부인이라기보다는 매니저 같기도 하고 어떨 때는 어머니, 보호자 같은 느낌이셨어요.

이장호 최은희 선생님이 제 결혼식 때 주례 선생님이었거든요. 여자가 주례 선 적이 없었던 것 같은데 최은희 선생님이 주례를 서 주셨죠.

김홍준 그래서 아까 감독님 질문에 대답을 하자면 신상옥 감독님과 이장호 감독님의 사이는 사람들이 이해할 수 없는, 상상할 수 없는 그런 뭔가가 있구나. 그리고 저는 그날 아마 모든 스케줄이 통제를 받고 있는 것 같았어요. 그래서 우리 언제까지 가야 되니까 빨리 얘기하고 가자. 그리고 여러 가지 말씀 나눴는데 내용은 정확히 기억 안 나지만 국내 영화계 사정을 주로 물어보셨던 것 같아요. 뭐 누구 요새 뭐하느냐, 무슨 영화가 나왔냐, 그리고 이제 개인적인 얘기들. 지금도 인상적으로 기억나는 건 어쩌다가 북한에서의 이야기가 좀 나올라치면 최은희 여사님이 아, 그 얘기는 안 하는 게 좋겠다. 이장호 감독님 앞이었음에도 불구하고 그런 것에는 민감하게 조심할 수밖에 없었던 그런 상황이었죠.

이장호 최은희 선생님은 지금도 항상 조심스럽고, 두 분이

내
시

181

이야기할 때 신상옥 감독님이 달리는 말 같으면 늘 고삐 잡아채는 역할을 항상 최은희 선생님이 하셨으니까. 얘기하는 도중에도 계속 손 만지면서 그건 얘기하지 말란 식으로 하는 게 최은희 선생님의 습관처럼 돼 있었죠.

김홍준 하여튼 그 최은희 선생님의 난폭 운전은 저도 지금 기억이 나구요. 끝으로 제가 하나만 더 여쭤보자면 이 영화를 제가 어렸을 때 봤다면 몰랐을 텐데 요즘 관객의 눈으로 보니까, 제가 이걸 실제로 수업시간에 틀어줘도 이른바 영화 속의 동성애 코드에 대해서 얘기를 하는 학생들이 많더라고요.

이장호 도금봉씨하고.

김홍준 도금봉씨도 그렇지만 도금봉씨는 이제 노골적으로 그런 건데 오히려 저는 박노식 선생님이 허장강씨를 바라보는 눈초리가 예사롭지 않은, 혹시 그런 것이 연출할 때 의도에 깔려 있었는지 저희가 그냥 과대해석을 하는 건지, 감독님 생각은 어떠세요?

이장호 나는 그때 어렸고 총각이어서 베드신이라든지 이런 거에 대한 감흥이 없었어요. 베드신 하는데 땀 효과를 낸다고 물을 자꾸 뿌리는데 난 그것도 왜 뿌리는지 몰랐고.

김홍준 감독님이 뿌리셨어요?

이장호 어, 그런 건 다 내가 해야 했거든요.

김홍준 좀 오버해서 뿌리신 듯한 느낌이.

이장호 하하하하! 모르니까. 그리고 지금 생각해보면 베드신이 촌스럽고 리얼하지 못한 것 같은 게, 손을 서로 꼭 쥔다든지 발 갖고 서로 밀어버린다든지 하는 표현이 그때 그렇게 할 수밖에 없었나. 하기야 뭐 실제 정사하는 것처럼 찍은 건 화면에 보니까 검열에 걸려서 잘렸든지… 아, 이제 생각났어요. 검열에 걸려서 그 뒷부분을 다시 찍은 거예요. 어느 날 녹음하다가 비밀리에 그 장면을 다시 찍은 건데 신상옥 감독님 방법 중에 하나가, 검열 받은 다음에 새로 촬영을 해서 넣고 검열에 잘린 부분을 극장에 가서 살짝 붙이고. 신필름이 문 닫은 게 그러다가 문을 닫은 거거든요. 물론 원인은 정치적인 것 때문이었지만 명분상 예고편에 검열된 부분을 다시 집어넣어서 틀었다, 그래 가지고 신필름이 폐쇄됐거든요.

　　저기 영사실 구멍을 보면 늘 생각나는 것이, 극장에 영화를 붙이면 조감독들은 항상 거기서 살아야 돼요. 왜냐면 붙였다가 뗐다가 붙였다가 뗐다가, 누가 검열하러 온 것 같으면 다시 떼고 또 붙이고… 그런 걸 하도 해서 우리는 늘 영화 상영하면 저 영사실에 붙어 있었어요.

김홍준 이제야 저의 70년대 미스터리가 풀리는데요. 중학교 때 극장에 가서 야한 한국영화를 보고 온 친구들이, 제가 보고 왔을 때 분명히 그 장면이 있었는데 없다고. '뭐뭐'가 나오더라 해서 갔는데 보고 와서, 야 인마 안 나오던데, 그래서 제가 사기꾼이 된 적이 있었거든요. 그게 이제 조감독과 임검경관 간의 상관관계에서 이제 수수께끼가 풀렸네요.

이장호 운 좋은 사람은 보고 운 안 좋은 사람은 못보고.

김홍준 감독님, 오늘 이 자리가 신상옥 감독님을 추억하고 추모하는 자리였는데요. 여기 와 있는 새파랗지만 후배 영화인들에게 마무리 말씀 좀 들려주시죠.

이장호 신상옥 감독 기념사업회에서 계간지로 〈영화감독〉이라는 제목으로 정기간행물을 만들었는데 이게 창간호죠. 제가 신상옥 감독님을 회고하면서 쓴 이야기가 있는데 짧게 한번 낭독을 하겠습니다. '창조주가 세상과 사람과 인류의 역사를 만드신 후 줄곧 그 세계를 주관하고 계신 것처럼 사람은 그런 성향을 닮아서 끊임없이 이야기를 만들어왔습니다. 이야기 속에는 참 다양한 모습의 등장인물들이 영웅으로서 또 주인공으로, 악당 혹은 장애물로 갈등의 극복이라는 여러 요소들과 어울려 많은 사람들이 좋아하고 사랑하고 사로잡힐 수밖에 없는 중요한 속성이 깃들어있습니다. 그래서 여러 종류의 예술 형태의 근본이 되고 있습니다. 바로 이 이야기를 영화는 가시화된 피조물을 등장시켜서 마치 하나님의 창조처럼 또 하나의 새로운 세상을 만들어 보여주는 인간의 창작세계입니다.

신상옥 감독은 1952년 데뷔작부터 타계하실 때까지 평생 52편의 이야기를 영상으로 연출했고, 신필름 등을 통해서 모두 250여 편의 이야기를 제작하셨습니다. 그리고 그 자신이 한국사의 한국영화라는 거대한 이야기의 주인공이며 한국인으로서의 숙명적인 삶과 현대사의 풍운을 고통과 희열로 겪어야 했던 영화적 거인이었습니다. 그 초인적인 극복의 삶 속에 대하드라마처럼 일제 식민지 하의 해방 그리고 동족상잔의 한국전쟁과 분단조국이 그대로 들어있습니다. 남쪽의 4·19혁명과 5·16쿠데타, 70년대의 경제성장과 유신독제를 묵묵히 견디고 마침내 이 지구상의 마지막 분단국가 한반도의 양쪽 이념체제의 극과 극을 몸 전체로 받아들였던 유일무이한 영화 인생이었습니다. 1978년에 납북돼서 1986년에 탈출하기까지 북한이라는 낯선 역사 속에 직접 몸을 부딪치는 갈등과 극복의 삶 자체가 그대로 생생한 드라마입니다.

　　이제 사단법인 신상옥 기념사업회는 신상옥 감독 기념관 건립, 도서출판, 국제영화제 유치, 한국영화의 미래를 짊어질 후배양성을 위한 장학 사업을 펼칠 뿐만 아니라 고인을 추모하고 기념하는 것에 더 나아가서 한국영화인들이 주인공이 되어 현실의 어려움과 싸워 이겨나가는 또 하나의 성공이야기를 신상옥 감독님과 함께 만들어나가고자 합니다. 이번에 조그만 계간지 〈영화감독〉을 창간하면서 무엇보다 우선하여 우리 영화계의 근년에 들어와 느닷없이 맞이하게 되었고 또 그 누구도 원치 않았던 신구세대 간의 인위적 단절에 대한 해결책과 가교 역할을 모색하고 자진해서 실천하는 쉽지 않은 십자가의 길을 선택합니다. 부디 많은 회원들과 한국영화를 사랑하는 많은 팬들의 충고와 격려로 힘을 얻고 담대하게 나아갈 수 있도록 기원하여주시길 원합니다.' 이게 마지막 인사입니다.

내
시

REVIEW

관습적 이야기의 전복

이야기는 몇 번이나 관객의 예측을 뒤엎는다. 그것도 복잡한 서사와 반전, 막장드라마에 익숙해진 2010년의 관객들에게!

영화는 처음 한 내시(신성일, 극중 정호)의 이야기인 듯 시작되다가 왕실과 궁궐의 폐쇄성을 보여준다. 그러다 어느 순간 다시 내시와 후궁으로 들어온 자옥(윤정희)의 사랑이야기로 돌아가는데 어느 순간부터 왕과 대비의 갈등, 그들의 이야기를 듣는 내시감의 심정적 변화, 신분상승에 집착하다 결국 비참한 최후를 맞는 길녀의 이야기까지 다양한 서브플롯과 함께 진행되어 이야기는 점점 복잡해진다. 마지막에는 다시 정호와 자옥의 사랑이야기로 귀결되는가 싶다가 왕비의 등장으로 인해 이야기는 권력의 치부와 비밀을 지우기 위해 치루어진 의생의 역사로 마무리된다.

또한 극의 초반에서 주인공들의 사랑에 방해자였던 내시감은 대비의 임신 사실이 드러나고 입을 막기 위해 약방내시가 자결하면서 내적 변화를 일으켜 협력자로 돌아서는데 그 내적 변화의 이유에는 동성애적 코드가 깔려있다. 이러한 요소는 자옥에게 접근하는 상궁(도금봉)에게서도 엿보이는데 이는 단지 자극적이기 위함이 아니라 영화를 이끌어가는 과정에서 효과적인 감정적 장치로 쓰인다. 동성애에 대한 언급은 실제로 옛 역사에 자주 등장하지만 그 시대의 사극에서 이렇듯 자극적이고 때로는 은밀하게 다루어질 줄이야.

영화의 후반부에 도망친 자옥이 왕의 아이를 임신한 것을 털어놓았을 때, 이들이 정상적인 가족을 이루며 행복하게 살기 위한 마지막 요소로 아이가 더해지는 것이라고 생각했지만 정호는 분개하며 아이를 지울 것을 강요한다. 자옥이, 더불어 관객들이 믿었던 그들의 순수하고 변치 않는

이장호 감독의 마스터클래스

186

사랑이 흔들리는 순간이며 예측된 해피엔딩을 배반하는 순간이기도 하다.

이런 식으로 몇 번이나 예측을 뒤엎었기에 다시 궁에 들어간 자옥이 왕에게 교태를 부리는 장면에서 우리는 섣불리 의심하지 않게 된다. 더구나 앞선 정사신들에서 자신의 감정과는 달리 왕에게서는 만족을, 사랑하는 정호에게서는 만족을 얻지 못하는 자옥의 모습을 보았으므로 이때 관객들은 정말로 자옥의 마음이 돌아선 것은 아닌가 믿게 되는 것이다. 그러나 역시 예상을 뒤엎으며 자옥의 복수로 끝을 맺는다.

1968년에, 충격적인 정사신

〈내시〉의 정사신이 요즘의 영화보다 충격적인 이유는 노출의 수위나 표현방식을 떠나 그 설정 자체에 있다. 왕은 정호를 입직내시로 두어 자신의 자옥의 섹스를 지켜보게 한다. 사랑하는 사람을 옆에 두고 원하지 않는 사람과 섹스를 하게 된다는 설정은 그 자체로도 충분히 관음증적 쾌락을 자극한다. 더불어 이러한 상황을 연출하는 왕의 심리 또한 극적이다. 자신을 왕(혹은 남자)으로서 인정하지 않는 어머니에 대한 반발심과 세도를 얻으려는 김참판(을 비롯한 신하들)에 대한 모멸과 조롱, 그리고 순수한 연인들의 사랑에 대한 질투, 자옥을 향한 욕정들이 복잡하게 얽혀있기 때문이다. 게다가 섹스를 시작하기 전 왕이 자옥의 발을 애무하는 부분에서는 페티시즘적인 요소도 엿보인다.

그런가하면 정호와 자옥의 정사신은 더욱 충격적이다. 영화는 구체적으로 보여주지 않지만 관계가 진전되는 듯하다가 터진 자옥의 웃음만으로 관객은 보지 못한 것보다 더 많은 것을 상상할 수 있게 되는데, 누구도 거세된 남자의 섹스에 대해 알지 못하므로 상상할수록 호기심은 더욱 증폭되고 그러한 것들을 상상한다는 사실에 대한 윤리적 죄의식이 더해져 관객의 감정 또한 극적으로 변한다. 그리하여 정호의 얼굴에 드러난 열패감과 절망은 지극히 비극적이며 동시에 희극적 대상이 된다.

〈내시〉가 재미있고 훌륭하다고 말할 수 있는 지점은 '센' 사건과 감정들을 전혀 억지스럽지 않고 오히려 지극히 자연스럽게 녹여내고 있다는 점이다. 〈내시〉에서 사극이라는 장르는 오히려 그 모든 설정들을 끌어안는 데 가장 효과적인 장치로 쓰인다.

_어둠의 자식들

· 1981년, 100분
· 제작 _ 화천공사
· 원작 _ 이동철
· 각색 _ 이장호
· 촬영 _ 서정민
· 조명 _ 김진도
· 편집 _ 현동춘
· 음악 _ 김영동
· 미술 _ 김유준
· 출연 _ 나영희, 박원숙, 안성기, 김희라

영애(나영희)는 가수지망생이었지만 노래를 배우다 성추행을 당하고 유랑가무단
으로 넘겨져 지방을 떠돌아다니게 된다. 그러다 같은 유랑단의 색소폰 연주자와의
사이에서 딸을 낳지만 남편은 폭행사건으로 구속되고 병원비가 없어 딸아이마저
잃고 만다. 영애는 결국 살아가기 위해 거리의 여자가 된다. 윤락촌에 들어가 함께
모진 삶을 견디며 친자매처럼 지내던 화숙(박원숙)이 죽은 후 영애는 그녀의 어린
딸을 자신의 딸처럼 키우기로 하고 그곳을 떠나지만, 창녀였다는 과거 때문에 당
국에 아이를 빼앗기고 다시 창녀로서의 삶으로 되돌아간다.

어둠의 자식들_1981

김홍준 자, 그러면 오늘 또 이장호 감독님 모시고 이야기를 이어나가도록 하겠습니다. 〈어둠의 자식들〉을 시작하기 전에, 원작이 황석영 선생님의 이름으로 발표되었던 그러나 실은 이동철, 본명은 이철용이죠. 그분의 원작을 영화화한 거라고 했는데〈어둠의 자식들〉이 나오게 된 배경을 말씀해주시죠.

이장호 말할 것도 없이 이것은 소설로서 베스트셀러가 되었었고 당시에 육두문자가 막 넘치는 욕지거리로 가득 찬 소설이어서, 그때로서는 지식인들한테는 큰 충격을 줄 수밖에 없는 그런 소설이었어요. 물론 나도 당황할 정도의 소설이었고 처음에는 영화를 할 수 없을 거라는 생각을 갖고 있었어요. 그 당시에 정치 상황으로 봐서 황석영이라는 인물도 그랬거니와 욕설이 가득한 안티소설을 사전에 시나리오 검열까지 받아야 했으니… 시나리오가 문공부(문화공보부)에 들어가서 허가를 맡아야만 영화로 만들 수 있었으니까 굉장히 어려울 거라고 생각해서 꿈도 꾸지 않았는데, 처음에는 어떤 영화사에서 계약을 했다가 불발탄이 됐어요. 그 회사에서 결국은 자신이 없다고 해서 보류됐다가 내가 데뷔했던 〈별들의 고향〉의 화천공사라는 회사에 얘기를 했더니, 의외로 만들어보자고 해서 〈어둠의 자식들〉을 3부작으로 계약했어요. 3부작으로 계약을 할 수밖에 없는 것이 〈어둠의 자식들〉은 그 속에 에피소드가 엄청나게 넘치는 소설이었기 때문에 이걸 한 작품에서 다 한다는 것은 있을 수 없고, 3부작으로 계약을 하고 각색을 시작했어요.

처음에는 각색 방향을 잡지 못해서 원작자인 주인공의 이야기에서 풀다가 실패를 했고, 그렇게 해서 몇 번 시나리오를 실패하고 사람도 세 사람이나 데리고 집단 작업을 했는데도 이뤄지지 못했어요. 그래서 마지막의 일부분, 그 소설 두께가 이만하다면 페이지 한

다섯 장으로 끝나는 「카수 영애」라는 챕터를 골라내서 영화로 하기로 결정한 거죠. 그렇게 이야기를 잡아내서 각색을 했는데도 그리 시원치가 않았어요. 시원치가 않아서 결국은 소설을 영화로 만든다는 것이 가장 고통스러웠던 작품 중에 하나가 되었습니다. 끝까지 촬영 현장에서 요만한 수첩에다가 신 넘버 구분만 해놓고 현장에서 이렇게 저렇게 편집하면서 촬영했었는데, 소설을 영화화하기가 그렇게 어렵습니다.

김홍준 배경을 또 짚어보자면 감독님 영화를 볼 때마다 음악 얘기를 꼭 하게 되는데요. 사실 지금 여러분들이 보기에는 국악 편성에 의한 사운드트랙 같은 것이 익숙하고 어떻게 보면 안이할 정도로 보이겠지만, 사실은 〈어둠의 자식들〉이 나올 때만 해도 이런 것이 한국영화에서는 거의 사극에나 쓰이지 시도되지 않던 때였어요. 이 영화에서는 김영동 작곡가와 작업이 이루어지고 있는데 어떻게 만나셨고, 어떻게 작업하셨는지 궁금합니다.

이장호 이 〈어둠의 자식들〉을 어떻게 접하게 되었냐면, 〈바람 불어 좋은 날〉을 명보극장에 붙였는데 그때 목사님 한 분이 찾아오셔서 영화를 보시고 만나자고 하셔서 만났더니 "좋은 영화를 앞으로 계속 만들어 달라. 좋은 영화를 만들면 자기들 목회자가 하는 일을 영화가 할 수 있다. 교회가 할 일을 영화가 할 수 있다" 이런 이야기를 해줬어요. 내가 크리스천이기 때문에 교회 가서 간증할 때마다 이 이야기를 꼭 먼저 하는데, 그때까지는 종교라는 것을 생각 안 해봤다가 목사가 영화에 대해서 그런 이야기를 하는 것을 듣고 교회에 가고 싶다는 생각이 들었고 그 목사가 다니는 교회를 갔죠. 그 교회가 바로 이 원작자가 장로로 있는 교회였어요. 하월곡동에 있는 동월교회라는 산동네 교회인데 돌산에 교회가 있어서 별명이 돌산교회예요. 그런데 거의 판자촌 같은, 판잣집 같은 교회였는데 그 교회에 소위 운동권에 있는 알려진 사람들이 많이 드나들었어요.

그중에 한 명이 김영동이었어요. 김영동이 그 교회에 와서 국악으로 찬송을 하는 시도를 했는데 당시 국악으로 찬송하는 것이 개척기 땐데, 그 교회는 거의 80%를 국악으로 찬송을 하고 20%를 기존 찬송으로 예배를 봤어요. 그때까지는 소위 국악이라든지 이런 것에 재미를 느끼지 못했었고 〈바람 불어 좋은 날〉에서도 국악을 쓴다는 생각이 완전치 않아서 록하고 국악하고 섞은 절충안이 나왔었는데, 김영동씨를 만나면서 김영동씨가 새로운 국악을 보여 준 거죠. 그래서 또 한 번 모험적인 영화음악을 시도했고, 찬송가를 처음 영화에 본격적으로 깔기 시작한 게 〈어둠의 자식들〉일 거예요.

〈바람 불어 좋은 날〉은 찬송가를 안 깔았는데 〈어둠의 자식들〉 이후는 여러분이 보게 되겠지만 영화마다 찬송가를 다 깔고 있습니다. 〈과부춤〉도 깔고 〈낮은 데로 임하소서〉는 물론 깔고 〈바보선언〉에도 찬송가를 깔고, 그렇게 해서 사회 속에서 일종의 소외계층에 대한 소재를 다룰 때는 주제가보다는 찬송으로 끝나는 그런 경우들이, 바로 교회에서 내가 받은 영향이었던 것 같습니다.

김홍준 감독님과 기독교의 만남에 대해서는 좀 더 계속 이야기가 이어질 것 같은데요. 제가 그때 감독님을 뵈었던 기억이 나는데, 아까 시작하기 전에 얘기를 했지만 〈어둠의 자식들〉을 믹싱할 때 구경을 갔었거든요. 생전 처음 믹싱 구경을 갔는데… 감독님이 막 2박3일 밤을 새우시면서 박카스 박스를 이만큼 이렇게 쟁여 놓으시고, 그래서 그때 감독이라는 건 정말 아무나 하는 게 아니구나. 미치지 않고서는 할 수가 없겠구나. 나는 저런 거 하지 말고 곱게 살아야

어둠의 자식들

193

〈어둠의 자식들〉 촬영을 끝내고. 이장호, 나영희, 조주미

지… 뭐 이런 다짐까지 하고 그랬는데요(일동웃음).

사실 나중에 알고 보니깐 이때 두 작품을 동시에 진행하시느라고 굉장히 고생하셨던, 지금 들으면 웃지 못 할 그런 배경이 있었습니다. 같이 하셨던 작품이 〈그들은 태양을 쏘았다〉였는데 촬영도 같은 서정민 촬영감독님이 하셨고요. 단지 조감독은 〈어둠의 자식들〉의 조감독은 배창호 감독님, 여기 카메오로 나오시죠? 배창호 감독님의 젊은 시절처럼 보이는 분은 바로 배창호 감독님의 젊은 시절입니다(일동웃음). 그리고 신승수 감독이 조감독을 했고요. 반면에 저쪽 〈그들은 태양을 쏘았다〉는 그때 텔레비전에서 주로 활동하셨던 장선우 감독, 선우완 감독 두 분이셨는데 이게 어떻게 저렇게 된 건지, 그게 어떤 시스템이었는지 좀 말씀해주시죠.

이장호 대마초로 묶였던 활동이 풀린 다음에 〈바람 불어 좋은 날〉을 만든 거고요. 대마초파동 전에 영화사와 계약을 한 것 중에 하나가 〈그들은 태양을 쏘았다〉였어요. 영화사와 계약을 했는데 4년 동안 활동을 못하니깐 이 사람들이 기다렸다가 대마초가 풀리면서 촬영을 하자 해서 진행을 하고 있는데, 생각지도 않게 〈어둠의 자식들〉을 영화로 만들겠다는 사람이 나타나니까 두 개가 다 진행이 되었죠. 좀 차질이 있을 줄 알았는데 이때가 운 나쁘게 영화진흥정책으로 1년을 4분기로 나눠서 1/4분기에 영화 두 편을 만들어야만 외화 수입쿼터를 얻을 수 있는 영화정책이 있을 때였습니다. 그러니깐 영화사마다 계약을 하고 나면 3개월 안에 영화를 완성시켜달라는 것이 아주 당연한 논리예요.

그래서 〈어둠의 자식들〉 촬영을 하려고 하는데 이쪽은 이쪽 대로 제작부가 추진을 하고 그러니깐 어쩔 수 없다, 그걸 갖다가 일본말로 '가께모찌'라고 그러는데 양쪽을 다 뛰는 수밖에 없다. 옛날에 신상옥 감독님이 하시던 방식, 그러니까 신상옥 감독님이 이런 걸 익숙하게 한 사람이에요. 연출부팀을 둘로 나누죠. 조감독팀을 두 팀으로 나누어서 하는데, 우리 김홍준 감독이 녹음실로 왔을 때도 저쪽 녹음실 두 개를 다 쓰고 있었어요. 진흥공사 녹음실을 두 개 다 쓰는데 한쪽에서는 〈그들은 태양을 쏘았다〉를 녹음하고 이쪽에서는 〈어둠의 자식들〉을 녹음하고, 가령 이쪽에서 지금 테스트하는 동안에 내가 앉아서 지켜보고 있다가 저쪽에서 성우들이 입을 다 맞췄다고 하면 그쪽 가서 지켜보고, 또 그동안 이쪽에서는 연습을 하다가 이쪽에서 다 맞췄다고 하면 이쪽 와서 하고 그렇게 했는데… 녹음할 때 그랬으니 촬영할 때는 오죽했겠어요? 촬영할 때는 내가 스튜디오에서 밤을 꼬박 새우면 저쪽 제작부들이 와서 내가 도망갈까 봐 새벽에 기다렸어요. 그래가지고 날 잡아, 잡으러 온다고. 밤 꼬박 샜는데 꼼짝 못하고 거기 실려 가서는 그쪽 가서 또 촬영을 해. 그런 악순환을 하면서 두 영화 다 기한까지 완성을 해야 한다고.

어둠의 자식들

그래서 내가 드디어 하루는 결심을 했어요. 이러다가는 큰일 나겠다. 작품을 망치기 쉽겠다, 하는 생각을 해서 〈별들의 고향〉 때도 내가 한번 그 제작부장 목을 자르려고 배짱을 부리고 촬영을 보이콧하고 그런 적이 있었는데, 요번에는 집에서 사소한 일로 말다툼이 있었어요. 어떤 말다툼이냐면 우리 아버지가 아들 이영호를 배우로 쓰라고 매번 강압했어요. 네 동생인데 왜 배우로 안 쓰냐고. 그런데 그때 〈어둠의 자식들〉에서 주연은 아니지만 안성기를 계속 쓰니까 집안에서 아버지와 내 사이가 그 뭐랄까, 하여튼 아주 불편한 관계였어요. 그런데 이 〈그들은 태양을 쏘았다〉에서는 이영호를 쓰라는 압력 때문에 할 수 없이, 그 압력 때문이 아니라도 나갈 생각이었는데 어쨌든 그런저런 것들로 갈등이 많았을 때 아버지와의 갈등을 핑계로 대고 아내랑 어린 아이 둘을 데리고 무조건 도망 나왔어요.

회사도 모르게, 양쪽 회사가 다 모르게 나와서 남한일주를 하는데… 일주했을 때 내가 느낀 게 둘 다 망치는 것보다는 철저히 하나는 건지자. 하나는 완전히 망해도 하나만 건지면 명맥은 유지할 수 있다, 이런 결론이 났어요. 그동안에 나 잡으러 다니느라고 제작부장들은 계속 뒤를 쫓았는데 서울에 들어와서 내가 결정한 대로 "난 이쪽 〈어둠의 자식들〉에 전념하겠다. 그리고 저쪽은 선우완이라는 굉장히 노련한 조감독이 있고 장선우는 시나리오에 재주가 있고, 그쪽은 그쪽대로 너희들이 잘 알아서 결정을 해라. 난 〈어둠의 자식들〉만 주력하다가 현장에 와서 레디고만 부르겠다" 그 방법으로 나갔죠. 장선우도 내가 다니던 교회에 결석이 잦긴 했지만 출석하고 있었고, 배창호도 그 교회에 출석하고 있었고, 안성기도 나오고…이렇게 교회에서 만나서 모였기 때문에 우리는 계속 붙어서 주일까지도 영화에 대한 이야기를 함께 해왔던 관계구요. 어쨌든 한 달 사이에 두 편의 촬영을 끝내야 했고, 나머지 한 달 사이에 편집녹음을 했어야 됐으니깐 손톱이 막 비틀어져서 나오고 그런 스트레스를 받았던 생각이 나네요.

김홍준 그러니깐 양쪽으로 석 달에 두 편의 영화를 완성하셨던 거네요. 상상이 안 가는 건데…

이장호 재밌는 얘기를 하나 하면 〈어둠의 자식들〉에서는 우리 아버지를 여러분이 볼 수 있었는데, 영애(나영희)를 사기 치는 그 학원의 원장이 우리 아버지예요. 그렇게 영화에 출연하기를 좋아한다고. 이 영화에서 대사를 처음 하셨는데 대사를 주면서 NG를 한 세 번 내면은 "야! 나 촬영 못 하겠다. 혈압 높아서 못 하겠다" 하는 사람이거든요. 〈그들은 태양을 쏘았다〉에서는 은행지점장 역할을 했는데 그 지점에 은행강도가 들어와요. 2인조 강도인데 내 동생하고, 성우 박일이라는 사람 둘이 2인조 강도야. 들어와서 인질들을 잡아서 내 동생이, 그러니까 우리 아버지 아들이 인질들을 한쪽에다 몰아놓고 계속 "앉아! 일어나! 앉아! 일어나!" 이렇게 시키거든. 그러니 우리 아버지가 아들이 시키는 대로 "앉아. 일어나. 앉아. 일어나"를 하다가 드디어 몇 번 그렇게 NG를 내고 다시 연습하고 하다가는 화가 나서서, 그렇지 않아도 나랑 사이가 안 좋았을 때라 아버지가 "야! 지금 나한테 복수하는 거야!" 하는 거야(일동웃음). 그러면서 촬영 못하겠다고 화를 내시던 그런 생각이 나네요. 남한일주 여행하고 나서 첫 번째 촬영한 게 은행강도 장면이었거든요. 나한테 항의하시던, 돌아가신 아버지인데 지금 보면 멋있기만 한데 그런 에피소드가 있어요.

김홍준 감독을 아들로 둔 아버님은 가끔 영화 속에 모습을 남기는 경우도 생깁니다. 〈그들은 태양을 쏘았다〉라는 영화는 여러분은 거의 못 봤을 텐데 조금 소개를 하자면, 아마 70년대 말에 있었던 사건이죠. 굉장히 유명한 사건인데…

이장호 1973년에 실제로 있었던 사건이죠.

김홍준 예. 이종대, 문도석이라는 두 은행강도. 영화에서나 봤던 총을 든 무장은행강도가 처음으로 생겼던, 그리고 인질극을 벌이다가 결국은 나중에 다 사살 당했죠?

이장호 아들 이름을 큰별이, 태양이 이렇게 지어서 〈그들은 태양을 쏘았다〉는 바로 자기 아들을 뜻하는… 그리고 이걸 패러디한 게, 이명세 감독의 〈개그맨〉이라는 영환데 안성기하고 배창호가 직접 배우로 나온 〈개그맨〉이 문도석, 이종대 사건을 패러디한 거에요.

김홍준 그래서 지금 말씀하신 대로 〈개그맨〉의 캐릭터 이름도 문도석, 이종대로 실명이 쓰였을 거고요. 그리고 또 같은 사건을 가지고 최인호씨가 『지구인』이라는 소설을 쓰기도 했고요. 70년대에는 이 사건이 있었고 80년대에 가면 〈홀리데이〉라는 영화로 나왔던 유전무죄무전유죄 사건이 있었고, 하여튼 굉장히 의미심장한 얘기였고 말씀하신대로 비극적으로 끝났는데 스스로 가족들을 인질로 잡아서 대치를 하다가 아이들을 다….

이장호 자기 아이들을 다 죽여요.

김홍준 그래서 〈그들은 태양을 쏘았다〉라는 태양은 그런 의미입니다. 굉장히 비극적인 영화인데, 영화가 뭔가 있는데 처음 봤을 때 이런 내막을 모르니까. 뭔가 감독님이 안 계실 때 찍은 것 같은 느낌이 들었는데 과연 거의 안 계신 상태로… 〈어둠의 자식들〉 얘기로 돌아가자면 지금 보니까 〈어둠의 자식들〉을 이렇게 표현할 수 있을지 모르겠지만, 30년 전에 보고 오늘 처음 봤는데 그때는 못 느꼈던 사람들의 얼굴에서 굉장히 느낌이 오더라고요. 요즘 우리나라 사람들 혹은 연기자들의 얼굴에서는 좀 찾기 어려운 날것 그대로의 느낌이라고 할까? 굉장히 강한 그런 느낌들 같은 것이 있었는데요. 이 영화의 캐스팅을 보면 〈바람 불어 좋은 날〉에 나왔던 많은 분들, 김성찬씨나 조주미씨는 또 같은 애인사이로 나오고, 또 여기 보면 요즘은 재벌회장이나 장군으로 나오시는 기주봉씨가 사자머리로 파마하고 양아치 역할로 나오시는….

이장호 나한일씨도 나오고.

김홍준 에, 나한일씨도 나오고요. 그런 분들의 젊은 모습을 볼 수 있는데 이 당시 현장에서의 분위기는 어땠을까요? 제가 좀 궁금해요. 저런 젊은 연기자들이 모여서 이런 야한 분위기 속에서 촬영했을 텐데…

이장호 어느 영화인이나 감독이나 이렇게 전성기 때는 다 사단을 거느리게 되는 것 같아요. 여기에 출연한 배우들이 전부 그 당시에 내 영화에만 나오는 배우들처럼 됐었고, 조주미씨하고 기주봉씨는 극단에서 한창 〈관객 모독〉이라는 연극을 하고 있을 때라 이 영화가 데뷔처럼 됐기 때문에… 나한일씨 같은 경우는 거의 우리 집

어둠의 자식들

에 기숙하다시피 했고 당시에 우리 집에 밥 먹는 식구들이 엄청나게 많았어요. 그런 사람들하고 모여 살다시피 하고 영화를 만들었기 때문에 '이장호 사단' 이라고 불렀죠.

언제나 신인들하고만, 나는 가만 보면 일생 동안 만든 영화들이 신인들하고만 일을 하고 가끔 스타를 썼다고 하면 〈바람 불어 좋은 날〉의 유지인 같은 경우가 특별한 경우에요. 촬영을 하다보면 나하고 같이 일하던 사람들이랑 일을 하면 굉장히 편하고 신선한 느낌이 드는데, 스타들하고 일하면 거북해요. 걷는 모습까지도 마음에 안 들어. 그러니깐 그런 걸 가지고 내 식으로 요구를 하면 그쪽에서 그 요구가 무리하다는 것 때문에 나한테 반발을 일으키고 서로 불편해지고. 그래서 나는 스타들을 쓰는 것을 계속 피해왔어요. 계속 신인들을 쓰다가 스타가 된 경우가 안성기라든지 이보희라든지… 김명곤 같은 경우는 이후의 작품 〈바보 선언〉에서부터 내 영화마다 나왔는데 사람들이 김명곤인지 몰라요. 유명한 배우가 안 되는 운명을 가지고 태어났는지 김명곤씨에 대해서 알아보지 못하다가, 〈서편제〉에 나오고 나니깐 그때서야 사람들이 '아! 하고 김명곤이라는 사람을 영화에서 처음 대하는 것 같은 그런 일이 있었어요.

지금 영화 만들라고 해도 나는 스타를 쓰면 내 영화 같은 기분이 안 든다, 라는 이런 생각이 머릿속에 있는데 그건 뭐냐면 생생한 기분이 안 든다는 것 때문이에요. 지금도 한국영화를 보면 개성 있고 새로운 얼굴들이 나왔다, 그러는데 어느 틈에 보면 단골이 돼서 이 영화를 봐도 그 사람이 나오고 저 영화를 봐도 그 사람이 나오고… 그런 느낌이 들어요. 그런데 그 당시에 내 영화를 보면 내 영화에만 얼굴이 나오는 배우들이 있어요. 그러니까 다른 영화에선 볼 수 없는 얼굴들, 그런 사람들이 여기에는 많이 등장하죠.

김홍준 방금 말씀하신 조주미씨는 걸핏하면 웃통을 벗는 역할을 하신 분이고, 나한일씨는 어떤 역할이었죠?

이장호 나한일은 기둥서방, 많이 나오는데 얼굴을 모르지. 김명곤도 〈어우동〉에서도 그렇고 〈바보선언〉에서도 그렇고 거의 주인공이었잖아요. 볼 때마다 너무 평범한 얼굴이니까 설마 저 사람이 배우랴 싶었는지 사람들이 알아보질 않는다고.

김홍준 나영희씨한테 이 영화가 데뷔작이잖아요. 책에서 읽기론 감독님께서 이름도 지어주셨다고 들었는데…

이장호 본명은 방숙희예요. '카수 영애'를 찾기가 힘들었던 게… 이때는 동시녹음은 아니지만 이제는 본인녹음을 넣어야 될 때였고, 요즘은 배우들이 노래도 잘하고 연기도 잘하는 시댄데, 그 당시에는 배우가 노래를 한다는 게 정말 힘들었어요. 이렇게 저렇게 사람을 찾던 중에 하루는 누가 신인을 데리고 왔는데 보니까 아주 팔자가 사납게 생겼더라고, 얼굴이 길고. 그래서 얘가 얼굴이 미인도 아니면서 카수 영애하고 잘 맞겠다, 해서 노래를 할 수 있냐고 물으니까 노래 잘한다고 그래요. 노래를 한번 시켜봤는데 정말 잘 부르더라고. 그래서 이 작품을 위해서 네가 잘 왔다.

그랬었는데 방숙희라는 이름이 싫어서 내 나름대로 영화 10년을 가만히 돌이켜 보니까, 여배우 이름은 일단 흔한 이름이고 쉬워야 된다. 흔한 이름인데 어쩐지 흔하지 않은 이름인 것 같다, 그런 결론을 내렸어요. 뭐 '계집 희'자 들어가면 문희, 윤정희… 아주 쉬운 이름들이야. 그래서 영희라는 이름이 제일 쉬운데, 영희만 하면 너무 쉬우니깐 성을 독특한 걸 붙여야겠다. 그래서 이영희 하면 재미가 없

어둠의 자식들

는데 나운규 선생의 딸이라고 생각을 하고 나씨를 붙여서 나영희라고 하니깐 이름이 아주 독특해지더라고, 그래서 나영희로 붙였지.

김홍준 한자로 보면 '영' 자도 '영화 영' 자.

이장호 음, 그 다음부터는 알아서 만들었지.

김홍준 그 당시 한국영화를 조금 살펴보면 1981년에 〈어둠의 자식들〉이 개봉이 됐는데 8월 7일 명보극장 개봉으로 되어 있고, 25만 명이 들었으니까 굉장히 히트작이었죠. 요즘으로 치면 한 400만 영화라고 생각하시면 될 거예요. 이 영화는 백상예술대상에서 신인연기상을 나영희씨가 받았으니깐 신인배우를 하나 발굴한, 감독님도 어쨌든 〈바람 불어 좋은 날〉이 11만 얼마로 약간 부족한 듯 보였지만 〈어둠의 자식들〉로 흥행감독으로 입지를 다시 굳히셨고요. 그 다음 행보가 주목되는 감독군에 들게 되었습니다. 그리고 그해 한국영화 중에서 제가 보기에 관심을 가질만한 영화로는 같은 화천공사에서 기획한 임권택 감독님의 〈만다라〉가 이 영화 직후에 개봉됐고요.

이장호 안성기가 머리를 깎아서 항상 모자를 쓰고 있고 작은 역할로 나오는데 왜 그랬냐면, 원래 이동철 역할로 나오게 하려고 뽑아 놨다가 가수 영애가 주인공이 되니까 할 수 없이 안성기가 의리로 출연할 수밖에 없는… 임권택 감독하고 정일성 감독이 그때 상당히 불쾌하게 생각했던 것이, 자기네 주인공을 아무리 의리라고 해도 그렇게 쓸 수 있느냐 그런 오해를 받았어요.

김홍준 그래서 첫 부분에 진짜 삭발한 채 나오는 장면을….

이장호 일부러 그런 설정을 한 거거든요.

김홍준 〈만다라〉 때문에 깎으셨으니까.

이장호 응, 〈만다라〉 때문에.

김홍준 그 다음에 이원세 감독의 불운한 작품인 〈난장이가 쏘아올린 작은 공〉이 나왔었고, 그해는 〈만다라〉, 〈난장이가 쏘아올린 작은 공〉, 〈어둠의 자식들〉 이렇게 세 편이 말하자면 상업영화의 한계 속에서 우리 사회를 나름대로 비판적인 시각으로 바라보려는 중요한 작품이 동시에 나왔던 해였습니다. 감독님의 다음 작품이 1982년 〈낮은 데로 임하소서〉가 되겠고요. 안성기씨는 그 후 1982년에 임권택 감독님의 〈안개마을〉을 하셨고, 배창호 감독님은 〈꼬방동네 사람들〉로 데뷔를 하게 되는데요. 배창호 감독님이 조감독을 하신 것은 〈어둠의 자식들〉까지인가요?

이장호 〈바람 불어 좋은 날〉, 〈어둠의 자식들〉 두 편까지 했지.

김홍준 감독님은 〈별들의 고향〉으로 데뷔하실 때 신상옥 감독님과 떨어지셨는데, 배창호 감독님이 데뷔하실 때는 어땠나요? 감독님이 어떤 역할을 해주신 건지, 배신을 때리신 건지…

이장호 내가 신상옥 감독님을 떠났을 때의 일도 있고 해서 늘 조감독들한테 얘기하는 게, "배신해야 큰다, 배신해야 큰다"라고 얘기를 해왔어요. 그래서 배창호가 감독으로 일한 회사가 현진영화 사인데 내가 일부러 가서 기획실장 역할을 하고 배창호가 〈꼬방동네 사람들〉을 만들게끔 사전에 준비를 다 해놨고, 근데 재밌는 게 배창호도 그렇고 똑똑한 감독들이 자기들 첫 번째 영화 만들 때 기획으로 내 이름 들어가는 것을 굉장히 싫어한다고. 배창호 감독도 〈꼬방동네 사람들〉의 기획이 이장호로 들어가야 되는데 와서 통사정하더라고 못 넣겠다고.

그리고 〈누가 용의 발톱을 보았는가〉도 강우석 감독인데 내가 제작과 기획을 했지만 이름을 못 넣겠다고 하더라고, 내가 그걸 잘 이해해요. 신상옥 감독님이 〈별들의 고향〉을 이형표 감독 촬영으로 하라고 했을 때 이건 내가 만든 영화가 아니라 이형표 감독이 만든 게 되겠구나, 그런 것처럼 감독들이 그런 오해를 받기 싫은 거죠. 자기가 그렇게 열심히 만들었는데 이장호가 만들었구나, 하는 소리를 듣기 싫어서 도망가는 거예요. 그래서 나는 배창호도 그렇고 박광수도 그렇고 데뷔할 때는 늘 지원을 했었어요.

김홍준 한 질문만 더 드리고 질문을 좀 받겠는데요. 80년대의 영화를 보면 화천공사에서 굉장히 좋은 작품들을 많이 만들었는데, 사실 거기엔 기획을 맡으셨던 황기성 프로듀서님이 계시지 않았습니까? 〈어둠의 자식들〉 때는 어떤 역할을 하셨는지 황선생님에 대해 말씀을 좀 해주시죠.

이장호 황기성씨가 이때 아마 화천공사에서 상당히 큰 역할을 했을 것 같아요. 황기성씨가 이 작품을 기획했는데 〈별들의 고향〉 때는 황기성씨가 없었던 때고 〈만다라〉 때 왔던 것 같아요. 〈만다라〉는 〈어둠의 자식들〉보다 더 후에 촬영을 시작했고 그전에 임권택 감독님의 〈오염된 자식들〉이라고 있었는데, 이런 일이 있었어요. 〈바람 불어 좋은 날〉하고 〈어둠의 자식들〉은 해외반출불가, 그러니까 검열을 내주면서 해외반출불가를 받았어요.

김홍준 영화제에도 못 나가고 수출도 안 되고….

이장호 영화제도 안 되고 수출도 안 된다는 도장이 찍혀서 검열을 받았는데, 베를린에서 황석영의 이름이 유명해졌을 때 반정권파들, 안티들이 베를린에 굉장히 많이 있었어요. 옛날의 간호부, 광부 출신들이 주축이 돼서 박정희 대통령, 전두환 정권에 계속 항거하던 사람들이 있었어요. 이 사람들이 베를린영화제 측에 요구를 해서 베를린영화제에서 〈어둠의 자식들〉을 이쪽으로 보내 달라, 초청을 했는데 화천공사에서 이것은 해외에 나갈 수가 없으니깐 〈오염된 자식들〉을 내보냈다고요. 그래서 베를린영화제에서 사람들에게 항의를 받았죠. 황석영의 원작이 아니다, 하는 항의를 받은 일이 있었고.

그때 임권택 감독님하고 나하고 좀 미묘했던 게 동아흥행에서 김성동의 『만다라』를 하려고 기획을 했는데, 화천공사하고 경쟁을 했다가 화천공사에서 돈을 더 내는 바람에 이 작품이 화천공사로 넘어가고, 그래서 나는 할 수 없이 〈그들은 태양을 쏘았다〉를 한 것 같아요. 나는 『만다라』를 만들려고 했을 때 〈어둠의 자식들〉 같은 눈으로 어떤 사회적 드라마로 만들지 생각을 했는데, 임권택 감독님이 만든 것은 완전 구도자적인 영화였고 그래서 내가 속으로 굉장히 실망을 했었고… 그런 출발이 좀 미묘한 부분들이 있었어요.

- 〈어둠의 자식들〉 윤락가의 박원숙
- •• 〈어둠의 자식들〉 윤락가의 이대근과 신인

김홍준 그러면 여러분의 질문이나 코멘트를 좀 받겠습니다. 너무 어려워하는 것 같아요. 이제 좀 편할 때도 된 것 같은데….

이장호 이 영화를 만들 때의 현실을 여러분에게 얘기한다면, 그런 이야기를 내가 많이 했어요. 그때는 영화보다 현실이 더 드라마틱했어요. 하루아침에 세상이 이상하게 되고 이럴 때라 광주항쟁 같은 것들은 영화에 담지도 못하는데, 현실이 더 기막히고 드라마틱하고 영화는 양순한 거예요. 요즘은 달라져서 현실이 편안하니깐 영화가 더 갖은 요란을 떠는 수가 있죠.

김홍준 질문이 또 떠올랐는데 저도 그 당시 서울에서 살았으니까요. 영화 속에서 대학생들이 단체로 와서 막 성매매 하러 들어가잖아요. 내가 저 대학생들 중에 한 명 같은 그런 인상이었을 것 같아요. 그런 나이의 감수성으로 이 영화를 봤었는데, 사실 영화에서 보면 지금은 다 없어졌지만 저기가 이른바 양동 아닙니까?

이장호 촬영은 양동에서 한 거고 소설에서는 588. 나도 윤락여성에 대해 오해가 참 많았어요. 윤락여성들이 굉장히 거칠고 못되고 아주 쌍스러울 거라고 상상을 하고 있었는데, 그 사람들한테 뭐랄까… 연약한 모습들이 있는 게 믿겨지지 않았거든요. 감독은 경험을 하기 위해서는 부딪칠 수밖에 없어요. 이전에 흑인세계를 그린 『뿌리』라는 소설을 보고 충격을 받았었는데 그 비슷한 충격을 『어둠의 자식들』의 세계 속에서 받았어요. 〈바람 불어 좋은 날〉때 배창호 감독하고 나하고 뭐라 그러지 그걸? 사람을 파는 시장을?

김홍준 인력시장이요.

어둠의 자식들

이장호 아, 인력시장. 거길 새벽에 가서 봤는데 그때 정말 난 충격을 받았어요. 요즘은 그런 건물이 없는데 남대문시장의 삐거 덕삐거덕하는 다방 건물 계단에, 한 계단에 아이 세 명이 앉으면 꽉 차요. 그 계단 끝까지 애들이 세 명씩 쫙 앉았는데, 다 몇 살이냐면 우리 아들 정도, 열 살에서 열세 살 정도의 아이들이… 얼마나 내가 충격을 받았냐면 어렸을 때 돌멩이 들추면 벌레들이, 갑충들이 우글 우글하는 거 보듯이 어딜 지나다가 골목 계단을 들여다봤는데, 애들 이 쫙 그러고 앉아가지고 눈빛만 요러고 보고 있는데 진짜 무섭더라 고요. 저주 받은 대한민국이라는 생각이 들었어요.

충격을 받고 배창호한테 내가 뭐라고 했냐면 진짜 무섭다. 바로 그 앞에 서울시립경찰서가 있었는데, 시경 건너편에서 미성년 자를 사고파는 것을 가만히 보고 있는 대한민국이 너무 충격적이었 어요. 그래서 내가 배창호 보고 "야 우리 화려한 데 좀 가보자, 화려 한 데" 그랬어요. 정서를 가눌 수가 없는 거예요. 그래서 거기서 걸어 서 시청 앞 광장 커피숍에 앉아서 바라보니까 시청 앞에 태극기가 팔 락팔락하는데 야… 진짜 못 볼 꼴이구나. 그때 처음으로 배창호한테 "나 영화하지 말고 정치할까?" 이 말이 자연스럽게 튀어나왔어요. 정 말 그때는 정치를 좀 해서 투쟁하고 싶었는데, 그러면 난 벌써 어디 들어갔었을 것 같아(웃음). 제 명에 못 살았을 것 같아요.

그런 것처럼 〈어둠의 자식들〉할 때는 또 청량리588에 드나 들었어요. 가서 여자아이들하고 얘기하고 그랬는데 내가 영화감독이 다, 하고 이런 얘기 저런 얘기를 하니까 그렇게 거칠 거라고 생각했 던 아이들이 정말로 너무 어린 거야. 애들이 부끄러워하고 막 수줍어 하고 그러는데, 이 아이들이 어떻게 남자 상대로 매춘을 하고 어떻게 거친 면을 보여줄까? 그 아이들이 모일 때는 여대생처럼 하다가 상대 가 거칠게 나오면 이거는 뭐 상대보다 더 거칠게 나올 수 있는 훈련이

후천적인 거구나. 선천성은 그대로 보존이 돼있는 거구나, 라는 걸 깨달았죠. 영화감독 하면서 나를 성장시키는 것들이, 영화를 만들기 위해서 현장을 조사하다가 느끼는 것이 굉장히 많은 것 같아요.

김홍준 지금은 헐렸지만 실제 저 장소는 그 당시 아주 유명한 창녀촌, 요즘은 집창촌이라 부르죠. 촬영할 때 문제는 없었나요?

이장호 밤에 촬영할 때는 돌이 막 날라 왔어요. 뭐랄까, 자기네들에 대해 모욕적인 것으로 오해하고 돌 던지고… 밤에 촬영하는 것이 굉장히 위험했고 낮에 술에 취한 사람들이 시비 붙고 하지만 그런 것은 어느 촬영장에나 있는 일이니까요.

김홍준 제작부들이 해결을 하죠. 그 장소에 사는 분들은 자기네들의 모습이 찍히는 것을 싫어하고 정부에서는 이런 걸 왜 찍었냐고 하고… 왜 찍으셨어요?

이장호 그 당시에 내가 아니면 찍을 사람들이 없었을 것 같고 〈어둠의 자식들〉은 못 만들 줄 알았는데 만들 수 있었으니깐 얼마나 고마웠는지 몰랐죠. 가끔 가다가 매춘영화들이 나오기는 했지만 이때까지만 해도 밑바닥 세계를 그린다는 것이 아직도 독재가 있었던 때라 쉬운 일이 아니었지. 재밌었던 건 얼마 전 청첩장이 왔는데 영화에 나오는 아영이가 커서 며칠 전에 시집을 갔어. 너무 신기하더라고.

김홍준 원래 아역배우였나요? 아니면 친분이 있어서 캐스팅하신 건가요?

이 장 호 어느 단역배우의 딸이었어.

김 홍 준 지금은 뭐하세요?

이 장 호 지금은 할아버지가 돼서….

김 홍 준 아니 아영이 역할 했던 분요.

이 장 호 내가 자세히는 못 물어봤는데 결혼식에 늦게 가서 얼결에 그냥 축사만 하고 끝났는데 아주 신기하더라고, 어렸을 때 얼굴이 있을까 궁금했는데 못 알아보겠더라고.

김 홍 준 아까 교회 얘기가 나와서 여러분들에게 이미지를 떠올리도록 말씀드리자면 저도 한번 따라가 봤어요. 아마 감독님이 그때 저를 전도를 하시려고 하지 않으셨나… 아무튼 저한테 같이 가자고 하셨던 것 같은데 하월곡동이니깐 이 근처였어요.

이 장 호 동덕여대 있는 데.

김 홍 준 동덕여대 쪽에, 그때는 완전히 달동네 쪽이었는데 요즘 여러분이 생각하는 번듯한 교회가 아니라 감독님이나 김영동 씨, 그 당시 뭔가 좀 답답한 상황이지만 새로운 것, 진실 된 것을 해보자는 예술가들도 들락날락한, 그리고 그때 목사님이 아마?

이 장 호 허병섭 목사님. 허병섭 목사는 예비검속이라고 하나? 까딱 잘못하면 안기부 가서 얻어맞고 그런 목사님이었는데 이 목사님 얘기를 잠깐 하면 얼마나 천하태평 목사님이냐 하니… 조사받는데 안기부 사람들이 그런대요. "아니, 이 자식은 정말 재미없어. 이건 뭐 버티는 놈이래야 재밌지." 수사관들이 왜 그렇게 말하는지 알아보니 허병섭 목사님은 가만히 얌전하게 앉아서는 "너 빨갱이지?" 그러면 "네"(일동웃음), 무조건 다 그냥 싱겁게 긍정하고 "네네" 그러니깐 재미가 없다는 거예요. 뒤집어 씌워도 반항하는 놈이 재밌지, 그냥 날 잡아 잡쉬 하는 식이니깐 재미없다는 거야.

그렇게 약한 목사인데 또 엄청나게 강해요. 강해서 이 목사님이 결국은 사고를 저지른 게, 자기는 목회에만 전념할 수 없다. 이런 세상에서 목회에만 전념할 수가 없다. 그래서 일용직 노동자가 돼요. 일용직 노동자가 되어서 건축 현장에 가서 노동하고 자기 생계 책임지면서 목회를 했는데, 결국은 그것도 뭐 영성의 문제인지 난 목사 될 자격이 없다, 해서 목사를 반납했어요. 난 이때 처음 알았는데, 노회老會라는 게 있어서 반납한다는 것이 받아들여지지 않아요. 그런데 노회에 재판을 걸어서 결국은 이 사람이 승소를 해요. 그래서 목사 자격증이 없어지게 되고, 지금은 농촌에 내려가서 농사를 짓고 있죠.

김홍준 지금은 까마득한 옛날 같지만 80년대 같은 경우는 놀라울 것도 없는 그런 상황 속에서 수많은 일도 있었고요. 그냥 하나 궁금한 게 갑자기 떠올라요. 그때 감독님은 정보기관이나 권력기관에 요주의 인물 내지는 시찰대상은 아니었나요?

이장호 나는 그런 치다꺼리를 한 번도 안했고, 장선우만 해도 형사가 따라 다녔다는데 학생운동시절에 그런 게 있어서 그랬고… 나 같은 경우는 운동권이라고 생각하지는 않았어요. 대마초 핀

어둠의 자식들

놈이 운동권이 어떻게 될 수 있냐고 생각했었던 것 같은데… 이런 게 있었던 것 같아. 〈과부춤〉 만들고 나서 한동안 연출 의뢰가 들어오지 않았는데 가만히 생각해보니까, 그 당시에는 영화판에 안기부의 수사관 중에 영화담당이 두 사람이 있었는데 두 사람이 하는 일이라는 게 매일 영화사 돌아다니면서 정보를 얻는다는 핑계로 영화사 사장들 만나서 점심 먹고 다니는 거야. 그 사람들이 영화판에 떠도는 이런저런 얘기를 하는데 그때 나에 대해 골치 아픈 놈이다, 저런 영화만 만들고 흥행도 안 되고… 그렇게 해서 영화 쪽에서 나를 소외시키는 그런 게 아니었을까. 왜냐하면 잘 들어오던 연출 의뢰가 한 번도 안 들어오는 거야. 대마초에 걸려서 4년 동안 활동을 못 했으니까 내가 놀랐지. 야, 이거 이러다 나 영화 못 만드는 거 아닌가, 하는 그런 공포도 느끼고 했었는데 그런 제재는 있었던 것 같아.

김홍준 일종의 보이지 않는 블랙리스트였던 거죠. 그 얘기는, 감독님의 영화보다 더 재미있다면 어폐가 있겠지만 〈바보선언〉은 정말 세계 영화사상 전무후무한 작품이라고 저는 생각하거든요. 〈바보선언〉이 만들어진 경위나 개봉된, 또 그 후의 사회적 반향 같은 것들은 〈바람 불어 좋은 날〉과 비견할 수 있는, 어쩌면 그보다 더 큰 의미가 있었던 영화인데… 그 얘기는 다음 주에 영상자료원에서 〈바보선언〉을 보고 찐하게 이야기해보도록 하겠습니다. 특별한 질문이 있나요? 영화가 좀 어두워서….

학생1 저는 많이 궁금한 게… 감독님께서 영화를 만들었을 때랑 지금이랑 시절이 많이 바뀌었잖아요. 그 얘기는 사회 이슈가 되던 사건 자체가 다르다는 건데… 저번 주에도 신상옥 감독님의 〈내시〉를 보면서 신상옥 감독님 자기 스스로가 영화 속에서 내시감 역할을, 현존하고 있는 그 당시의 예술가로서 감독으로서의 자신의 발언을 한 것이 아닌가라는 생각을 했거든요. 그렇다면 대부분 전쟁 세대를 겪고 불운한 시대를 겪었던 많은 예술가들은 동서고금을 막론하고 그 기억의 잔상에 대한 자기만의 과거 방식으로 작품 활동을 한다고 생각을 해요. 반면에 현대에 와서는 수많은 작품들이나 다양한 매체의 예술들이 나오지만, 실제로 사회가 아니면 세상이 다루고자 하는 아픈 이면이나 그늘진 부분에 대해서는 저희가 보는 영화나 이런 데서 많이 찾아볼 수가 없는데요. 그 시대를 겪었던 감독님의 시선에서 봤을 때 지금 한국영화라든지 흐름이 어떤 시각으로 보이시는지, 그 말씀을 좀 듣고 싶습니다.

이장호 저번에도 얘기했지만 우리가 오랫동안 박정희 정권, 전두환 정권, 노태우 정권을 지내오는 동안에 영화 속에서 현실을 다룬다는 것이 70년대에는 거의 불가능했었는데… 80년대 들어와서 1979년 박대통령 시해사건이 나고 잠깐 민주화, 서울의 봄 이런 것들로 떠들 때 그때 〈바람 불어 좋은 날〉이 나왔거든요. 영화에서 리얼리즘을, 사회 밑바닥을 그린다는 것이 70년대까지는 용납이 안 됐었고, 박정희가 살아 있을 동안은 안 됐었고 죽은 다음에 이렇게 나왔는데… 사실은 문학이나 미술 쪽엔 굉장한 안티들이 포진이 돼 있었거든요. 그러니까 문학은 두 갈래로 나누어지고 미술도 두 갈래로 나누어지고 음악은 지극히 적은 인원의 안티들이 있었는데, 영화는 철저히 안티가 없었어요. 70년대에 하길종 하나가 버티고 있었다고요. 그러다가 80년대 들어와서 리얼리즘을 만들어야 된다, 라고 생각한 것이 〈바람 불어 좋은 날〉이고, 그러면서 〈바람 불어 좋은 날〉을 통해서 김홍준 감독도 그렇고 장선우 감독도 그렇고 영화 쪽에 새로운 인력들이 들어오는 계기가 됐다고요.

어둠의 자식들

213

〈어둠의 자식들〉 안성기, 나영희

　　〈어둠의 자식들〉 나오고 계속 그런 리얼리즘 계열의 영화가
시작되니까 80년대 말에 가서는 일종의 새끼를 친 거지, 〈꼬방동네
사람들〉도 그렇고요. 그 후에 박광수가 〈그들도 우리처럼〉 또 〈칠수
와 만수〉… 이렇게 자꾸 퍼져나가기 시작하는 거야. 80년대 말에 들
어오면 그런 것들이 주류처럼 번져가고, 90년대에 그런 것들이 슬그
머니 사라지면서 대기업투자가 들어오고… 영화의 리얼리즘 전성기
가 뭐로 꽃피우고 말았냐면 여균동이 〈세상 밖으로〉를 하면서 생각

지도 않게 리얼리즘에 욕설이 나오기 시작하는 거죠. 욕이 나오기 시작하면서 영화가 리얼리즘으로 발전되고 만개한다고 생각했는데, 이제 그게 상업적으로 퍼지는 거야. 잘못 이용당하는 거야. 그래서 한국영화에 욕설이 깔리면서 욕설이 상업적인 코드로 바뀌고 조폭 영화가 나오기 시작하고, 그렇게 사회와 현실의 흐름이 달라지는 것 같아요. 옛날에는 영화가 싱겁고 현실이 무서웠는데, 대기업이 투자하면서부터는 현실이 안정되면서 영화는 거칠어지기 시작하고 사나워지기 시작하고… 오히려 리얼리즘이라기보다는 과장된 현실, 이런 것들로 발전해서 결국은 조폭 코미디들이 주류가 되다시피 하는 그런 영화들이 나오는 게 아닌가, 생각을 해요.

김홍준 앞으로 영화를 만들 여러분들에게도 생각할 거리가 주어지는 말씀이셨는데요. 어쨌든 80년대에 전두환 정권의 폭압 정치가 본격적으로 문을 열었고, 오히려 1981년에는 좀 조용하다가 〈어둠의 자식들〉이 나올 수 있었던 것도 아직은 함부로 통제를 못해서 조금 풀어줬을 때지만, 이제 곧 1982년이 되고 하면서부터는 굉장히 엄혹해지는데… 그런 상황 속에서 나왔던 〈바보 선언〉에 대한 얘기를 기대하면서 여기서 마감을 할까 합니다. 감사합니다.

REVIEW

학생리뷰_배두리(예술사2008137019)

과장된 몸짓을 버리고 리얼리즘의 세계를

이제껏 본 이장호 감독님의 영화는 항상 비극적인 느낌을 내포하고 있다고 느꼈는데, 이 영화는 그런 면에서 단연 두드러졌다. 주인공의 직업과 소재 면에서도 그렇지만 영화적인 표현방식에 있어서도 그랬다. 〈어제 내린 비〉, 〈바람 불어 좋은 날〉을 거쳐 오며 영화가 점점 과장된 몸짓을 버리고 리얼리즘의 세계로 들어간다는 느낌이었다. 배우들의 연기가 이런 인상을 받는 데 큰 역할을 했던 것 같다. 개인적으로 박원숙씨의 캐릭터나 그의 연기가 참 인상적이었다. 〈바람 불어 좋은 날〉에서도 박원숙씨가 맡은 인물은 경박하면서도 한편으로는 안쓰러운 느낌을 자아냈었는데 〈어둠의 자식들〉은 그보다 좀 더 강한 느낌으로 다가왔다. 박복한 여자의 전형인데, 그런 이미지가 과거 한국여성들의 한 면모를 보여주는 것 같아 씁쓸하기도 했다.

교회의 창살에 매달려 고래고래 소리를 지르는 장면에서는 순간 전율이 돋을 정도였는데, 그 장면은 연기도 연기지만 그 상황과 화면에서 나오는 아이러니 때문에 더 기억에 남는 것 같다. 박원숙씨가 술에 취해 목사에게 매달리고 다음 날 그게 문제가 되자 교회를 향해 한탄을 퍼부은 것인데 그녀는 결국 교회 문 앞에서만 서성댈 뿐 그 안으로 들어가지 못한다. 하지만 아이러니하게도 후에 그녀의 아이는 목사 부부에게 입양되어 교회의 울타리 안에서 삶을 영위하게 된다. 이와 같은 교회의 표현과 같이 이 영화에서는 대구를 이루며 아이러니하게 변하는 상황들을 몇 개 더 보여준다. 가장 대표적인 건, 주인공 영애가 잘 나가던 시절, 불구인 손님의 다리를 보고 질겁하며 도망갔던 적이 있는데 영화의 마지막에서 영애는 아무도 받아들이지 않는 전신장애자를 품에 안고 방으로 들어간다. 이것은 어쩌면 아이를 따뜻한 품으로 안아준 세상에 대한 답례인지도 모른다.

이 영화는 어쩌면 박복한 여자들의 이야기라고 볼 수 있을 것 같다. 그 시대 언제 어디에서라도 볼 수 있는 여자들의 지친 얼굴에 대해 말하는 영화 같았다. 이 각박한 세상에서 가치 있는 것을 발견하기란, 또 그것을 지켜가기란 얼마나 어려운지에 대해 이야기하는 것도 같았다. 영화를 보는 내내 마음이 참 여러 가지 의미에서 심란했다. 옛날 한국영화를 보면서 이런 감정을 느낄 수 있다는 게 놀랍기도 하고 그 동안 외국의 고전영화는 의무적으로 챙겨 보려고 노력했으면서 한국영화에 대해서는 왜 그러지 않았나 싶기도 했다. 이장호 감독님의 영화들을 보고 마스터클래스에서 하시는 얘기를 듣고 있자면 그 시대 한국이란 나라 안에서 할 수 있는 만큼 최선을 다해 영화를 만드셨구나, 라는 생각이 든다. 동시대에 만든 외국영화와 우리나라 영화를 비교하면서 왜 이렇게 촌스러운지, 외국에서는 그 시대에 이런 생각을 했는데 왜 우리나라 영화는 그렇지 못했는지 이해할 수 없었는데, 그 시대의 영화들과 직접 부딪혀보며 내가 몰라도 너무 몰랐구나 생각을 하게 된다.

_바보선언

· 1983년, 97분
· 제작 _ 화천공사
· 원작 _ 이동철
· 각색 _ 윤시몬
· 촬영 _ 서정민
· 조명 _ 김강일
· 편집 _ 김희수
· 음악 _ 이종구

〈바보 선언〉에서 이장호 감독의 자살 장면

첫 장면에서 한 사내가 옥상에서 투신을 한다. 이때 그곳을 지나던 건달 동칠(김명곤)은 사내의 유품을 챙긴다. 동칠은 혜영(이보희)에게 반해 그녀를 납치해 결혼하려 하고, 택시기사 육덕(이희성)과 공모해 혜영을 납치한다. 그러나 혜영은 가짜 대학생 행세를 하는 창녀였음이 밝혀진다. 이후 세 사람은 같이 호객행위를 하고 윤락촌의 잔심부름을 하면서 생활을 이어간다. 그러던 중 동칠과 육덕은 강제로 팔려온 10대 소녀를 구해주려다가 들통이나 쫓겨나는 신세가 되고, 세 사람은 해수욕장에 진을 친 채 잠시나마 행복한 시간을 보낸다. 하지만 돈이 떨어지면서 혜영은 다시 매매춘에 나서고 동칠은 육덕과 함께 다시 서울로 돌아온다. 호텔의 웨이터로 들어간 두 사람은 어느 날 그곳 파티모임에 참석한 혜영과 재회하게 된다. 그러나 혜영은 난장파티에서 나체 상태로 무대 중앙에 세워진 채 뭇 남자들의 술 세례와 조롱을 받다가 사망하고 만다. 동칠과 육덕이 그녀를 단장시켜 묻으러 가면서 영화는 끝난다.

바보선언_1983

김홍준 안녕하십니까. 저는 한국예술종합학교 영상원의 김홍준이고요. 오늘 이렇게 또 한국영상자료원과 한예종 영상원이 함께 하는 이장호 감독님의 마스터클래스 두 번째 시간을 맞았는데요. 〈바보선언〉을 보는 이 시간에 여러분 와주셔서 감사합니다. 영화 잘 보셨을 거라고 생각하는데요. 감독님께서 이 영화에 대한 이야기를 여러분들과 함께 나누시기 전에 여러분들의 반영이랄까, 말씀이 궁금하다고 해서서 먼저 객석에 마이크를 좀 드리고 싶은데, 간단하게 이 영화에 대한 인상이나 평을 좀 해주실 분이 있으면 말씀을 해주시죠. 영화가 워낙 걷잡을 수 없는 영화이니까 어떤 말씀을 하서도 될 것 같습니다.

학생1 안녕하십니까. 지금까지 감독님 영화 7편과 저번 주 신상옥 감독님의 〈내시〉까지 잘 봤고요. 제가 앉아서 말씀드려도 되겠습니까? 예, 저는 이 영화를 중학교 2학년 때 봤어요. 그때는 제가 중학교 입학하고 성적인 호기심이 왕성해서 혹시 영화에 러브신이나 에로틱한 장면이 있지 않을까, 해서 보게 되었는데요. 이걸 극장에서 본 것은 아니었고요. 제가 중학교 때, 그때부터 유선방송이 본격화되면서 가정마다 유선방송 설치를 해서 틈틈이 성인영화를 틀어줬을 때였어요. 저는 어릴 때부터 아버지와 극장을 다니곤 했는데, 이런 유의 영화는 사실상 그때 처음 봤거든요. 제가 영화를 하기 시작한 지는 꽤 오랜 시간이 지났지만 저한테 묵시적인 영향을 알게 모르게 주었던 작품이 이 작품이 아닌가, 하고 생각을 하고 있어요.

어렸을 때 이 작품을 보고 처음에 영화감독이 뛰어 내리고 가짜 대학생 역을 하는 배우, 제가 정말 좋아했는데 지금 보니깐 그게 김명곤 선배님이시더라고요. 그래서 이 영화를 처음 봤을 때 한 3일 동안 머리가 멍했던 기억이 나요. 그때 왜 그런 생각을 했었냐면,

제가 초등학교 다니던 시절에 어떤 라면 제조업체에서 공업용 기름으로 라면을 만들었던 게 굉장히 이슈가 됐었거든요. 한국정부가 장난칠 게 없으니깐 먹을 거로 장난치는구나, 해서 어린 제 마음에 굉장히 사회적인 상처가 있었는데요. 저는 영화의 매체적 특성이, 사회에 반영을 하는 성격이고 영화가 미디어의 어떤 기폭제 역할을 하는 것이라고 생각을 하고 있구요. 그리고 계몽이라든지 사상을 민중에게 울림으로 다가가서 변화시킬 수 있는 것이 영화의 매체적 기능이 아닌가, 하는 사회적 역할을 생각했었어요. 그 다음 영화는 단순히 오락이 아니라 인간의 정신세계에 자유로움을 드높여 줄 수 있는, 책과는 또 다른 매체라고 생각을 했구요.

제가 그때나 지금까지도 이 영화를 이런 넓은 극장에서 다시 볼 수 있을 거라고는 상상을 못했는데, 그것도 필름으로 직접 이 영화를 보게 돼서 참가하는 학생으로서 굉장히 영광이었습니다. 그리고 얼마 전에 좋은 시나리오가 써져서 기분이 좋다고 하셨는데요. 후학이지만 학생으로서 영화 선배님에게 부탁 말씀을 드리자면, 앞으로 왕성한 활동을 하셔서 제2의 전성기를 누리시고 예전에 어떤 사회나 국가의 사정으로 인해서 본인의 영화적 천재성을 증명하지 못했다면 이제는 세상이 많이 바뀌었잖아요. 과거에 감독님께서 처음 영화를 찍으시던 때와는 세상이 바뀌었으니까 〈바보선언〉과 같은 영화처럼 저희들을 한 번 더 놀라게 하는 그런 영화를 만들어 주셨으면 좋겠습니다.

이장호 고맙습니다.

질문자1 공무원입니다. 이렇게 뵙게 돼서 영광이고요. 저는 이 영화 속에서 세상을 봤습니다. 다양하고 복잡한 세상, 그 세상 속

〈바보선언〉의 김명곤

에서 한 사람의 인생, 그 인생 속에서 사랑을 그려 나가는 것을 보았고, 그 사랑 속에서 진실한 사랑이 무엇이고, 사랑하는 어떤 한 인간의 분노가 무엇인지 보았습니다. 또 비련을 보았습니다. 상대성이 있어서 누가 누구를 비난해야 될지 이런 부분에 있어서도 미묘한 간격을 두시는 것 같아 빛나보였습니다. 최종적으로 다시 세상 속으로 들어가 보면 복잡한 서울, 세상의 다양성 이런 어떤 부분에 있어서 마무리를 보고는 참으로 감흥이 깊었습니다. 이상입니다.

이장호 고맙습니다.

김홍준 혹시 또 아까처럼 이 영화를 이전에 보신 분이 있다면 감회가 어떻다거나 무슨 말씀이든 손을 들고 말씀해주시죠. 이장호 감독님의 말씀을 듣고 싶어서 참으시는 것 같은데요. 우선 제 수업의 흐름에 따라서 하나 여쭤보고 싶은 게, 지난 시간에 〈어둠의 자식들〉까지 봤는데요. 〈어둠의 자식들〉이 〈바람 불어 좋은 날〉의 다음 해고 〈그들은 태양을 쏘았다〉는 1981년 작품이고요. 기록에 의하면 1982년에 〈낮은 데로 임하소서〉를 연출하셨죠. 이제 감독님의 필모그래피 순서가 엇갈리는데 이게 제작날짜와 개봉날짜가 달라서….

이장호 달라요.

김홍준 그래서 〈일송정 푸른 솔은〉, 〈과부춤〉, 〈바보선언〉 세 작품 다 1983년에 만든 걸로 되어 있는데, 제작순서와 개봉순서를 감독님이 정리해 주시고 〈바보선언〉 제작내용으로 들어가 주시죠.

이장호 〈낮은 데로 임하소서〉를 화천공사에서 먼저 시작했고, 그 다음 다른 데 가서 〈일송정 푸른 솔은〉 영화를 한 편 만들고, 다시 화천공사에서 〈어둠의 자식들〉 2부인 〈바보선언〉을 만들어났지만 회사에서 이걸 그냥 창고에다가 처박아두는 바람에 3부를 만들어야 하는데 재료가 마땅치 않으니까 그때 〈과부춤〉을 만들었어요.

김홍준 그러면 제작순서로는 〈바보선언〉 다음에 〈과부춤〉이고, 개봉은 둘 다 1984년에….

이장호 〈과부춤〉을 먼저 개봉했죠.

김홍준 그러니까 제 기록에 보니 〈과부춤〉이 1984년 2월 2일에 개봉이 돼서 대한극장에서 만 오천 명의 관객이 들었으니깐 흥행에 실패한….

이장호 아주 실패했죠.

김홍준 그래서 감독님께도 굉장히 타격이 컸을 텐데요. 그러다 바로 한 달 후인 1984년 3월 1일에 단성사에서 〈바보선언〉이 개봉되었고, 감독님께서 말씀해 주시겠지만 아무도 기대하지 않았는데 그 당시 관객이 10만, 요즘으로 치면 300만 영화는 된다고 봐야되겠죠.

이장호 10만이면 일단 안정권에 들어간다고 보죠.

김홍준 일단 이 영화는 감독님께서도 여러 자리에서 말씀

하신 자료도 있고 한데, 워낙 뒷이야기가 많은 영화이고 또 궁금한
게 많겠지만 제작과정을 한번 들어보도록 하죠.

이장호 여러분들한테 그 당시의 상황을 많이 얘기했었는
데, 1년에 4번 분기별로 나눠서 석 달에 한 편의 영화를 만들지 않으
면 제작사의 이득을 못 찾았어요. 외화 수입 쿼터를 못 받아서… 영
화사를 운영하기가 힘들었거든요. 근데 왜 이렇게 강제로 영화를 만
들게 했냐면 외국영화 수입에만 의존하고 한국영화 제작하는 것을
자꾸 기피하니까, 한국영화진흥책으로 강제로 영화를 만들게 하기
위해서 매년 4편의 영화는 만들어야만 되는 정책을 폈죠. 나는 〈어둠
의 자식들〉 3부작을 계약했기 때문에 1부는 '카수영애'라는 것으로
나갔고, 〈어둠의 자식들〉 2부를 만들려고 했는데 당시에는 사전검
열이거든요. 시나리오 검열을 받아서 허락을 맡아야만 제작할 수 있
었죠.

근데 〈어둠의 자식들〉 2부를 해서 들어가니까 당시 문공부
가 〈어둠의 자식들〉이라는 타이틀을 사용할 수 없고 원작자 이름을
밝힐 수 없다고 하는 거예요. 원작자가 황석영으로 되어 있을 때인
데, 원작자 이름을 밝힐 수 없다… 그런 상태에서 내용도 허가할 수
없다, 이렇게 결정을 봤어요. 근데 제작사는 나한테 어떻게 압력을
넣었느냐면 너는 이미 3부작에 대한 계약을 했으니까 회사에 손해
끼치지 말고 3개월 만에 빨리 영화를 만들어 내라는 조건이었죠. 그
당시 이미 보이콧을 당하고 했을 동안 날짜가 많이 지나갔고, 나는
정부와 제작사 사이에 껴서 이러지도 못하고 저러지도 못하게 되었
는데 그때 제가 회의에 빠졌습니다. 영화검열이든지 뭐든지 영화정
책이 정말 엉망이었어요. 전두환 대통령 시절인데 염증이 생길 정도
로, 혐오감이 생길 정도로 정부에 대해서 싫증이 나고, 내가 영화를

계속 하는 것보다는 이쯤에서 영화를 떠나야겠다, 관둬야겠다는 생각을 했죠.

그리고 할 수 없이 제작자 압력이니까 시나리오를 엉터리로 썼습니다. 하나도 문제 될 데가 없이 엉터리로 써서 제목을 정해야겠는데 제목을 정하기가 싫었어요. 그래서 몇 개를 적었죠. 그 중에 내가 생각나는 게 '온갖 잡새가 날아든다' 대학에 형사들이 막 드나들고 수사기관이 드나들던 때 그 사람들을 '짭새'라고 했거든요. 그래서 내가 제목을 몇 개 적었죠. 거기서 착안해서 온갖 잡새가 날아든다, 라고 했고. 몇 가지 바보 같은 제목을 쫙 적었는데 이 제작을 한 화천공사에서 〈바보들의 행진〉을 옛날에 만들었기 때문에 바보에 대한 애착이 상당히 많았어요. 그래서 제목에 바보가 붙은 바보 시리즈 중에 〈바보선언〉이 들어갔다고, 그밖에 열댓 개를 적어서 문공부에 가서 쇼를 했죠. 제목을 좀 골라 달라, 우리는 제목을 정할 수가 없다. 〈어둠의 자식들〉이 안 된다니깐 제목을 고를 수 없으니 당신네들이 좀 골라보라고. 담당 공무원이 이렇게 보더니 바보 시리즈가 참 많은데 그 중에 〈바보선언〉이 제일 낫다고 정해주더라고요. 그래서 〈바보선언〉으로 제목 허가를 받아서 촬영을 할 수 밖에 없었어요.

촬영을 해야 되는데 얼마나 난센스에요? 시나리오는 허가 받지 못한 상태고 배우는 미리 김명곤이라는 진지한 연극배우, 그 당시만 해도 전봉준 역할을 연극에서 하고 아주 진지한 배우로서, 난 그 연기를 살려주고 싶어서 초빙했는데 그런 역할을 할 수도 없게 되었고… 그래서 여러분들이 영화를 봤을 때 이화여대 앞에서의 패스트 모션, 그걸 우리는 콤마 촬영이라고 하는데 그것만 우리가 한 3일 동안 촬영을 했어요. 제작사에서 영화를 만들 시간이 얼마 안 남았으니까 이대 앞으로 일단 강제 촬영 나가게 하고, 뭘 찍어야 될지 모르니까 이화여대 앞에 모여서 처음에는 배우 없이 그런 콤마 촬영으로 영화를 한 3일 동안 찍었던 기억이 납니다.

김홍준 촬영순서가 처음에 이 영화 속에 나오는 이화여대 장면부터 시작하신 거군요. 근데 우리가 영화를 보면 궁금한 게 많은데 처음에 어린 아이들 목소리가 나오잖아요. 그 당시 추억의 80년대 전자오락실의 여러 가지 게임소리가 나는데 어린 아이들은 감독님의 자녀들로 알고 있거든요.

이장호 그래요. 이 영화를 다 만들고 편집할 때쯤 되면 내가 영화를 포기했던 것에서 다시 마음이 돌이켜져서 정리를 해야겠다는 생각을 가졌고, 그때 이제 큰놈이 막 한글을 깨우치는 초등학교 1학년이었는데 책 읽는 톤이 참 독특해서 애한테 내레이션을 시켜서 넣었어요. 어린애 그림과 글씨로 타이틀을 만들면 되겠다 싶어서 글씨는 우리 큰 딸에게 쓰게 하고 그림은 우리 아들이 그린 그림을 전부 모아서 썼는데요. 그 아들이 지금은 아주 성공해서 스위스에서 화가로 출세하고 있습니다.

김홍준 어떻게 보면 이 영화가 감독님의 영화 중 가족 분들이 가장 대거 참여하신 영화인 것 같은데요. 항상 카메오로 나오시는 감독님 아버님은, 이 영화 속에서 이보희씨의 꿈속 장면에서의 아버님으로 나오는 중절모 쓰신 멋있는 신사분이시고요. 무엇보다 가장 이채로운 장면은 감독님 본인이신데요. 처음에 과감한 노출과 함께 옥상에서 뛰어 내리시는데 그 장면은 이 영화 촬영 중에 어느 단계에서 찍으실 생각을 하셨는지요.

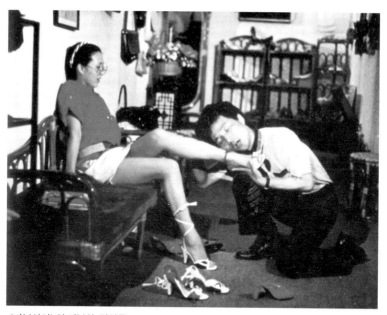

〈바보선언〉의 이보희, 김명곤

이장호 이 영화가 처음에는 무슨 얘기를 하는지 모르게 한 참 흘러가죠. 그때까지 감을 못 잡았어요. 현장에서 즉흥적으로 아이디어가 떠오르면 그날 그냥 촬영만 하고 들어가면 돼요. 왜냐면 뭘 찍겠다는 게 없으니깐 그날 카메라 돌리면서 그림을 담으면 됐을 때인데… 그렇게 계속 연명하다가 어느 날 어떤 아이디어가 생겼냐면, 이 영화는 내가 포기하면서 만든 영화니깐 관객들에게 그 메시지를 직접 전달할 수 있는 방법이 뭘까? 감독이 처음에 자살하면 되겠구나, 하고 내가 자살하는 장면을 찍었죠. 그때까지도 이 작품에 대해서는 포기한 상태였습니다. 일부로 카메라를 느리게 돌려서 패스트모션을 만드는 것에서부터 사람 연결하는 것까지 제멋대로죠. 호텔 프런트에 있는 사람도 계속 바뀌잖아요.

김홍준 신옥현 촬영기사님도 나오고요.

이장호 촬영기사도 한번 세워놓고, 조명 기사도 세워놓고, 또 엉뚱하게 이희성씨라고 상대역도 세워놓고, 이런 게 뭐냐면 일종의 영화를 망치겠다는 쾌감이에요. 촬영현장에서 이번엔 "네가 서" 그러면 한 사람이 할 역할을 세 명, 네 명이서 바꿔가며 하니깐 스태프들이 어리둥절해 해요. 아직 스태프들은 내가 망친다는 생각을 못하고 단지 감독이 혼란스럽구나, 그렇게 생각하고 있었는데 의도적으로 그러니까 스태프들이 당황하기 시작했어요. 그러면서 서정민 촬영감독은 나이가 많으신 분인데 만날 걱정이 태산 같아서 내 손을 지그시 잡고 "이 감독, 다시 생각해봐. 이거 큰 문제야"라고, 왜냐하면 영화 제작자한테는 그 사람이 공범이 되거든요.

김홍준 한걸음 떨어져서 영화를 보면, 이 영화의 배경을 전혀 모르고 보는 외국 관객들은 도대체 어느 시대에 만들어졌고 감독이 10대 후반인지 70대인지도 감이 안 가고… 그러나 분명히 느끼는 것은 뭔가 억눌린 상태에서 막 폭발하는 에너지나, 영화라는 매체를 막 가지고 놀고 싶다는 유희정신 같은 것을 느낄 수 있을 텐데요. 그런데 지금 감독님 말씀을 들어보면 적어도 이 영화를 만드시면서 어느 단계까지는 이걸 통해서 내가 새로운 걸 해보겠다는 미학적인 야심이나, 이후 도그마 선언처럼 강력한 의지 같은 게 없이 자포자기하는 심정으로 만들었다고 하셨잖아요. 그것이 중간에 어떻게 작품에 대한 생각 자체가 바뀌면서, 결과적으로 이런 영화가 나왔는지 굉장히 궁금합니다.

이장호 절반쯤 촬영했을 때일 거예요. 만리포에 가서 바닷가 장면 찍기 전까지 계획이 전혀 없었어요. 주로 이대 앞에서 제일 많이 찍었고 청량리, 나 자살하는 장면, 그렇게 촬영하다가 편집의 김희수 선생님한테 찍은 걸 갖다 주면 순서를 편집하시는데… 나는 그때까지는 망치게 할 영화였으니깐 편집에도 관심이 없었어요. 하루는 김희수 선생님이 좀 만나자고 하셔서 만났더니, 자기가 영화를 몇 십 년 해봤지만 이 작품은 한 번도 보지 못한 아주 독특한 영화가 될 것 같다고 그러세요. 그래서 참 별일이다. 이게 기절초풍을 해야 될 텐데 어떻게 독특한 영화라는 말을 사용할까. 얘길 들어보니까 그분 말은 그런 거예요. 아방가르드라는 거죠. 전위적인 영화가 나올 것 같다. 편집한 걸 다시 보니깐 아이디어가 떠오르더라고요. 이걸 이렇게 진행을 한번 해봐야 되겠구나… 그런 생각이 들고, 그러니까 방향을 못 잡다가 이런 이야기를 만들면 영화 한 편의 방향이 서겠구나, 해서 바닷가 장면부터 찍기 시작한 거죠.

김홍준 바닷가 연포해수욕장이 등장하는데요. 영화 후반부에 나오는 연포해수욕장이나 거기서 이어지는 목욕탕 안에서의… 영어로 말하면 오기orgy가 될 텐데 그 다음에는 난교 비슷한, 그리고 이제 장례식으로 갔다가 국회 의사당 앞에서 끝나지 않습니까? 이런 것들은 다 순서대로 찍으신 건가요?

이장호 거의 차례대로 찍은 거라고 보면 돼요. 이대에서 시작해서 청량리, 그 다음에 바닷가 만리포 가서 찍고… 오늘 이렇게 보니까 거의 현장 적응하는 이야기들이 많이 나오는데 이 영화에서 엑스트라들이 큰 역할을 하죠. 그런데 우리가 엑스트라를 한 번도 데리고 간 적은 없어요. 거리에서 찍는데 카메라를 숨기기 위해서 도로 공사할 때 표지판 같이 노란 바탕에 검은 줄을 친 그런 초소 비슷한

〈바보선언〉의 이희성, 이보희, 김명곤

걸 만들었어요. 그래서 현장에 오면 길거리 초소에다 카메라를 숨겼어요. 거기에 구멍을 내서 내다보면서 이보희나 김명곤이한테 엑스트라들, 사람들 속에 들어가서 움직이라고 지시를 했는데 굉장히 당황했을 거예요. 실제로 이보희가 남자를 매춘으로 유혹하는 장면, 껌들고 다니면서 계속 모르는 사람들과 접촉했을 거니깐 아마 가슴이 엄청 떨렸을 거예요.

김홍준 말이 나왔으니까 진짜 이 장면은요, 제가 이 영화를 1987년쯤에 비디오로 처음 봤을 때 청량리역 장면에서 충격을 받았거든요. 한국영화는 고사하고 이런 이상한 장면을 본적이 없는 거에요. 다큐멘터리도 아니고 지금 말씀하신 이보희씨가 유객하는 장면은, 분명히 저건 창녀가 호객하는 상황인 것 같은데… 연기자와 약속을 하고 하는 것 치고는 너무 리얼하고, 적어도 실제 배우라면 직접 현장에서 저런 행동을 했다고 생각하니까 그것도 이상한데, 또 카메라는 어딘가에 숨겨져 있는 것 같은데 광장 한복판 어디다가 숨겼을까. 위에서 내려다 본 것도 아닌데 아마 그게 80년대 한국이었으니까 가능했을 것 같아요. 그래서 감독님 말씀대로 한 사람 들어갈 수 있는 초소 같은 걸 만들어서 아무데나 갖다 놓아도 사람들이 뭐가 나타났나보다 이렇게 넘어가는….

이장호 저게 만약에 〈별들의 고향〉이나 〈어우동〉처럼 히트 쳤으면 초상권 침해로 고소 많이 당했을 거예요.

김홍준 20년이 넘어서 시효가 끝났는지도 모르겠는데요. 청량리역 장면은 영화 장면과도 무관하게 그것 자체가 주는 굉장히 묘한 영화적인 느낌이 있는데, 거기에 기록되어 있는 여러 사람들의 모습들은 20년이 넘는 세월이 흐른 지금에도 그 자체가 시대의 기록이라는 생각이 들고요. 제일 놀라운 것은 지나가다가 이보희씨는 말할 것도 없고 두 연기자가 남이 먹던 물건을 막 집어먹고, 그것도 다 실제 상황이죠?

이장호 다 실제 상황이죠. 걔네들도 아마 급했으니까, 시켰으니까 할 수 없이 하는데 제 정신이 아니었을 거예요. 즉흥적인 연기를 할 수 있었던 게 참 다행이었죠.

김홍준 그리고 이제 여쭤보고 싶은 게요… 연포해수욕장 장면 보면 어떤 부분은 무성 영화, 채플린 영화 같은 슬랩스틱도 나오고 또 이야기를 만들어 나가는 느낌이 있는데, 연포 해수욕장에서 생각하면서 마음속으로 참고를 하셨거나 생각하셨던 영화는 혹시 없습니까?

이장호 내가 어렸을 적부터 강한 영향을 받은 게 찰리 채플린이거든요. 아직 의식이 없었을 유년시절, 아버지 무릎에 앉아서 봤던 찰리 채플린의 필름들이 강한 인상을 주었고… 신상옥 감독님한테 고백한 적이 있어요. 영화의 에스프리esprit는 찰리 채플린에 있다고 할 정도로 심취해 있었으니까요. 찰리 채플린의 동작이라든지 찰리 채플린 영화에서 봤던 것과 소위 그 당시의 개그맨들, 그 사람들 이름을 잊어버렸는데 둘이서 액션 하는 사람이 있어요.

김홍준 남성남씨하고….

이장호 남성남! 어, 맞아요.

김홍준 그리고 또 한 분의 이름이 갑자기 기억이 안 나는데….

관객 남철!

이장호 아! 남철, 남성남. 그 동작을 내가 참 좋아했고, 그 사람들이 하는 동작이 찰리 채플린의 동작하고 섞여서 늘 움직였는

데 오늘 영화를 보니까 이 장면은 여기서 응용했구나, 여기서 모방했구나, 뭐 이런 것들이 많이 느껴져요. 가령 구둣방 앞에서 김명곤이 들여다볼 때 코털 뽑아서 날리던 것도 개그에서 많이 하던 거고, 둘이 마주보고 유리 닦는 것도 그렇고, 개그 프로에서 보았던 것들을 많이 사용했던 것 같아요.

　　김홍준 개그에도 있고 또 그때 마임에도 있고 그랬는데요. 1983년이면 사실 아직 본격적인 독립영화나 이런 것도 없었지만 뭐 작은 영화, 열린 영화, 저도 잠시 몸담았던 서울대학교의 '얄라성'이랄지 또 각 대학의 영화서클들이 생기면서… 70년대에 있었던 예술 지향적이고 실험영화 중심의 대학 영화가 아닌, 영화운동을 지향하는 그런 영화들이 조금씩 지하영화 비슷하게 나오던 때인데, 혹시 이 영화를 만드실 때 그런 영화들의 존재를 아셨거나 영향을 받으신 건지 아니면 〈바보선언〉이 오히려 그런 영화들에 영향을 미쳤는지요.

이장호 아니죠. 이건 내가 직업 영화인으로서 만든 게 아니라 일부러 망치려고 했던, 거의 대학생 수준의 그런 영화였기 때문에 아마 모방을 하지 않아도 그냥 8미리 들고 나가면 그렇게 만들 수밖에 없는… 실제로 영화가 1억 5천이 들던 시절에 이건 5천만 원밖에 안 들었으니까 1/3 아닙니까? 1/3의 제작비를 들여서 만들었고, 이 영화가 처음 시사회를 하던 날이 생각이 나는데 사람들이 모두 당황한 것은 영화 시작한지 20~30분 지났는데도 대사가 없었다는 것. 그 당시 사람들은 대사 의존도가 상당히 높았는데 대사가 없었다는 것은 후시녹음을 하면서 피하고 싶었던 것들, 그런 것들 때문에 무의식적으로 그렇게 됐고. 영화를 만들 때 대사가 제일 힘들지 않아요? 나는 시나리오를 쓸 때면 항상 대사 쓰기가 제일 힘들어서, 저절로 이 영화의 대사를 기피하게 됐어요.

그래서 남산에 있는 영화진흥공사에서 시사회를 하는데, 앞에는 우리 스태프들이 앉고 뒷자리엔 흥행사들과 지방에서 영화를 사러 온 업자들이 앉았죠. 입도선매立稻先賣라고 해서 미리 팔아버리니까 영화를 살 사람도 있고 이미 산 사람도 있어서 같이 영화를 보기 시작하는데 한 10분, 20분 좀 지났을까, 뒤가 좀 소란스러워져요. 소란스러워지면서 자꾸 도중에 밖으로 나가는 소리가 들리더라고요. 우리는 돌아다보지 않고 영화를 보고 있는데 점점 더 소리가 바빠져요. 사람들이 많이 나가는 거죠. 그래서 다 끝난 다음에 뒤를 돌아보니깐 아무도 없고(일동웃음) 제작자 혼자만 완전히 절망 상태의 모습이야. 그래서 우리 스태프들이 모두 얼어가지고 죄진 사람처럼 있는데, 내가 가만히 돌아봤더니 그 사람이 한참 있다가 "아… 이장호, 완전히 말아먹었구나" 그러더라고요. 자기가 믿고 관심 안 갖는 동안에 이런 영화가 나올 줄은 상상도 못했던 거죠. 아니나 다를까. 미리 샀던 사람들은 전부 이 영화를 포기하고, 제작자도 다행히 5천만 원밖에 안 들었으니까 창고에다 처박아 놓더라고요. 그런데 우리 조감독인 장영일씨하고 다큐멘터리 하는 김동 원, 장선우 주변에 사람들이 많이들 모였었잖아요. 이 친구들이 사람들 모아서 시사회를 하겠다고 해서 여러 번 했어요. 시사회 소문이 퍼지더니 대학 단위로 영화를 좀 보게 해달라고 해서, 이대 무슨 서클에서 시사를 하겠대서 보여주고. 창고에 처박아두고 시사회를 많이 한 것들이 나중에 입소문이 좋게 나게 해주지 않았나 하는 생각이 들어요.

김홍준 요즘처럼 시사회를 통해서 바람을 일으킨다는 그런 개념이 아니라 귀한 영화인데 보겠다는 데가 있으니깐 조금씩 보여 줬는데, 그 당시 1983년에 대학생들 사이에서 입에서 입으로 퍼지면서 무슨 영화일까 꼭 보고 싶다… 이런 분위기가 있던 차에 우연찮게 영화가 개봉하게 된 것이죠. 자료를 보니깐 원래 개봉 계획이 없다가 단성사에서 프로그램이 펑크가 나는 바람에 이 영화가 들어갔다고 되어 있는데, 감독님 그 당시를 조금 회상해주시죠.

이장호 당시 외국영화 중심으로 모든 극장이 운영이 됐으니깐, 외국영화가 들어가면 잠시 1주일 정도 한국영화를 하다가 다시 외국영화 하고 그럴 때입니다. 어떤 외국영화가 수입에 차질이 있어서 펑크가 났어요. 그래서 재빨리 한국영화를 하나 더 붙여야겠다, 라고 해서 보나마나 붙이면 1주일도 안 돼서 잘릴 게 뻔하니까 펑크 프로로 들어가는 거예요. 이 앞에 개봉했던 영화가 〈과부춤〉인데 대한극장 설날 대목 프로그램으로 들어갔었어요. 그런데 첫날부터 깨져서 아까도 말했지만 만 오천 명이면 그 당시로 제일 적은 숫자인데, 그때 그랬죠. 그리고 〈바보선언〉도 망가진 상태죠. 그러니까 영화사들이 나를 기피했어요. 다른 때는 제작자들이 이쪽에서 계약하자, 저쪽에서 계약하자 했는데 소문이 굉장히 나쁘게 퍼졌어요.

내가 생각하기에는 안기부 영화담당 수사관 두 명 때문인 것 같은데, 늘 영화사를 방문해서 영화 제작자들하고 점심 먹고 골프치고 하면서 영화판 정보를 얻고 "이장호 이제 끝났다. 만날 문제만 일으키고 좋은 것 같지 않다" 그러고 다녔는데, 계약이 안 들어오니까 내가 당황했죠. 한 2년 정도를 못하지 않았나 생각이 들어요. 그래서 할 수 없이 뭘 만들었냐면 강원도 횡계에 가서 새마을영화를 찍었어요. 16미리로 새마을 지도자 성공사례를 찍으러 갔었는데, 그때 내 조감독이었던 우리 배창호 감독이 〈그해 겨울은 따뜻했네〉를 찍고 있었어요. 그런데 엑스트라 500명에다가 카메라도 큰 거에 크레인에다가, 나는 한창 열등감에 싸여 있을 땐데 어쩌다 재수 없어 식당에서 우연히 만나면 나는 야코가 죽어서는… 그런데 하루는 서울에서 〈바보선언〉을 개봉한다는 거예요. 그래서 한번 가봐야겠다, 해서 횡계에서 떠나서 서울에 도착하니 12시가 좀 지났는데 극장 앞에 사람이 없어요. 그럼 그렇지 손님이 있을 리가 없지… 그런데 보니깐 전회매진. 표가 다 팔렸어요.

김홍준 낮 12시에요?

이장호 낮 12시는 좀 지났을 거야. 난 의외잖아요. 들어가니깐 화천공사에서 신이 났어요. 포기했던 영화에 관객이 이렇게 많이 오니까, 끝나고 사람들이 나오는데 전부 젊은 사람들이에요. 영화를 보고 모두 무겁게 머리를 숙이고 나오는데 가끔 경박하게 "야! 영화 조졌구나" 어떤 놈은 "무슨 영화가 뭐 이래?" 그러면서 나오는데, 개

네들은 운동화를 이렇게 끈으로 묶은 스포츠맨들이었던 그런 기억
이 납니다.

김홍준 그래서 그때 감독님이 인터뷰하신 거 보니깐 이 영
화가 그렇게 계속 매진이 되면서, 말하자면 지금은 사람들이 잘 기억
을 못하지만 아마 80년대 초에 대학을 다니셨던 분들은 〈바보선언〉
이 하나의 신화처럼 기억이 될 텐데요. 이 영화의 성공이라고 할 수
있는 현상이, 데뷔할 때 〈별들의 고향〉이 흥행기록을 깼을 때와 〈바
람 불어 좋은 날〉로 좋은 평가를 받으면서… 말하자면 다시 복귀 하
셨을 때와 또 다른 느낌이 들었을 것 같은데요. 그때 감독님의 생각
이 어떠셨는지요?

이장호 우선 제작자가 나를 백안시하다가 계속 손님이 드
니깐 나보고 그러더라고요. "야! 속편 준비해라." 참 얼마나 난센스
예요. 영화평이 나면서 인터뷰를 하기 시작하는데 그때 내가 가책을
느꼈죠. 나는 가슴에 있는 말을 숨기지를 못하는데 그때 내가 잊히지
않는 게, 그거 사실 내가 만든 영화가 아니다. 나는 영화를 포기하고
자살하는 심정으로 만들었는데 이 영화를 만든 에너지는 전두환 정
권하고 영화 정책에서 나왔다. 그것이 이 영화를 만드는 힘이 되었다
고 솔직하게 얘기를 했습니다. 그런 말들이 영화 평론하는 사람들한
테 인상적이었을 테고요.
　　재밌는 점은, 데모나 농성이 있을 수 없는 시대에 데모가 국
회의사당 돔 앞에서 이루지지 않습니까? 그런데 대학생들은 그걸 다
발견하는데 신통하게도 영화검열하는 사람들은 그걸 몰라요. 재밌
는 게 이 영화는 우수영화로 뽑혀서 해외에 홍보용으로 돌아다닌 영
화였어요. 나는 그게 지금 생각해도 불가사의예요. 왜 보는 사람들이

그걸 깨닫지 못했을까? 대학생들은 다 깨달았는데. 지금 생각해도 어이가 없고 그래요.

　이 영화가 형식은 SF입니다. 앞부분에 어린애 내레이션으로 "20세기가 끝날 무렵에 바보 동철이와 육덕이가 살았습니다"라고 나오거든요. 이걸 1983년에 촬영한 그때 20세기가 끝날 무렵이라고 했으니 상상적 미래의 어떤 시점으로 21세기의 어린이가 내레이션을 하는 거거든요. 그런 설정들이 혼란스럽게 만들었을 테고, 라스트 신에 로봇이 태극기를 들었는데 태극기를 클로즈업 시켰잖아요. 검열관들이 영화를 보면서 졸다가 마지막에 클로즈업만 보고 "이건 애국적인 영화다" 이래서 해외에 한국을 홍보하는 영화로 나갔던 것 같아요.

　김홍준 역설적이지만 해외에서 한국정부가 추천하는 한국 홍보영화로 틀어줬으면 홍보효과는 정말 컸을 것 같아요. 한국정부는 저렇게 문화적으로 정말 깨어있구나. 사회비판적이고 형식도 파격적인 영화를 홍보영화로 내보낼 정도면 완전히 졌다. 이렇게 됐을 것 같은데요.

　이장호 그런데다 제목도 자기네들이 지어줬으니까 일종의 자긍심도 있었겠죠.

　김홍준 그리고 마지막 내레이션도 졸다가 깨서 보면 그런 훌륭한 조상들에게서 우리들은 잘 살고 있으며… 굉장히 긍정적인 메시지가 나오기 때문에, 그런데 갑자기 궁금한데요. 그때 연출하신 새마을영화는 어떻게 되셨나요?

이장호 그건 완성이 돼서 관공서나 시민단체 같은 데 계속 교육용으로 돌아다녔을 거예요.

김홍준 그냥 뭐 호기심에서 여쭤보는데, 제목은요?

이장호 생각이 안 나.

김홍준 저희가 알아보겠습니다.

이장호 하하하!

김홍준 감독님 필모그래피에서 빼놓지 않도록. 잠깐 영화의 내용으로 돌아가 보자면 연포 장면에서는 감독님께서 좋아하셨던 채플린 영화나 여러 가지 영화들을 생각하셨다고, 사실 제가 이 영화 보면서 불편했던 부분은 목욕탕 부분이거든요. 그 부분은 볼 때마다 느낌이 다르고, 페미니스트 비평가들이 굉장히 안 좋아할 것 같다는 생각이….

이장호 아 집단 파티 장면?

김홍준 예.

이장호 그건 내가 어떤 포르노에서 보았던 것을 연상해서 찍었는데, 그 포르노가 뭐냐면 유명한 포르노인지 어떤 건지 모르겠는데 큰 테이블에서 고전적인 옷차림의 신사, 숙녀들이 밥을 먹는데, 테이블보 안으로 어떤 놈이 들어가서 보니까 전부 노팬티에 하반신이 드러나는 장면이 있거든요. 그 아이디어가 너무 강해서 아, 목욕탕에서 파티를 열자. 그리고 2부 파티는 벗자. 그렇게 생각하고 찍었던 것 같아요.

김홍준 촬영하실 때 그 장면에 연기자들도 굉장히 많이 나오고 이 영화 속에서 제일 규모가 큰 신인데, 스태프나 연기자들이 설명을 요구하거나 반항하지는 않았는지요.

이장원 그 당시는 내가 하자면 할 때야, 그때가(일동웃음).

김홍준 이 장면은 지금 봐도 충격적이군요. 영화적으로 굉장히 또 신선한 전환이 오는데, 그게 보면 어떤 인간의 아주 추악하면서… 80년대에 그 장면을 봤던 젊은 관객들은 그 당시 한국의 인권 상황과 연결시켜보지 않을 수가 없었을 거예요. 감독의 뜻과는 무관하게 하나의 의도나 상징으로 보면서 고개를 숙이고 나왔을 것 같은데, 바로 그 장면이 어떻게 끝나나 싶었더니 완전히 다른, 아름다운 자연으로 잡아가거든요. 그 아이디어는 어떻게 생각하신 겁니까? 촬영장소도 궁금합니다.

이장호 대관령 '삼양라면' 목장이거든요. 그 당시에 내가 전성기였다는 것은 하나님이 도와주셨을 때, 그러니까 천수답이라고 저번에 이야기했는데… 모든 일이 다 잘 이루어질 때라 요번에도 보니깐 하나님이 모든 기회를 만들어주셨어요. 삼양목장에 가서 1초에 12콤마로 돌리니까 풀들이 움직이는 게 특수효과처럼 보였고, 또 만리포에서도 안개가 저절로 운무雲霧를 만들어줘서 헤어지는 장면이라든지 그런 것들이 소위 천수답… 하늘만 믿고 농사짓는 것처럼

이장호 감독의 마스터클래스

242

천연적으로 이루어진 것들이죠. 아이디어도 거의 현장에 가서 하나님이 주신 아이디어라고 할 수밖에 없는 게, 어떤 풍경이 있으면 거기에서 연상을 해서 만들어지고 헌팅을 한건 아니잖아요. 해변에 쓸쓸한 야외무대가 있었다든지, 저절로 발견된 것들이죠.

김홍준 처음 영화 봤을 때 대관령에서 그 장례식이라고 해야겠죠? 상여 소리가 나오고… 그러면서 끝나나 싶었는데 느닷없이 국회의사당, 그 장면이 실제로 마지막에 찍으신 장면인가요?

이장호 국회의사당 장면을 제일 마지막에 찍었고, 그날 바로 장소를 옮겨서 김명곤이가 우산 쓰고 떨어지는 장면, 그렇게 차례로 찍었어요. 음… 지금 생각하면 이보희가 죽고 김명곤이가 꽃으로 장식하고 화장하는 장면은 정말로 고마운 것이, 들꽃이 그렇게 아름답게 대관령 목장에 많이 피었어요. 그래서 스태프들한테 전부 퍼져서 꽃을 꺾으라니깐 각종 야생화가 굉장히 많이 모인 거예요. 그걸로 장례식을 충분히 치를 수 있었고, 화장하는 장면은『자기 앞의 생』을 쓴 프랑스의 누구죠?

김홍준 에밀 아자르.

이장호 에밀 아자르의『자기 앞의 생』에서 할머니가 죽었을 때 소년이 화장을 하잖아요. 아마 거기서 내가 연상을 했던 것 같아요.

김홍준 작품의 제작과정에 대한 얘기를 많이 들었는데요. 그런 어떤 우연적인 요소들이 그냥 나온 것이 아니라 이전의 작품들

바보선언

에서 쭉 해 오신 것들이 바닥에 깔려 있으면서, 또 재밌는 것은 이 작품에서 보면 이후의 작품들에 대한 씨앗 같은 부분들이 보이는 것 같아요. 어떤 부분에서는 〈나그네는 길에서도 쉬지 않는다〉에서 보이는 샤머니즘적인 것도 조금씩 있는 것 같고요. 조금 가벼운 쪽으로 돌려서, 이보희씨는 사실 이전에도 감독님께 발탁이 돼서 준비하다가 이 영화에서 비로소 알려졌다고 하는데 이보희씨에 대해서 설명을 좀 해주시죠.

이장호 〈어둠의 자식들〉의 2부란 걸 나타내기 위해서, 나영희가 용산역 앞에 있다가 삐끼 하는 여자가 오면 돈 좀 벌게 해 주세요, 하는 장면 있죠? 그날 청량리역에 나가 있는데 하루는 비가 막 와요. 비가 오니까 그래, 이게 〈바보선언〉이 아니고 〈어둠의 자식들〉 2부라는 것의 연상작용을 해줘야겠다, 해서 김명곤이하고 이희성이가 걸어오면서 이보희가 "나 돈 좀 벌게 해주세요" 그게 나오죠. 이건 문득 생각이 나서 잊어먹을까봐 얘기한 거고.

김홍준 또 〈어둠의 자식들〉에 나왔던 삽입곡 〈어디로 갈거나〉가 나오죠?

이장호 나오죠. 내가 다니던 교회에서는 찬송가로 사용을 했던 국악입니다. 이보희씨는 그전에 어디서 나를 만나게 됐냐면, 현진영화사라는 데서 〈어우동〉을 만들기로 하고 계속 신인배우 오디션을 했어요. 이혜영 등 여러 여자배우를 테스트 하다가 마지막에 김보연을 테스트 했지요. 그런데 김보연이, 자기는 이 역에 안 맞는데 아주 고전적인 아이가 하나 있다고 하더라고요. 그러면 좀 만나보자고 하고 전화를 했는데 마침 MBC 여의도 쪽에 있다고 해서 김보연이랑 차를 타고 왔어요. 그날 이보희를 보면서 어우동 역에 괜찮겠다고 생각하면서 돌아오는데 한강 저 건너편에 쌍무지개가 뜨더라고요. 난 쌍무지개를 처음 봤는데 '아, 이거 길하다, 이거 됐다' 그런 생각이 들었죠. 그래서 제작자도 보고 〈어우동〉을 촬영하자, 해서 촬영을 하루 나갔어요. 하루 나가서 찍어 놓은 프린트를 보는데 제작자가 갑자기 변덕을 부리는 거예요. 이거 안 되겠다고, 배우가 안 되겠다는 거죠. 그러면서 〈어우동〉을 엎자, 포기하자, 그러더라고요.

그때 우리가 다 실망을 해서 장선우 감독, 조민희 감독 또 뭐 장영일 감독 전부 떠나기로 했어요. 서울을 떠나서 여주에 무슨 절 있죠? 신륵사인가? 신륵사에 아는 중이 있어서 거기서 무위도식하면서 계속 술을 마시며 한 2주를 보냈던 것 같은데 영화사에서 만나자고 전화가 왔어요. 다시 찍을 거냐고 물으니 〈어우동〉보다 더 좋은 아이디어가 있다고 해서 서울로 돌아왔어요. 왔더니 그 사장이 뭐라 그러냐면, 허문도를 만났는데 허문도가 독립군영화 아이디어를 줬다고… 독립군영화를 만들면 정부에서 군인 동원이고 뭐고 다 해주겠다고 했다고. 그래서 허문도를 만났더니 청산리전투를 영화로 만들었으면 좋겠다고 그러더라고요.

그래서 부랴부랴 〈어우동〉을 포기하고 청산리전투를 〈일송정 푸른 솔은〉이라는 제목으로 시나리오 초안을 잡아서 만들었는데, 〈어우동〉으로 뽑았던 이보희씨가 마음에 걸리는 거예요. 그래서 제작자한테 이 배우는 나한테 양보를 해 달라, 꼭 써야겠다, 해서 카메라 테스트 겸 마지막에 중요한 배역으로 이보희씨를 등장시켰죠. 그런데 운이 좋았던지 〈일송정 푸른 솔은〉에서 이보희씨가 신인상을 받았어요. 이후로 나하고 인연이 돼서 〈바보선언〉을 찍고, 거기서부터 시작해 하나씩 하다가 나중에 몇 년이죠?

바보선언

245

김홍준 1985년이죠.

이장호 예, 〈어우동〉을 다시 찍었죠.

김홍준 그래서 이 〈바보선언〉 이후에 이보희씨의 필모그래 피를 보면 〈과부춤〉에도 잠깐…

이장호 〈과부춤〉에서는 주요역할로 나왔죠.

김홍준 앙상블 캐스팅인데 주요역할이고, 아마 가장 대중 적으로 스타의 자리에 오른 것은 〈어우동〉 직전에 찍었던 〈무릎과 무릎사이〉고요. 말씀하신 1982년에 기획했던 회사는 지금은 돌아가 신 김원두씨가 대표로 계셨던 현진영화사였어요. 그 회사에서 기획 을 하다가 무산됐고 나중에 태흥영화사에서 1985년에, 지금도 많은 사람들이 기억하는 영화로 〈어우동〉이 만들어졌죠.

이장호 이제는 말할 수 있다, 인데 내가 현진영화사의 기획 실장까지 일을 했어요. 배창호 감독도 내가 데뷔시킨 거나 마찬가지 죠. 그리고 장선우를 끌어들여서, 기획실장은 내가 계속 맡고 있겠지 만 나한테 월급 주지 말고 장선우를 줘라. 그렇게 해서 장선우가 거 기서 일을 하다가 선우완하고 〈서울황제〉를 같이 만들었죠.

김홍준 아까 김보연씨를 통해서 이보희씨를 소개 받으시던 날, 그때 현진영화사가 남산에 있었죠? 제가 감독님께 무슨 뵐 일이 있었던지 그날 만나 뵈러 갔었는데, 딱 들어갔더니 예쁘장한 아가씨 한 분이 앉아 계시더라고요. 영화사 사람들한테 누구냐고 물어봤더니 신인배우인데 감독님이 오늘 소개 받으시는 분이라고… 그분이 알고 보니 이보희씨였어요. 그 자리에 김보연씨랑 같이 오셨던 기억이 납니다.

이장호 이보희라는 이름도 본명은 조영숙이고, 조영숙에서 탤런트가 되면서 바꾼 이름이 조진원인데 그 이름이 그렇게 싫었어요. 그래서 나영희 이름 지을 때처럼 쉽고 귀한 이름, 그래서 그냥 '보' 자가 좋아서 보물이라는 뜻도 있고 '보' 자가 이상하게 섹시하게 느껴지는 게 있습니다. 그래서 이보희라고 이름을 지어줬어요.

김홍준 영화의 수상경력을 보니 1983년도에 있었던 대종상영화제에서 음악을 맡았던 이종구 선생님이 음악상을 받으시고 특별상으로 음향효과상을 받았는데, 그 당시에 이런 것들이 영화를 만드는 사람들 사이에서는 나름대로 평가를 받지 않나. 그리고 백상예술대상과 영화평론가협회상에서는 이보희씨가 둘 다 신인여배우상을 받았구요. 이 영화의 음악에 대해 말씀해주세요.

이장호 처음 시사회 때는 음악이 없었어요. 처음에 얼마나 썰렁했냐면, 영화가 무성영화처럼 아무 소리 없이 나오다가 제일 마지막 장례식 장면에서 김명곤이 아리랑을 불렀다고. 여기 나오는 노래가 전부 김명곤 소리거든요. 영화를 보고 나니깐 마치 무슨 나운규 때 영화처럼 썰렁하고. 그래서 다시 녹음을 넣자고 해서 음악을 선정해서 넣고 효과를 선정해서 게임효과음들을 넣고, 그렇게 살이 잘 붙여진 것 같아요.

김홍준 여기 이종구씨는 어떤 분이셨죠?

이장호 이종구씨는 그때 막 독일에서 공부하고 와서 한양대학교에서 작곡을 가르치고 있었는데, 김민기가 한창 가요를 부를 때 김민기보다는 나이가 서너 살 위여서 작곡이라든지 음악적인 부분을 보조해 줄 수 있었던 음악가였습니다.

김홍준 제가 봤을 때 오리지널 음악은 없는 것 같은데요.

이장호 전혀 없죠. 선곡만 했죠.

김홍준 사운드는 그때 영화진흥공사에 계셨던 음향팀이 맡아서 하셨는데, 어느 정도까지 감독님이 개입을 하셨나요?

이장호 사운드는 〈별들의 고향〉에서부터 음향효과 하는 사람들이 나하고 호흡이 잘 맞았어요. 왜냐하면 즉흥적인 것들이 서로 잘 통했기 때문에… 가령 여기는 불경을 깔자, 목탁 두드리는 걸 깔자, 아까 목탁 깔았으니깐 할렐루야 깔자. 이런 식으로 서로 잘 맞아서 즉흥적으로 이루어진 거예요. 화면을 보면서 화면의 느낌을 즉흥적으로 빨리빨리 파악해낸 거죠.

김홍준 사실 이 영화에서 같이 일하셨던 후반작업 스태프들, 특히 사운드 스태프들은 요즘에는 굉장히 많지만 당시엔 우리나라에서 시설이나 테크니션들은 영화진흥공사가 유일했거든요.

이장호 그렇죠.

김홍준 저도 조감독 시절에 겪어봤는데 이분들이 무서우세요. 자기들이 하는 방식이 딱 있어서 좀 다르게 하자고 하면 굉장히 화내시는 분들인데, 아마 이 영화할 때는 감독님한테 포기하셨던 것 같아요.

이장호 영화가 혼란스러우니깐 이 사람들이 어떤 디자인을 할 수가 없죠. 디자인을 할 수가 없어서 즉흥적인데 순순히 따라올 수밖에 없었던 것 같아요.

김홍준 한국영화가 아날로그 돌비로 들어간 것이 거의 90년대 초였거든요. 이 영화 때만 해도 영화 화면은 시네마스코프로 찍고, 사운드는 다 모노로 들어갈 때인데, 모노로도 이런 효과를 낼 수 있다는 것은 사운드에 대해서 굉장히 시사하는 것들이 많은… 그러니까 스테레오가 아니라 모노사운드지만 그 속에서 미묘한 차이들을 통해서 이만큼의 음향효과가 된다는 것을 볼 수 있는 것 같습니다. 만일 80년대 영화 전체에서 3편의 고전을 선정한다면, 나머지 두 편은 뭐가 될지 모르겠지만 저는 이 영화는 꼭 들어가야 할 영화라고 생각을 하고요.

이장호 이걸 김홍준 감독이 그 당시의 정치적 상황, 이장호의 상황 이런 걸 합쳐서 다시 만들면 어떨까, 하는 생각이 드는데.

김홍준 그럴 수 있으면 정말 영광이겠고, 오늘 말씀하신 이 영화의 뒷이야기가 어떤 영화 못지않게 여러 가지 의미심장한 메시지를 담고 있는 것 같구요. 분명한 것은 여러분이 보신 이 영화는 한국영화 사상 전무후무, 유일무이한 영화인 것만은 확실하고, 어쩌면

바보선언

지금의 관객들에게는 감독님이 받으셨던 그런 흥분과는 전혀 다른 새로운 흥분을 주셨던 것 같아요. 그리고 10년, 20년이 지날수록 이 영화가 시대의 기록이자 한국영화에서 독보적인 영화로서 고전의 위치에 자리매김할 거라고 확신을 하고 있습니다. 오늘 끝까지 경청해주신 여러분들 감사하고, 감독님 감사합니다.

이장호 감사합니다.

REVIEW

학생리뷰_양현아(예술사2005137015)

영화에서 가장 중요한 것은…

나올만한 영화는 다 나왔다고 봐도 무방한 지금의 기준으로 보더라도 〈바보선언〉은 실험적인 영화다. 영화는 이어지지 않고 툭툭 끊기는 꿈속의 장면들처럼 흘러간다. 어릴 때 보았던 일본 애니메이션 〈이상한 나라의 폴〉이 이상한 나라로 떠날 때처럼 오묘한 음악과 어우러져 현실과 비현실의 경계가 모호해지는 것이다.

〈바보선언〉을 보고 있자면 영화에서 가장 중요한 것은 스토리도, 인물의 감정도, 그 무엇도 아니라는 생각이 든다. 어떤 식으로 풀어내든 그것을 조합해서 흡수하는 것은 관객이다. 〈바보선언〉은 관객에게 극도로 불친절하지만 또한 극도로 친절하기도 하다. 대중적인 영화문법에 속한 비유와 상징은 아니지만 애초에 영화문법에 대해 뒤집고 시작하기 때문이다.

영화의 실험적인 구성에 비해 해석이 비교적 쉬운 이유는 이 영화가 군부독재시절에 만들어졌다는 점이다. 어떤 방식으로든 이 이야기는 꼭 해야겠다, 는 감독의 마음과 상영 여부조차 불안불안한 현실적 상황이 만나 아이러니하게도 명작을 탄생시켰다. 반 이상은 검열을 피하기 위해 선택된 실험적 형식이 오히려 더욱 리얼리즘으로 느껴지는 것이다.

적나라하게 현실을 비판한 이 영화를, 어찌됐든 검열을 통과시켜 상영하게 해준 정부가 대인배로 느껴질 정도다. 그리고 보면 아무리 검열에 팍팍한 어둠의 시대라도 방법은 있나보다.

계속되는 비약과 은유, 상징에 영화를 놓아 버리게 될 뻔하다가도 그러지 않았다. 무성영화 속의 슬랩스틱 코미디언 같은 주인공들의 몸짓과 음악이 결합해 만들어내는 리듬이 영화를 계속 끌고 가게 해주었다.

〈바보선언〉은 영화가 현실의 꽁무니를 졸졸 쫓아가는 게 아니라, 앞서 나가서 방향을 제시해줄 수도 있다는 것을 보여준 영화였다.

바보선언

_과부춤

· 1983년, 108분
· 제작 _ 화천공사
· 원작 _ 이동철
· 각색 _ 임진택
· 촬영 _ 서정민
· 조명 _ 김강일
· 편집 _ 김희수
· 음악 _ 김영동
· 미술 _ 김유준
· 출연 _ 박원숙, 이보희, 박정자, 박송희

홍말숙(이보희)과 동식엄마(박원숙)을 중심으로 과부들의 이야기가 펼쳐진다. 홍
말숙은 재일교포와 결혼을 했다가 과부가 되자 결혼상담소를 찾는다. 거기서 만난
권소장(박정자)의 꼬임으로 재일교포 과부 행세를 하며 사기행각을 벌이다 발각
돼 옥살이를 한다. 그녀의 오빠 홍찬일(권성덕)은 청소부로 일하며 처와 두 아이와
함께 지내는데 어느 날 새벽부터 청소를 하다 교통사고로 죽고 만다. 한편 출소한
말숙은 재가도 하고 교회에 다니며 신앙생활에 열중하지만 도가 지나쳐 그녀의 가
정과 삶을 위태롭게 한다. 그러다 그 교회는 사이비 복사에 의해 문을 닫는다. 그
러던 중 말숙은 동네에서 쫓겨난 과부 무당이 만삭으로 쓰러져있는 것을 발견하고
동숙엄마(말숙의 올케)에게 데리고 온다. 과부들이 모여 사는 동식엄마의 집에서
무당은 새 생명을 낳는다.

괴부춤_1983

김홍준 〈과부춤〉에 대해 조금 소개를 하자면요, 지난 시간에 들었듯이 원래 이 영화는 화천공사와 『어둠의 자식들』을 원작으로 3부작으로 제작했던 기획이 검열 등으로 틀어지면서, 첫 번째 작품이 '카수영애' 라는 에피소드를 가지고 1981년 〈어둠의 자식들〉로 나왔었구요. 그 다음에 〈과부춤〉보다 〈바보선언〉을 먼저 만들었는데, 〈바보선언〉이 만들어지고 나서 바로 창고로 직행을 하는 바람에 개봉이 안 되고 있다가 『어둠의 자식들』을 쓴 이동철씨, 본명은 이철용씨인데 그분의 원작인 『오과부』라는 소설이 나왔었어요. 다섯 명의 과부의 삶을 그린, 『어둠의 자식들』과 같은 계열의, 자신의 경험을 바탕으로 한 기층 민중들의 삶을 다룬 옴니버스식 소설이자 논픽션인데요. 그것을 원작으로 해서 만든 것이 〈과부춤〉이에요.

뒷얘기는 이따 감독님께 직접 들어보도록 하고 제작순서로는 〈어둠의 자식들〉, 〈바보선언〉, 〈과부춤〉. 개봉 순서로는 〈어둠의 자식들〉, 〈과부춤〉, 〈바보선언〉 이렇게 되어 있어요. 1983년 2월 2일에 대한극장에서 개봉을 했는데 개봉 관객이 15,000명밖에 안 된 저주받은 작품이라고 했어요. 참고로 대한극장은 지금 같은 멀티플렉스가 아니라 굉장히 큰 대극장, 한 개의 극장이었는데 아마 그때 대한극장의 좌석수가 4000석인가 그랬을 거예요. 4000석짜리 극장에서 일주일간 상영했는데 관객이 15000명 들었다는 것은 그 영화를 보러간 4000석 짜리 극장에 10명이 앉아있는, 거의 공포영화스러운 차이밍량 영화에 나올법한 그런 분위기 속에서 이 영화가 구정프로로 걸렸던 것 같은데요.

참패를 했고 1983년 3월, 지난 시간에 감독님이 말씀하신 대로 땜빵으로 단성사에 〈바보선언〉을 올렸는데 그게 의외로 관객을 끌어들이는 바람에 강원도에서 문화영화를 찍으시다가 급거 상경하셨다는 그런 일화를 들은 바 있죠. 이장호 감독님의 필모그래피를 보면 〈과부춤〉까지가 이동철씨의 원작을 가지고 만들었던 시기입니다. 이 영화를 보면 알겠지만 영화 속에는 굉장히 다양한 요소들이 들어있어요. 80년대 후반 미국 유학시절에 이 영화를 보고 충격을 받았어요. 왜냐하면 그전까지 우리나라 영화 속에서 굿이나 특히 무당이나 무속을 다룬 것은 요즘 시각으로 말하자면 좀 오리엔탈리즘적인 시각을 벗어나지 못했다… 그러니까 이두용 감독님의 〈피막〉 같은 영화는 무속을 하나의 판타지로 사용한 실제의 무속과는 거의 무관한, 유지인이 나와서 구렁이를 휘감고 이런 식이었다면요. 또 한승원씨의 원작을 가지고 만들었던 임권택 감독님의 〈불의 딸〉 같은 경우는 나름대로 우리민족 정신세계의 원형이라고 할 수 있는 무속의 세계를 탐구해 들어갔지만 영화는 불균질적인 반면에, 〈과부춤〉에서 드러나는 무속은 삶의 현장에 상당히 밀착이 되어 있어요.

　　　그리고 무속만 다루는 게 아니라 다섯 명의 과부들의 얘기가 옴니버스로 그려지는데 당시의 기독교, 기독교 전체가 아니라 일부 기독교의 광신도적인 모습을 그리고 있는… 그래서 인터넷을 좀 뒤져봤더니 어떤 글 중에 한국의 기독교에 대한 묘사에서 〈밀양〉과 비교할 만하다는 흥미로운 시각을 보여주더라고요. 그리고 감독님께 여쭤보겠지만 〈과부춤〉 이후 감독님의 행보는 1984년 바로 다음 해, 제목만 들어도 지금도 많은 사람들의 가슴을 설레게 하는 〈무릎과 무릎 사이〉로 흥행사로 복귀하시는 계기가 마련되는데요. 〈과부춤〉과 〈무릎과 무릎 사이〉에 무엇이 있었나. 그래서 5월 12일은 〈무릎과 무릎 사이〉를 프린트로, 무삭제판으로 보는 귀한 기회일 것 같은데 저도 기대가 됩니다. 〈과부춤〉은 『어둠의 자식들』을 쓴 이동철씨의 원작인 『오과부』란 소설을 근간으로 하고 있죠. 그래서 〈어둠의 자식들〉에 이어서 〈바보선언〉을 만드시고 그 후 〈과부춤〉을 찍으셨는데, 개봉은 이 영화가 먼저 돼서 사실 어떻게 보면 〈과부춤〉은 불운한 영화였다는 생각이 들어요. 오늘 여러분이 보셨겠지만 상당히 주목할 만한 의미 깊은 영화인데 개봉했을 때 대한극장에서 아마 구정프로로 붙었다가 금방 내려졌고, 다음에 바로 3월에 또 〈바보선언〉이 개봉되면서 의외의 돌풍을 일으키며 〈과부춤〉은 중간에서 얼렁뚱땅 넘어가는 영화처럼 돼버렸는데요. 〈과부춤〉에 대한 감독님 스스로의 평가라고 할까요, 소회는 어떠신지 여쭤보고 싶습니다. 이후에 이 작품이 어떤 생명을 갖게 되었는지.

이장호 저번에도 얘기했듯이 〈어둠의 자식들〉을 3부작으로 계약해놓고 문공부(문화공보부)에서 제목 사용도 안 되고 원작자 이름도 사용할 수 없다고 해서, 속편을 만들려던 계획을 포기하고 〈바보선언〉을 만들게 됐어요. 그 다음에 3부작 계약대로 이동철의 『오과부』를 〈과부춤〉으로 만들었죠. 이걸 만들었을 때는 뭐랄까… 정리는 안 됐지만 비극을 희극적으로 바라본다, 또 객관적으로 바라본다, 그런 생각을 굉장히 많이 했던 것 같아요. 그래서 〈바보선언〉에서 사용했던 그런 슬랩스틱을 활용하면서 비극을 한번 희극적으로 표현해보자.

또 영화를 만들면서 옴니버스에 대한 관심이 깊었었는데 옴니버스라는 형식의 영화를 한번 만들어보자고 해서 이야기를 세 토막으로 나누어서 만든 셈이죠. 그 다음에 또 하나는 역시 현장연출, 즉흥연출인데 하도 오래전 일이라 새카맣게 잊어버리고 있다가 오늘 문득 생각난 게 있어요. 현장연출에서 우리 신상옥 감독님도 늘 그랬는데, 지난 신이 어떻게 되느냐, 꼭 첫 장면을 찍을 때 전 신 마지막 장면이 어땠냐는 것을 항상 우리한테 물어보고 자기도 그것을 기억하려고 애쓰고 그랬어요. 거기에 의해서 연결해나가는 어떤 힘을 가졌다고 할까? 몇 십 년 전에 늘 신상옥 감독님한테서 익혔던 그것이 오늘 보니 되살아났어요. 〈과부춤〉은 흥행에 참패했지만 일본에 '발견의 회'라고, 소극장운동을 하던 연극팀이 있었는데, 그 연극팀이 한국에 왔다가 〈어둠의 자식들〉을 보고 만나자고 해서 만났어요.

그랬더니 자기들이 일본에서 하는 자주상영제에 한국영화를 좀 소개했으면 좋겠다, 해서 1983년인가 그때쯤일 거예요. 〈어둠의 자식들〉을 사 가려고 했는데 해외반출불가라고 해서 갖고 가진 못하고 대신 〈바람 불어 좋은 날〉을 갖고 갔어요. 〈바람 불어 좋은 날〉이 일본에 가서 자주상영제에 소개되면서 일본이랑 나하고 인연이 되었던 것 같아요. 그때 가서 인터뷰를 하면서 오시마 나기사 감독도 만나고 오구리 고헤이 감독도 만나면서 일본 사람들과 교제가 시작됐고, 그걸 통해서 두 번째 내 영화가 나간 게 〈과부춤〉이었던 것 같아요.

김홍준 옆에서 조금 보충설명을 하자면, 사실 이 당시에 한국과 일본 사이의 대중문화 교류는 한마디로 일방통행이었습니다. 그러니까 우리나라는 해방 이후 규제가 풀린 게 2천 년대에 와서인데요. 그전까진 일본 대중문화가 공식적으로 금지되어 있었기 때문에 일본영화가 극장에서 상영되지도 않았고 일본 대중가요들을 방송에서 들을 수도 없었고, 한국에서는 사실 음성적으로는 다 들어와 있으면서도 공식적으로는 대중문화 자체가 금지되어 있었기 때문에 거꾸로 한국 대중문화가 일본에 소개되는 것도 막았던 것 같아요. 그래서 일본사람들이 암묵적으로 한국이 일본 대중문화를 안 받아들이니깐 우리도 너희 것을 안 받아들이겠다, 라는 태도 같은 것이 비즈니스 측면에 있었어요.

일본 영화감독 오구리 고헤와 함께

이장호 일본은 철저했죠.

김홍준 뭐, 말로 해서가 아니라 암암리에 그런 것이 있었어
요. 그래서 사실 이장호 감독님의 영화가 그때 일본에 소개됐었다는
것은 흥미롭고 의미심장한 것이… 첫째는 일본의 영화수입상이 정
식으로 수입해 간 것이 아니라 자주상영, 그러니까 우리나라의 독립
영화에 해당하는 일본의 독립영화 전통이 있는데, 그분들이 상업영
화 배급망이 아닌 대학교 캠퍼스랄지 시네클럽이랄지… 이런 데를
하나하나 섭외하면서 상영하는, 이른바 일본 특유의 자주상영이라
는 방식이 있습니다. 그래서 그렇게 된 것이고, 사실 이장호 감독님
의 〈어둠의 자식들〉이라는 영화는 못 갔지만 〈바람 불어 좋은 날〉이
감으로써 한국에서 뭔가 의미 있는 영화가 존재하는구나.
  왜냐하면 그때 일본에 소개되었던 한국영화는 전부 에로영

과부춤

화뿐이었어요. 그게 90년대 말까지도 그랬어요. 사실 지금은 한류 때문에 완전히 달라졌지만 이런 〈과부춤〉이나 〈바람 불어 좋은 날〉이 일본에 소개되었다는 것은 그런 의미에서도 굉장히 중요한 의미를 가졌고, 또 일본의 감독들과 이장호 감독님과 교류가 시작된 거죠.

이장호 일본사람들은 뭐라 그럴까, 묵계默契들이 잘 되어 있는지 그러니까 상인정신이 잘 돼 있어서 그런 모양인데… 한국에서 자기네 영화를 대극장에 풀기 시작하면 자기네들도 대극장에 풀고, 아마 그런 묵계가 자기네들끼리 있었던 것 같아. 그때 한국에서는 아직 작은 극장에서 영화를 한 적이 없었고, 말하자면 서울에서 지방까지 해서 6개 상영관에서 보통 상영하는 것이 전부였을 때 일본에 가니깐 이거보다 더 작은 극장들에서 자주상영을 하고 있었고, 한국에서 볼 수 없었던 예술영화들을 일본에서는 볼 수 있었고요. 그때 새로운 경험을 많이 했었던 것 같아요. 실제로 후꾸로(침낭), 그런 걸 극장에서 빌려줘요. 그러면 밤새도록 영화를 3편인가 4편을 틀어주는데 후꾸로에 들어가서 자다가 보다가, 자다가 보다가 하는….

김홍준 좌석이 있는 것도 아니고.

이장호 다다미방 같은 데서 〈에이젠슈테인〉도 보고 그랬는데 아주 재밌는 풍속이었어요. 자주상영제에 가게 되면 관객들과 이야기도 시켜주고, 새로운 경험들을 참 많이 했었던 것 같아요.

김홍준 지금은 일본도 다 멀티플렉스로 메이저 영화들이 됐지만, 가끔 가면 그런 전통들이 남아있는데 한번 해볼 만한 경험인 것 같아요. 저도 한번 가봤는데 다다미방에 다 들어가면 20명 들어갈

만한 극장인데 영사기는 35미리예요. 거기서 프로그램은 3월엔 〈에이젠슈테인〉의 달, 4월은 〈루이스 브뉘엘〉의 달. 정말 일본이 아니면 이런 기현상, 그러니깐 발냄새만 참을 수 있으면 견딜만해요(일동 웃음). 그리고 정성일 평론가가 가르쳐준 건데 주말이면 심야상영을 하기 때문에 굉장히 싸거든요. 그러면 숙박비를 아끼기 위해서 밤새 슬리핑백 속에 들어가서 자다가 나와서 보다가, 그러다 친구도 생기고 했던 것 같습니다.

이장호 그런 걸 보면 그 당시가 80년대인데, 지금 한국에 독립영화가 활발해져서 자주상영과 비슷한 형태의 영화 상영을 하는 것을 보면서, 우리가 일본영화 풍속보다 약 20년에서 25년 정도 처져 있는 것 같아요. 그러니까 그 당시에 일본도 중앙에서만 영화를 만드는 게 아니고 저 먼 나고야에서도 만들고 삿포로에서도 만들고, 사방에서 젊은 친구들이 단편영화를 만들어서 활발하게 발표를 하고 그랬으니깐… 그것을 보면서 지금 우리는 디지털이 나오면서 자연스럽게 영화가 되고 있는데, 그 당시 일본사람들은 전부 16미리 심지어는 8미리 가지고도 영화를 만들고 그랬죠.

김홍준 그렇게 70년대부터 일본에서 주로 8미리를 통해서 독립영화 자주영화운동이 있었는데, 그 세대에서 80년대 주류영화로 진입한 사람이 얼마 전 우리나라에 방한했던 하야시 가이조 감독이라거나 또 〈실락원〉을 만들었던 그 누구죠? 갑자기 생각이 안 나는데(모리타 요시미츠), 여하튼 80년대 일본의 대표적인 감독들은 그런 배경을 가지고 있습니다. 며칠 전에 뉴스를 보니 〈똥파리〉가 일본에서 개봉했다는데요. 〈똥파리〉가 자주상영방식으로 조금 큰 데서 상영됐는데, 극장 한 군데에서 되게 잘 돼서 극장 수를 늘렸는

과부춤

데 한 100석 되는 극장이에요. 한국 신문에는 약간 뻥을 쳐서 '흥행 이변', '폭발', '상영관 2배로 늘어' 이렇게 되어 있더라고요. 신문을 보곤 100개 극장에서 하다가 뭐 200개 극장에서 하는 줄 알았더니 한 군데에서 하더라고요. 물론 그것도 굉장히 의미가 큰 거죠. 거기 오는 관객들을 생각하면요.

이장호 〈똥파리〉 얘기하니깐 그 친구 재밌어서 얘기하는 데…

김홍준 양익준 감독이요?

이장호 마라케쉬영화제에 가서 만났는데 여배우들하고 그렇게 친하게 지내고 여배우들이 걔를 너무 좋아해. 쟤는 생긴 것도 저렇게 생겼는데 왜 인기가 많을까, 했는데 워낙 애가 붙임성이 좋고 스타성이 강한 것 같아. 나는 전혀 그 친구에 대해 지식이 없었는데 그 친구가 말하길… 자기는 원래 독립영화배우를 했고 엑스트라도 했고 이루 말할 수 없이 많은 일을 했대. 그래서 자기 성격이 비굴해져가지고 여배우들한테 접근을 잘한다고, 그 얘기를 하는데 굉장히 인상적이더라구요. 생명력이 질긴 친구로구나, 그런 외모를 갖고도 반할 수 있게 하다니 부럽더라고. 하하하(일동웃음)!

김홍준 에. 빨리 또 수습을 해야겠군요(일동웃음). 〈과부춤〉을 오늘 보니까 배우들의 연기가 거의 뭐 그분들의 경력상의 탑에 해당하는 연기들이 아닌가 싶은데요. 다른 것보다 저는 오늘 박원숙 씨… 〈바람 불어 좋은 날〉에서 김희라씨와 함께 등장해 중국집 아주머니 연기를 하셨고 〈어둠의 자식들〉 보시면 잊지 못할, 백주에 교회 철문에 달라붙어가지고, 그리고 여기서는 한국영화상 이렇게 표현하기가 어려운데 가장 질퍽한 에로 베드신이라고나 할까? 정말 리얼한 것 같아요. 그 장면이 있음으로써 또 그 뒤에 굿하는 장면이 더 애절하게 다가왔긴 다가왔는데, 이 세 작품의 박원숙씨와 일하게 된 느낌이라고 할까요. 그리고 그 이후 작품에서는 어땠는지 궁금해서 여쭤보고 싶습니다.

이장호 박원숙씨와 처음 만난 건 내 영화로서는 세 번째 작품인 〈너 또한 별이 되어〉에서였고, 그때 박원숙씨가 어떤 연극에서 주목을 받았냐면 〈루브Luv〉라는 작품을 드라마센터에서 했는데 아주 독특한 캐릭터의 배우가 나왔었죠. 그 당시로는 아주 파격적인 배우였어요. 한국 정서상 여배우의 모럴로 봐서는 굉장히 독특하고 파격적인 여배우가 나타났던 거죠. 그래서 그 배우가 좋아서 계속 영화마다 썼던 기억이 나고 지금도 연기를 할 때 보면 뭐랄까… 몰입하는 것이 대단한데, 가령 남편이 죽었다는 소식을 듣고 나서 감정처리를 종내 영화처럼 하지 말자고 서로 약속이 돼서 한 시간은 줄 테니깐 한번 마음대로 표현해보라고. 그때 스태프들한테 모두 감동을 주는 연기를 해냈고 뭐든지 맡기면 진지하게 소화를 해요. 근데 사실은 외모로 보았을 때는 호화롭게 차리면 멋진 배우인데 나랑 할 때는 아주 서민적인 연기만 했죠.

김홍준 또 제가 자료를 보니까 영화 속에 다양한 백그라운드의 배우들이 나오는데, 예를 들어서 이보희씨는 아마도 이 영화가 출연 순서로는 두 번째 출연작이 되겠죠? 아, 세 번째네요. 그리고 이미 연극배우이자 또 영화 쪽으로 중견 연기자로서 자리를 굳힌 박정자씨, 이미 그 당시에 영화를 많이 하셨던 때고요.

이장호 〈어둠의 자식들〉도 먼저 했고요.

김홍준 그리고 박원숙씨의 남편인 청소부 역할로 나오신, 여러분들은 잘 모를 텐데 권성덕씨라고.

이장호 권성덕은 유명한 연극배우.

김홍준 예, 연극 쪽에서는 그 당시 탑이라고 할 수 있는 분인데 영화는 많이 안 하셨죠?

이장호 영화는 많이 안 했지. 영화는 아마 두 편 정도.

김홍준 영화에서는 이 영화가 대표작이라고 생각하시면 될 것 같아요. 그리고 김명곤씨가 여기서 후레자식 역할을 맡아가지고 (일동웃음)….

이장호 하하하.

김홍준 근데 보니까 〈서편제〉의 유봉을 보는 것 같아요(웃음). 북 들고 왔다 갔다 하는 거 보니까, 임권택 감독님이 〈과부춤〉을 안 보셨던 모양이에요. 제가 〈서편제〉 조감독 할 때도 김명곤씨가 판소리를 하고 이런 것을 전혀 모르셨는데, 〈개벽〉에 출연했던 것만 기억하시고요. 그래서 속으로 참 감회가 깊었습니다.

이장호 여기에 보니깐 굉장히 오래된 영화라 지금 위치들하고 달라진 배우들이, 김명곤 동생으로 나오는 모보경이라는 친군데 전주대사습놀이에서 대통령상 받아서 지금은 전북대학교인가? 어디서 겸임교수로 있고, 그 다음에 어머니 박송화씨는 무형문화재죠. 그 후에 국악원 원장까지도 했을 걸요.

김홍준 영화에서 보니깐 한 연기하시던데요.

이장호 어색하지, 좀 어색하지. 하하하하.

김홍준 소리로 풀어내시는데 갑자기 뮤지컬이 되면서 되게 암담한 영화에서 웃음을 주시는 그런 역할이었습니다. 그리고 내부 빼고는 그 당시 서울의 모습을 보니 격세지감을 느끼는… 요즘은 그 자리가 전부 아파트가 돼 있을 것 같아요.

이장호 많이 달라졌고, 그래도 달동네는 여전히 있어요.

김홍준 주로 저 촬영지가 어디였고, 촬영할 때 어떤 에피소드가 있었는지 궁금합니다.

이장호 내가 〈바람 불어 좋은 날〉에서 만났던 허병섭 목사의 교회가 하월곡동 산동네의 동월교회인데, 그 교회 주변이 〈바보선언〉의 무대였고 〈어둠의 자식들〉도 그렇고 〈과부춤〉도 그렇고, 전부 한 동네가 많이 나와요. 마지막을 보니깐 설명 부족이라는 생각이 들어서 다시 찍고 싶은 마음이 드는데요. 무당이 애를 배고 내려올 때 밑에 다리가 있고 그 다리 밑이 길인데… 그 길 위에서는 목사하고 전도사가 만나서 얘기하는 장면이고 그 밑에 무당이 지나가고, 그리고 우리 주인공 말숙이도 거기를 지나가는데요. 거기서 내가 보여주고 싶었던 게 소위 아랫동네와 윗동네 사이, 종교도 윗동네에 있으면 아랫동네를 못 본다는 것을 보여주고 싶어서 강도 만난 사마리아인, 그것을 표현하고 싶었는데요. 오늘 보니깐 화면도 어둡고 썰렁하고, 마지막에는 성화聖化적 분위기로 영화를 찍었는데 그런 것들이 다 디테일이 안 살아서 영화가 싱겁게 끝났구나, 하는 생각이 들더라고요.

김홍준 각본을 보니깐 임진택씨와 같이 하셨던데요.

이장호 그 각본은 저번에도 이야기했지만, 하여간 시나리오라는 게 항상 문제였다고. 시나리오가 지금 감독들한테도 문제가 될 거예요. 좋은 시나리오 만나기가 힘든데, 내 때는 더구나 마음에 드는 시나리오 찾기가 힘들고 해서 이 사람, 저 사람 붙어서 고치고 하는데 그래도 임진택이가 좀 돌파구가 돼 줬지 않았나… 하는 기억이고 또 하나는 거의 절망 상태에서, 이거 영화를 만들 수 있을까 했을 때 이동철의 원작, 영화적인 대사들이 나오는 것은 전부 이동철의 원작에 나오는 대사예요. 나머지는 뭐 벌써 눈치 챘겠지만 자신 없는 부분들은 스피드를 빨리 해서 일본말 장면(웃음), 그게 한국어를 갖다가 스피드를 빠르게 하니깐 일본말이더라고(일동웃음). 그런 편법을 쓰는 연출을 보여준 것 같아요.

김홍준 참고로 그것은 저희가 슬로우로 하면 원음을 들을 수 있게 되겠습니다.

이장호 하하.

김홍준 연기자에 대해 하나 여쭤보자면, 무당들을 보면 굿 장면에서 진짜 굿을 하는 것처럼 느껴지는데 어떤 분이세요?

이장호 그 친구도 연극배우였는데, 무당 연기보다도 거기 콤마를 또 줄였잖아요? 콤마 속도를 떨어뜨려서 동작이 슬랩스틱이 되니깐 야… 이 굿하는 장면은 앞으로 콤마를 떨어트러야겠구나, 하는 생각이 들더라고요. 왜냐면 빠르면서 거칠지만 신기神氣가 들어 보이는 동작이 되는 것 같아요.

김홍준 오늘 다시 보니까요. 옛날에 봤을 때는 굿 장면이 워낙 인상적이라 무당 역할을 하신 분의 연기가 뛰어나다고 생각했는데, 오히려 그것보다는 박원숙씨의 리액션이 그 장면을 정서적으로 살렸던 것 같아요.

이장호 통곡하고 울고 하는….

김홍준 그게 너무 절절해서 영화라는 것을 잠시 잊어버릴 정도로, 참 그런 생각이 들었는데요. 음악도 〈바보선언〉에서 본격적으로 국악을 했다가 이 영화는 거의 국악이라는 것이 손색없이 지금의 삶과도 맞아떨어지는… 보니까 일본음악에 국악을 깔기도 하시고 찬송가에 국악을 깔기도 하시고, 음악은 김영동 선생님이 하신 걸로 되어 있는데 감독님께서는 어느 정도로 관여하셨는지요?

이장호 김영동씨가 음악적 재능은 천재였는데 섬세하지를 않아요. 영화에 맞춰서 섬세하게 계산된 게 아니라 너무 쉽게 "찬송에 대금 하나 깔면 돼" 이런 식으로요. 그래서 당시에는 되게 불만이

과부춤

67

〈과부춤〉에서 형사역의 서영수와 이보희

많았어요. 내가 정성스럽게 영화를 만들면 이놈이 만날 당일치기처럼 해버리는… 그랬는데 지금 생각해보면 그 방법밖에는 또 없었던 것 같아요.

김홍준 음악을 따로 만들어 오신 겁니까? 아니면 녹음실에서 영화를 틀어 놓고 직접 라이브식으로 녹음한 겁니까?

이장호 김영동씨 특징이 뭐냐면 전혀 다른 영화, 임권택 감독 영화에 썼던 걸 나한테 가져 오기도하고 내 것을 또 임권택 감독한테 가져 가기도하고… 그렇게 구별을 잘 안 한다고. 조심스럽게 써야지 자칫 잘못하면 남의 영화음악 사용할지도 모르니까요. 무반주에 여자 목소리로 '어~' 뭐 이런 비명 같은 걸 지르는 부분은 김영동씨가 탁월하게 음악을 잘 가지고 왔더라고요.

오늘 보면서 내 개인적으로 참 좋아하는 화면은 어떤 거냐면 꿈, 박원숙씨가 꾸는 꿈 장면이요. 남편이 죽었을 때 꾸는 꿈에서 빨간 모노크롬 속에 청소부 남편이 단정하게 넥타이를 매고 여행가방 하나 들고 하염없이 앞서 가고, 박원숙씨는 막 쫓아가는데… 권성덕씨의 화면은 말하자면 콤마를 떨어트린 패스트모션이고 박원숙씨는 슬로우모션으로 쫓아가는데, 그런 꿈 장면이 참 내 기질에 맞는 화면이라고 생각해요.

내가 대마초 전에 만든 영화가 〈너 또한 별이 되어〉인데요. 거기서 사후세계를 그렸는데 시인이 죽은 다음에 사후로 가는 장면이에요. 그 장면을 인상적으로 생각해내서 여기서 그걸 썼던 것 같아요. 취향이라면 그런 게 나한테 맞는 취향이죠. 어렸을 때 보면 전쟁 때라 길거리에 사금파리라는 유리조각 깨진 것이 참 많았어요. 파편들이죠. 소주병 깨진 것, 맥주병 깨진 것, 나라가 가난할 때라 청소도 안 하고 길거리에 그대로 있었는데요. 그런 것이 나한테 중요한 놀이 감이었어요. 그걸 통해서 세상의 색깔들이 변하는 모습들을 보는 게 내 즐거움 중의 하나였다고. 그러다가 귀하게 새빨간 약병이라도 생기면 만날 보던 푸른 병, 갈색 그림이 아니고 빨간 세계가 보이기도 하고 노란색이 생기면 또… 그런 것들이 내 어린 시절의 어떤 영화적인 큰 정서를 키워준 것이 아닌가, 하는 생각이 들어요.

김홍준 모노크롬 빨간색은 어떻게 찍으셨어요? 그냥 후반 작업에서 한 건 가요?

이장호 아니요. 처음부터 빨간 필터를 사용했죠.

김홍준 16미리로 봐서 그런지 색깔이 더 원초적으로 보이는 것 같은데요. 이 〈과부춤〉을 보고 오늘 느낀 것은, 감독님의 작품이 〈바람 불어 좋은 날〉까지도 보면 내용은 약간씩 변동이 있었지만 〈별들의 고향〉부터 〈바람 불어 좋은 날〉과 〈어둠의 자식들〉까지도 뭐랄까… 할리우드적인, 신상옥 감독님이 항상 추구하셨던 세련되고 정석으로 가는 그런 편집과 촬영 방식을 고수하신 것 같은데요. 〈바보선언〉에서 한번 이렇게 마음껏 놀아 보셨는지 〈과부춤〉에서는 묘하게도 그런 느낌보다는 롱테이크도 많이 있고 카메라의 구도 같은 것들도, 가령 신도들을 정면에서 잡는 화면 같은 것은 일반영화에선 충격적이거든요. 혹시 그런 형식적인 변화 같은 것들은 어느 정도 의도를 하신 부분이 있는지요?

이장호 이쯤 되니까 소재를 탐험하는 것이 사회의 소외된 사람들의 이야기를 그리면서 같은 세계를 자꾸 그리다보니 영화 형식, 필름 형식에 대해서 점점 더 어떤 시도를 해보고 싶은 욕구가 강하게 일었던 것 같아요. 그것이 〈바보선언〉에서 돌파구가 되었는데, 〈바보선언〉의 형식을 앞으로 영화를 만들어도 계속 살려야겠다는 의도가 이 〈과부춤〉에 유난히 많이 남았던 것 같고, 그러다가 그 다음부터는 저절로 없어져버렸는데… 그걸 계속 유지할 필요가 있었다는 생각이 지금 후회라 그럴까, 아쉬움이 남네요. 내가 어제 어떤 블로그를 보니 〈바보선언〉에 대해서 한 친구가 글을 올렸는데 재밌어서 읽어드릴게요.

"이장호의 영화 〈바보선언〉을 다시 보았다. 지난주 영상자료원에서였다. 중학교 때 극장에서 동시상영으로 이 영화를 처음 보았던 기억이 있다. 아마도 성룡이 나오는 영화를 보러 갔을 때였을 것이다. 너무 당연하겠지만 그때는 이 놀라운 영화가 나에게 보여주는 거라곤 이보희의 미끈한 다리뿐이었다. 스물 몇 살쯤 두 번째로 이 영화를 보았고 그때 느낀 것은, 무시무시한 검열이 있던 전두환 군부독재시절에 어떻게 이렇게 특별한 영화가 만들어질 수 있었을까에 대한 경탄이었다. 에로영화나 만드는 줄 알았던 이장호라는 감독을 다시 생각하게 했다."

김홍준 아마 〈어우동〉을 먼저 본 모양이네요(웃음).

이장호 "그리고 〈바람 불어 좋은 날〉, 〈과부춤〉, 〈나그네는 길에서도 쉬지 않는다〉를 통해 나는 이장호라는 인물이 복잡해졌다. 지극히 상업적 이름과 작가적 이름을 동시에 가진 그가. 그리고 다시 〈바보선언〉을 보았다. 중학생 때나 스물 몇 살 때나 내가 동태눈깔은 아니었구나, 하는 생각이 들었다. 이보희씨의 다리는 지금 보아도 늘씬했고 이 영화는 한국 영화의 걸작 반열에 올려놓지 않을 도

과부춤

리가 없었기 때문이다. 그럼에도 불구하고 세 번째 관람에서는 이전에 보지 못한 것들이 많이 보였다. 영화는 끝났고 이장호 감독에게 나는 물었다. '영화 중간에 과장되게 다리를 절던 똥칠이가 멀쩡하게 걷더군요. 다음 장면에서는 다시 다리를 절고요. 무슨 의미였죠?' 그러자 이장호는 대답했다. '규칙이나 약속을 깨고 싶었던 거지. 시나리오에 배우가 다리를 절라고 쓰여 있으면 처음부터 끝까지 그래야 하는데 나는 그런 꽉 짜인 것이 답답하더라고. 한 번쯤 멀쩡하게 걷는 것을 보여주고 싶었어.' 영화는 허구다. 허구의 약속이다. 마치 전두환과 신군부가 자기와는 전혀 어울리지 않는 두 개의 단어를 써서 민주정의당을 만들며 허구의 약속으로 속인 것처럼 말이다. 〈바보선언〉의 위대함은 허구의 약속 즉, 장르가 아닌 영화라는 명제에 대한 도전인 셈이다. 그것이 이제는 내게 보인다. 그래서 다시 본 〈바보선언〉은 좋았다. 아주 많이." 뭐 이런 식으로 썼어. 재밌어서 내가 가져왔어요.

김홍준 재밌기도 하고 흐뭇하시기도, 하마터면 계속 에로영화감독으로(일동웃음)… 에로영화 이야기가 나오기도 했지만 저희가 다음 시간에는 영상자료원에서 문제작, 문제 많은 문제작 〈무릎과 무릎 사이〉를 보겠는데요. 감독님도 말씀하셨지만 〈바람 불어 좋은 날〉부터 시작해서 〈과부춤〉까지 이어졌던 한 흐름이 〈무릎과 무릎 사이〉로 어떻게 이어지는지, 혹은 그 사이에 무슨 일이 벌어졌는지는 다음에 감독님을 뵙고 직접 들어 보는 것이 좋을 것 같습니다. 혹시 〈과부춤〉에 대한 질문이나 코멘트 있으세요?
　　　　저는 오늘 영화 너무너무 좋게 본 것 같아요. 〈바보선언〉이 실험영화 같은 느낌이라면 지금 보니까 〈과부춤〉은 특히 음악의 사용이라든가, 굉장히 고전적인 느낌이 드네요. 가령 카메라도 대부분

다 픽스로 안정돼 있고요. 유일하게 카메라가 요동치는 게, 그것도 심하게 요동치는 것이 아까 말씀하신 박원숙씨의 반응인데요. 그거는 되게 촌스러울 수 있는데 사실 촌스럽죠, 촌스러울 수 있는 게 아니라. 카메라도 덩달아 그러는데 이 영화에서는 그게 전혀 이상하지가 않더라구요. 그런 좋은 느낌이었습니다. 여러분들 보니까 리뷰에다가는 별말 다 쓰면서(일동웃음), 내가 지금 일부러 감독님께는 안 보여드리고….

이장호 하하하하. 내가 얼굴이 두꺼우니까 막 얘기해도 되는데 날 봐주느라고 그러는 건가?

김홍준 굉장히 진솔하고 흥미로운 발언들이 많이 있는데 학기말에 베스트를 뽑아서 드리도록 하겠습니다. 뭐 다른 질문이나 코멘트 없습니까? 그러면 오늘은 여기서 〈과부춤〉의 여운을 남기면서 잠깐의 휴식을 갖고, 2주 후에 영상자료원에서 뵙기로 하고요. 수업 때 혹시 영상자료원에 못간 사람들은 그때 이 자리에서 〈바보선언〉을 상영할 테니까 못 봤던 사람들은 그때 보도록 하겠습니다. 감사합니다.

REVIEW

학생리뷰_김보라(예술사2005137005)

한국적인 것의 신선함

또 다시 이장호와 이보희다. 검색해보니 이장호&이보희 콤비는 배창호&안성기와 함께 80년대를 대표하는 흥행콤비였다. 이보희는 참 매력적이다. 열릴 듯 열리지 않을 듯 벌어진 입술과 오목조목한 이목구비는 야무진 듯하면서도 동시에 백치미를 풍기며 사람을 자극한다. 거기에 특별한 발성까지 자극적이다.

이보희가 맡은 홍말숙은 과부가 되어 재일교포 미망인 행세를 하며 사기를 치는 여자다. 그러다 영화 중반부터 박원숙이 맡은 동식엄마가 나오기 시작한다. 가난하지만 행복한 가정 속에서 주부로 지내던 동식엄마는 남편이 교통사고로 죽자 빌딩청소부 일을 하게 되고, 홍말숙은 개척교회 광신도가 되어 버린다.

어찌어찌하여 이렇게까지 와 버린 과부들의 삶.

어감에서 주는 억척스러움 때문일까, 자식들을 제 손으로 키워내야 하는 막중한 책임을 지니고 있어설까. '과부' 라는 말은 말하면서도, 들으면서도 참 거북스러운 말이다. '미망인' 이라는 참 그럴듯한 단어가 있음에도 우리는 늘상 일상에서 과부라는 말을 즐겨 쓴다. 그리고 그 단어의 어감에 맞춰서, 남편을 잃은 어미들은 조금씩 억척스러운 강한 생활력을 가지고 변해간다. 모성과 노동 속에서 삶을 진척시켜야만 하는 과부들. 늘상 TV 드라마에서 바라보던 우리네 어머니들의 모습과도 같다.

영화는 비교적 밀도 있게 진행되지만 구조가 조금 아리송하다. 차라리 홍말숙과 동식엄마를 교차편집으로 보여주는 것이 더 낫지 않았을까 하는 생각이다. 인물들을 보여주는 구조가 오히려 영화적 몰입을 방해하는 느낌을 받았다.

그것 외에는 영화 중반에 울리는 국악과 판소리, 샤머니즘적 색채를 강하게 풍기는 장례가 인상 깊었다. 아무래도 현재의 우리들이 접하지

못하는 한국 고유의 것들을 영화적으로 대입시켜 놓은 것이 우리에게 신선할 수밖에 없다.

지금껏 이장호 감독의 작품들을 보면서 느낀 건 일정한 틀이 없다는 것이다. 서사나 인물, 내러티브에서 뚜렷한 이장호만의 틀을 찾을 수 없었다. 하지만 더 모르겠는 건 그것 자체가 이장호 감독의 특징인가, 하는 것이다.

물론 사람도 시간에 따라 변하듯이 그 사람의 영화와 영화관도 흐르는 물처럼 변할 수 있는 것인데, 이제는 '그것이 무엇인가'라는 물음보다는 '그것이 어떤 궤적으로 흐르는가'라는 질문을 던져야 할 것 같다. 그렇게 물어야 해답을 찾을 수 있는 감독이라는 생각이 들었다.

_무릎과 무릎 사이

· 1974년, 105분
· 제작 _ 태흥영화사
· 각본 _ 이장호
· 촬영 _ 서정민
· 조명 _ 김강일
· 편집 _ 현동춘
· 음악 _ 정민섭
· 출연 _ 안성기, 이보희 임성민, 이혜영, 태현실, 나한일, 김인문, 강재일

〈무릎과 무릎 사이〉에서 이복자매로 나온 이보희와 이혜영

자영(이보희)은 부유한 집안에서 음대를 다니며 풍족하게 생활하지만 어머니(태현실)의 지나친 간섭과 보호로 성충동 자체를 죄악시하게 된다. 어릴 적 외국인 플루트 과외 선생에게 당한 성추행과 순결을 지나치게 강요하는 어머니의 억압에서 벗어나고 싶은 자영은 극심한 고통과 갈등을 겪는다. 그러다 음악회에서 그녀를 따라온 수일(임성민)에게 몸을 허락하고 참아왔던 성욕을 발산하지만 그녀가 찾게 되는 사람은 늘 옆에서 그녀를 바라봐주는 조빈(안성기)이다. 자영은 가출을 하고 시골에 내려가 마음을 다잡으려 하지만, 그곳에 놀러온 도시 청년(나한일)에게 몸을 뺏긴다. 그 장면을 숨어서 카메라에 담은 청년의 친구는 자영에게 몸을 요구하고, 거기에 응하려던 순간 주위를 지나던 불량배들에게 집단 강간을 당한다. 한편 자영의 아버지(김인문)가 자신의 회사에서 일하던 여급에게서 낳은 자영의 이복자매 보영(혜영)의 친모는 재가를 하고, 그간 냉랭했던 자영의 식구들과 보영은 자영의 자살기도를 계기로 화해를 시도한다.

무릎과 무릎 사이_1974

김홍준 방금 영화 속에서 이장호 감독님의 지금보다 조금 젊은 모습을 보셨는데 이 자리(한국영상자료원)에 이장호 감독님께서 나와 주셨습니다(일동 박수). 지난 시간에 봤던 1983년 작품인 〈바보선언〉과 〈과부춤〉에 이어서 오늘 이 영화를 보게 됐는데요. 이 〈무릎과 무릎 사이〉의 자료를 보면 시네마스코프 1시간 37분, 1984년 9월 30일에 단성사에서 개봉되어 263,334명이 본 것으로 공식적으로 기록되어 있습니다. 요즘으로 친다면 한 삼사백만 정도로 흥행된 영화라고 할 수 있겠네요. 당시 한국영화가 굉장히 힘을 못 쓰던 때인데 아마 그해 흥행에서 거의 1, 2위를 하지 않았나 싶습니다.

그리고 이 작품을 보셨겠지만 성인들을 위한 내용을 담고 있어서 아마도 1980년대에 10대 시절을 보냈던, 이장호 감독님의 전작인 〈별들의 고향〉이나 그런 영화를 못 봤던 사람들은 본의 아니게 감독님을 에로영화 감독으로 오해할 수도 있었겠단 생각이 듭니다. 어쨌든 감독님께 여쭤보겠습니다. 지난 시간에 감독님께 듣기로는 〈바람 불어 좋은 날〉로 재기를 하시고, 〈바보선언〉과 〈과부춤〉을 만드시면서 제작자들로부터는 일종의 기피인물 비슷하게 됐고, 또 검열과도 부딪치고 그 당시의 군사독재정권에서도 탐탁지 않게 생각하는 감독으로서, 말하자면 활동에 위기를 맞으셨다고 말씀해주셨는데요. 그러다가 1984년 초에 〈바보선언〉이 1년이나 창고에 있다가 뒤늦게 개봉되면서 대단히 기대 이상의 반향을 불러일으켰고, 그리고서 이 작품이 나오게 된 거거든요. 그러면 〈바보선언〉의 개봉과 이 〈무릎과 무릎 사이〉의 완성 사이에 어떤 일이 있었는지 말씀을 조금 해주셨으면 좋겠습니다.

이장호 어… 그거보다 더 가슴 아픈 것은 〈과부춤〉이 대한극장에서 구정 대목을 바라고 개봉했는데 참패를 했죠. 너무 실패가

무릎과 무릎 사이

컸기 때문에 제작사도 그렇고 저 자신도 좀 뭐랄까, 위축된 상태였습니다. 〈과부춤〉을 끝으로 작품이 들어오질 않았죠. 그전에 계약을 하자고 덤벼든 영화사들이 많았었는데 〈과부춤〉 이후로는 제의가 들어오지 않았고 그 시간이 생각보다 오래 가니까 먹고는 살아야겠고, 마침 내무부에서 기획하는 새마을영화 연출 제의가 오니까 덥석 받아먹을 정도로 굶주려 있었죠. 그리고 〈바보선언〉을 만든 지 1년이 지나서 개봉을 했는데 흥행 만족감보다는 그동안 굶주려 있던 보상처럼 아직 배가 차지 않은 그런 느낌이었습니다. '대명代名 제작'이라고 그 당시에 어떤 풍속이 있었냐면 제작을 하려면 제작허가를 받아야만 하는 거예요. 영화사 등록을 할 수가 없으니까 편법으로 이미 등록된 회사의 이름을 빌려서 영화제작을 하는 풍속이 있었어요.

그래서 '이장호 워크숍'이란 회사를 차리고 영화를 준비하자 마음을 먹었죠. 그러던 때에 신체언어에 관한 책을 읽다가 보디랭귀지를 연구한 부분에서 아주 신선한 단어 하나가 눈에 띄었어요. '무릎'이라는 단어가 눈에 들어왔는데 그게 아주 신선한 느낌을 줬습니다. 영화제목에 무릎이라는 제목을 한 번도 안 썼네, 하는 생각이 들었죠. 그러다가 무릎이란 단어에서 연상이 돼서 남녀가 마주 앉은 모습, 서로 무릎을 맞댄 모습. 그 모습으로 처음에는 무릎과 무릎 사이라는, 일종의 사람과 사람 관계라는 제목을 만들어놨죠.

그렇게 제목을 만들고 나서 내 느낌이 금세 변했어요. 처음에는 남자와 여자가 서로 마주 앉은 모습이었는데 제목을 계속 보다 보니까 다른 게 연상이 됐죠. 그래서 우리 조감독을 했던 신승수 씨한테 조심스럽게 반응을 알아보려 떠봤죠. 내가 제목 하나 기가 막힌 걸 만들어놨는데 어떠냐고 했더니 무릎을 딱 치면서 '대박이다'라고 하더라고요. 그렇게 다른 사람의 첫 반응을 보게 된 거죠. 그 다음부터 사람들에게 하나 둘 물어보니까 반응이 역시나 좋더라고요. 제목이 이렇게 좋은 반응을 불러일으키긴 처음이라 생각했죠. 스토리가 아직 만들어지지 않은 상태에서 제목이 정해졌고 이장호 워크숍의 첫 기획작품으로 만들어지기 시작했죠.

김홍준 그럼 이장호 워크숍은 요즘의 독립프로덕션 같은 그런 것을 지향했던 건가요?

이장호 그렇죠. 제작을 생각하면서 일단은 내가 돈이 없으니까 기획을 팔아야겠단 생각으로 시작한 거죠.

김홍준 그 당시 배경을 잘 모르시는 분들을 위해 설명을 하자면 1980년대 후반에 미국의 직배 때문에 연계가 돼서 한 것인데, 풀리기 전까지 한국영화는 제작이 자유롭지 못했습니다. 그러니까 외화수입과 한국영화제작을 겸할 수 있는 영화사들이 정부에 의해서 일정한 개수의 영화사만을 등록을 할 수 있었고, 그 등록된 영화사만이 영화를 만들 수 있는 일종의 라이센스를 가지고 있었기 때문에 자본이 있어도 아무 영화나 만들 수 없었어요. 사실 그게 겉으로 내보이는 취지는 한국영화만을 제작해서는 영화사가 수지타산을 맞출 수 없으니까 한국영화를 만들 수 있도록 외화수입을 독점적으로 영화사에게 보장을 해주고, 거기서 얻은 수입으로는 한국영화를 안정적으로 제작하라는 취지로 만들어진 제도였거든요. 그런데 꼭 그런 취지대로 되지 않았죠. 거기서 찾아온 폐해 중에 하나가 아무나 영화를 만들 수 없기 때문에 영화를 만들 의지와 자본, 기획이 있더라도 자기가 영화사를 설립해서 지금처럼 영화를 만들 수 있는 그런 시스템이 아니라서 1960년대부터 영화계에 있었던 숨은 병폐가 바로 '대명제작' 이었죠.

〈무릎과 무릎 사이〉의 이보희

이장호 그래요. 대명제작이라는 것도 있었고 또 하나 변칙적인 게 '위장합작'이라는 게 있었죠.

김홍준 위장합작은 서로 다른 나라, 예를 들면 홍콩영화에 우리나라 배우 몇 명이 살짝 출연하거나 우리나라 영화에 홍콩의 배우들이 살짝 출연하는 것 가지고 합작영화다 얘기하는 거죠. 1980년대까지만 해도 이장호 감독님이 〈무릎과 무릎 사이〉를 만들 쯤엔 거의 그것이 풀리기 직전이었는데요. 본인의 기획을 가지고 영화를 만들 수 없는 상황이니까 기존에 등록이 된 영화사의 이름을 빌리거나 그 회사와의 이면계약에 의해서 만들어진 그런 케이스들이 많았죠. 이제는 말할 수 있는 시대가 왔기 때문에 얘기하는 겁니다. 그래서 〈무릎과 무릎 사이〉는 태흥영화사의 작품으로 되어 있는데요.

이장호 그 당시에 태흥영화사가 영화사를 만들면서 첫 작품으로 김지미씨가 머리를 삭발한 〈비구니〉라는 작품을 기획했었는데요. 이태원 사장이 아주 의욕적으로 덤벼들면서 제작비를 풀었어요. 이미 김지미씨는 삭발을 하고 크랭크인하는 데에만 당시 2억 정도의 돈을 없앴습니다. 그 당시에 영화 한 편 제작할 때 1억 정도면 됐는데 이미 크랭크인하는 데에만 그 두 배 정도를 썼어요. 그러다가 조계종에서 〈비구니〉라는 작품에 대한 반발, 김지미씨에 대한 반발 등 거센 반발에 부딪쳐 영화제작을 포기할 수밖에 없었습니다.

이태원씨는 굉장히 실망이 컸죠. 그런 때에 나는 작품 시나리오가 완성돼서 투자를 끌어들이고 있었는데 영화평론하시는 이명원 선생이 마침 이태원 사장이 〈비구니〉로 좌절하고 있으니 자기가 다리를 한번 놓아보겠다고 하더라고요. 다리가 놓아지면 동업조건으로 한번 일을 시작해보라고 해서 거기에 따랐죠. 그 뒤로 이태원 사장에게 콜이 와서 만났더니 좋다고 해서 50:50으로 나누고 일을 시작하게 됐죠. 나중에 이태원 사장이 그런 얘기를 하죠. 완전히 영화를 포기했을 땐데 이장호 때문에 다시 말려들어가지고 영화를 하다 보니까 영화를 끊을 수가 없다고. 많이 번다고 벌었지만 총결산해보니까 결과적으로는 망했다고 하더라고요.

김홍준 지금 앞에서 이태원 사장님에 대한 이야기를 들었는데요. 1980년대부터 2000년대까지 한국영화의 큰 흐름을 이야기할 때 빠트릴 수 없는 중요한 제작자시죠. 또 태흥영화사는 주로 임권택 감독님, 장선우 감독님 등의 영화를 계속 만든 영화사기도 하고요.

이장호 김홍준 감독도 거기서 데뷔했지, 아마.

김홍준 네, 저도 거기서 데뷔했고요. 이태원 사장님에 대해

무릎과 무릎 사이

조금 더 보충설명을 하자면 원래 다른 업종 쪽에서 나름대로의 부를 축적하셨고요. 그것을 바탕으로 야심차게 영화계에 입성하시면서 첫 작품으로 임권택 감독님의 연출과 송길한 선생님의 각본, 그리고 김지미 씨의 주연으로 〈비구니〉라는 영화를 흥행과 예술이라는 양쪽을 다 겨냥하면서 당시로서는 파격적인 예산과 조건으로 촬영을 했는데요. 그 내용이 외부에 유출되면서 비구니 역할의 김지미 씨에 얽힌 이야기들에 대해 불교 쪽에서 상당히 보수적인, 부정적인 이야기들이 나왔고 그것이 또 사회적으로 문제가 되면서 결국은 종단의 반발 때문에 영화를 접을 수밖에 없었던 상황이었다고 해요.

여담으로 말씀드리는 거지만 임권택 감독님께서도 굉장히 아쉬워한 작품이에요. 거의 40분 정도의 분량을 촬영했고 6·25가 배경인데요. 전투장면, 피난장면 같은 것들은 아주 스펙터클하게 찍었는데 결국 못쓰게 돼서 필름도 행방불명이 됐어요. 저도 좀 아깝게 생각합니다. 볼 수 있으면 좋을 텐데요. 어쨌든 그런 상황 속에서 이장호 감독님의 〈무릎과 무릎 사이〉가 사실상 태흥영화사를 있게 한 영화인 셈인데요. 아까 50:50이라고 하셨죠. 제가 너무 돈 얘기만 밝히는 것 같지만 감독님도 투자를 좀 하신 건가요?

이장호 내가 기획, 연출, 시나리오를 다 합쳐서 50을 갖고 그쪽은 돈을 주고 50을 갖는 그런 형태였죠.

김홍준 그러면 그건 흥행 수입입니까? 수익입니까?

이장호 전체 이익을 나눠서 하는 거죠. 사실은 제작을 해본 경험이 없어서 그냥 50:50으로 나누는 것에만 황홀했지 나머지는 잘 몰랐어요.

김홍준 황홀한 와중에 감독님 지분이 어디로 갈 수도 있었군요. 그럼 이 영화의 제작비는 어느 정도 들었는지 알고 계십니까?

이장호 한 1억 2천 정도라고 생각이 되는데….

김홍준 그럼 영화의 기술적 완성도나 스케일 면을 고려했을 때, 그 당시 평균적인 한국영화의 제작비에서 평균 이하였다고 생각하십니까? 이상이었다고 생각하십니까? 또 이 영화의 캐스팅을 보면 우리가 너무나 잘 알고 있는 안성기 씨, 이보희 씨, 그리고 돌아가신 임성민 씨, 신인이라서 그런지 몰라도 왠지 풋풋한 이혜영 씨의 모습까지 보이는데요. 배우들의 캐스팅은 그 당시 어느 정도의 스타 캐스팅이었습니까?

이장호 〈무릎과 무릎 사이〉 전에 이보희 씨가 한 영화가 〈바보선언〉, 〈과부춤〉 등인데요. 그때 당시에는 이보희라는 배우가 충무로에서 별로 눈에 안 띌 시기였던 것 같아요. 안성기 씨는 자타가 공인하는 괜찮은 배우였고, 임성민 씨도 탤런트였지만 쉽게 캐스팅할 수 있는 신인급이었고요.

김홍준 지난 강의에서도 캐스팅을 하실 때 지금은 워낙 유명해진 배우들을 보고 스타캐스팅을 했구나, 하고 지레짐작하지만 사실 이렇게 확고하게 자리를 굳힌 배우들보다는 조금 신인이거나 가능성이 있는 배우들을 선호하셨다고 했잖아요. 결국 이 영화도 그러한 점에서….

이장호 이 영화도 거의 신인들로 이루어졌다고, 그 당시의

이장호 감독의 마스터클래스

사람들은 생각했을 겁니다.

김홍준 그리고 아마 이 영화를 통해서 이보희 씨가 굉장히 대중적인 인기를 얻게 되죠.

이장호 그렇습니다. 유명해지기 시작한 거죠.

김홍준 영화의 맥락에 대해서 질문을 드리고 싶은데요. 〈어둠의 자식들〉도 흥행해서 거의 그해 흥행 톱이 될 만큼 성공하셨는데요. 그러다가 상업적인 면으로 봤을 때 잠시 동안 침체기를 갖게 되셨잖아요. 만드실 때 이 작품은 꼭 상업적으로 성공을 해야겠다는 마음이나, 이렇게 되면 상업적으로 성공하겠다는 확신 같은 게 있으셨나요?

이장호 아까도 얘기했지만 〈바보선언〉 이후에 영화가 개봉될 수 있었고, 대학생들이 모여서 십만 관객이 됐는데 그건 생각지도 못한 일종의 보너스 같은 거였죠. 포기했던 작품인데 말이죠. 그렇지만 십만이란 숫자가 사실 보면 그렇게 큰 숫자는 아닙니다. 〈바람 불어 좋은 날〉과 〈낮은 데로 임하소서〉의 경우가 십만이었는데 십만이란 숫자는 그렇게 배가 부른 숫자는 아닌데… 〈무릎과 무릎 사이〉를 개봉하면서 다시 그런 생각이 들었어요. 이야, 사람이 모이는구나. 어쩌면 나 자신에 대해서 흥행은 기회가 없다는 정도까지 굶주려 있을 때였는데… 첫날 단성사에서 사람들이 몰려들고 이태원 사장이랑 그 2층 다방에 앉아서 보는데 참 신기하더라고요. 제목 가지고 좋은 제목이다, 흥행성이 있는 제목이다, 하고 생각은 했지만 그게 실제 현실로 이루어지니까 굶주렸던 배가 채워지면서 만끽하는 기분이 들었죠. 그때 관객이 영화내용과 상관없이 제목만으로 몰려들 수도 있구나 하는 생각 때문인지 관객이 참 단순할 수 있다는 생각을 했던 것 같아요.

심지어는 이태원 사장이랑 나랑 크게 폭소를 한 적이 있었는데, 전혀 영화를 볼 것 같지 않은 꼬부랑 할머니가 입장을 했어요. 젊은 사람들만 영화 보러 오는데 할머니 혼자서 들어오고 계시니까 신기했죠. 신기해서 이태원 사장이 "할머니, 어떻게 오셨어요?"라고 묻더라고요(웃음). 할머니 말씀이 "아 내가 관절염이 있는데 누가 이 영화를 보면 관절염에 좋다고 그래~(일동 웃음)." 그 제목이 가져온 난센스죠. 그 정도로 당시에 그 제목이 사람들에게 많이 알려졌던 것 같아요.

김홍준 〈무릎과 무릎 사이〉가 무릎에 좋은 영화로 와전이 된 것 같은데 그래도 재밌게 보고 가서서 무릎에 좀 활기를 느끼시지 않았을까 생각이 되네요(일동웃음). 그런데 〈바보선언〉만 해도 〈어둠의 자식〉들이라는 제목이 침침하다고 당국에서 못 쓰게 하는 검열이 심할 땐데, 〈무릎과 무릎 사이〉라는 약간 야릇한 제목에서는 별다른 간섭이 없었습니까?

이장호 뭐, 전혀 그런 제재는 받지 않았고, 그 당시 이태원 사장 주변에 지방흥행사들이 포진되어 있었는데 〈무릎과 무릎 사이〉를 만들고 흥행이 좋아지자 그때까지 사귀어보지 못했던 지방흥행업자들과 갑자기 친해지게 됐어요. 그 사람들이랑 있으면 시간 보낼 때 하는 것이 술 마시는 건데 그 전까지 내가 술을 마신다는 건 조감독들하고 막걸리집이나 대폿집 가서 마시는 거였어요. 그런데 갑자기 격상돼서 룸살롱을 거의 매일 가다시피 했어요. 우리 사회에 넘치는 퇴폐를 그때 아주 만끽했습니다. 〈무릎과 무릎 사이〉를 만든 감독이 그런 어울림을 하면서 지낸다는 게(일동 웃음)….

김홍준 사실 이 영화에 대한 평론을 읽어보면요. 1980년에 전두환 정권이 들어서면서 굉장히 많은 탄압을 하면서 또 한편으로는 이른바 3S, 향락 같은 것들이 1988년도 올림픽을 앞두고 부추겨질 때라 많은 것들이 풀어지고 했을 땐데 그런 사회적 분위기가 어느 정도 이 영화 흥행에 도움을 줬다고 생각할 수도 있을 것 같네요. 감독님이 만드신 영화를 보면 내용을 묘하게, 그 당시 젊은이들에게 팽배해 있었던 일종의 저항의식이랄까? 미국에 대한 생각들이 간간이 보이는 것 같은데 시나리오 쓰셨던 과정과 또 시나리오를 쓰실 때 어떤 쪽에 초점을 두었는지 말씀해주셨으면 좋겠습니다.

이장호 제목을 먼저 만들어놓고 이야기를 꾸미자니까 참 뭐라 그럴까, 좀 난감했죠. 그 전에 내가 만든 영화들은 사회의 소외계층에 대해 다뤘었는데 갑자기 〈무릎과 무릎 사이〉라는 제목을 두고 영화를 만들려고 하다보니까 뭐랄까, 가책도 있고 이런저런 게 있는데 어떻게 하면 섹스를 의식화할까? 그런 고민을 했었던 겁니다. 나를 가만히 들여다보니까 돌파구가 있긴 있더라고요. 어떤 거였냐면 음악을 들을 때 록이나 팝송을 들으면 내 온몸 전체가 반응하는데, 국악을 들으면 내가 무언가를 생각해야 돼서 머리만 반응을 하지 가슴이나 온몸 전체가 반응을 안 하는 거예요. 그래서 내가 미국문화에 강간을 당했나 생각을 했죠. 내가 그래서 이렇게 됐나? 원체는 국악 체질인데 서양음악에 강간당해서 이렇게 됐다고 생각했죠. 그런 스토리가 나와서 이 영화를 만들게 됐어요.

〈별들의 고향〉을 보면 두 번째 남자네 집에 갔을 때 그 남자

이보희와 임성민

가 경아한테 의처증을 보이잖아요. 또 하나의 희생자가 자기 딸에게 검은 옷을 입히는, 그걸 좀 확대해보자 했죠. 이보희가 어렸을 때 플루트 선생한테 성적 희롱을 당한 게 계기가 됐고 엄마의 결벽증이 그렇게 만들었다, 그렇게 스토리는 쉽게 나왔죠. 너무 복잡한 얘기는 내가 꾸밀 자신이 없으니까 그걸 중심으로 해서 펼쳐나가고 그런 걸 좀 더 확실하게 심기 위해 이보희의 남동생이 마이클 잭슨 흉내를 내게 했죠.

　　아마 그때 내가 막 나이를 먹기 시작하는, 세대의 어떤 공감대가 젊은 쪽에서 멀어지는 시초였나 봐요. 마이클 잭슨이라는 이름은 막 떠오르는데 난 그런 거에 매력을 못 느끼고 거리감을 느꼈어요. 젊은 사람들은 그런 것에 매력을 느끼는데 말이죠. 마이클 잭슨을 일종의 서구문화에 대한 반감의 대표적인 적으로 만들어 놓았죠. 그 다음에 플루트에 대칭되는 것을 대금으로 해놓고 그 마지막에 메시지를 보여주겠다고 해서 안성기는 제사를 지내고, 이쪽 이보희 동생은 디스코가 유행하던 시대라고 해서 춤을 추게 해서 대조시켰죠.

마치 이보희의 모든 섹스스캔들은 전부 우리가 잘못 받아들인 서양 문화에서 온 거라고, 이렇게 테마를 위장하고 내가 원하는 베드신들을 찍었죠.

김홍준 위장합작이 아니라 위장운동권영화였다는 거(일동 웃음). 그런데 이 영화를 처음 봤을 때는 미처 몰랐는데 오늘 보니까 〈어제 내린 비〉에서 보였던 도금봉 씨하고 김희라 씨와의 관계와 〈무릎과 무릎 사이〉의 이혜영 씨하고 태현실 씨와의 관계가 비슷해 보이는데요. 또 감독님 영화를 계속 보면서 영상원 학생들도 발견했을 텐데 카메오 전문으로 계속 등장하시는 이장호 감독님의 아버님, 이 영화에서는 이혜영 씨의 어머니가 절에서 결혼식을 할 때 그러니까 이혜영 씨의 새아버지로 나오시는데요. 다른 영화에서보다 신분상승을 굉장히 많이 하신 것 같네요(일동 웃음). 사기꾼, 작곡가에서 여유 있는 사업가까지 하셨는데 혹시 그런 관계, 이복형제랄지 약간 뒤틀린 가족관계에 개인적인 집착이나 특별한 관심이 있으신 겁니까? 아니면 뭐 줄거리상 차용하신 건가요?

이장호 그건 나도 모르겠는데 가장 통속적인 소재 중에 하나가 아닌가 하는 생각이 들어서 그 대표적인 걸 쓴 것 같아요. 개인사 중에 그런 건 없습니다. 그런 개인사를 다음에 내가 만들었죠.

김홍준 그 얘기는 이따가 하는 게 나을 듯하네요. 아우, 너무 솔직하셔서 가지고 제가 다 손발이 오그라들 것 같네요(일동 웃음). 사태 수습을 해야겠네요. 보니까 안 그래도 나이 말씀을 하셨는데요. 참고로 감독님께서는 해방둥이시거든요. 그러니까 이 영화가 나온 게 1984년인데 그때 우리 나이로 40세 정도였으니까요. 말 그대로

무릎과 무릎 사이

40이 되면서 '아, 이제 중년이구나' 이런 생각도 하시면서 젊은 세대와의 간극을 생각하셨던 것 같아요. 근데 마이클 잭슨이 58년 개띠니까 그때 스물일곱 살이었네요.

이장호 그런데 나보다 먼저 죽었네.

김홍준 아, 참 감회가 새롭습니다. 그리고 이 영화도 역시 그 당시 한국영화에서는 찾아볼 수 없었던 새로운 음악장르의 활용이랄지 음악의 이용에서도 돋보인 영화였고요. 〈무릎과 무릎 사이〉는 그 당시 영화음악을 많이 하셨던 정민섭씨께서 해주셨는데요. 사실 지금의 감각으로는 이 영화의 음악이 한 발짝 뒤진다고 해야 할까? 그런 느낌이 드는데 한편으로 생각했을 때 이 음악이 1980년대 분위기에는 굉장히 맞는 것 같아요. 촌스러우면서 또 세련된 척하면서 말이죠. 그래서 이 영화음악에 대해서는 스스로 어떻게 평가하시고, 또 국악과 클래식이 이런 식으로도 쓰일 수도 있단 걸 보여주신 영화인데 이에 대해서도 한 말씀 해주시죠.

이장호 정민섭씨 음악은 사실 신선도가 떨어져요. 너무 많은 영화음악을 맡아서 하기 때문에 이 사람이 다양하게 변신을 하는데요. 내가 왜 그때 이 사람에게 음악을 맡겼냐면 정식으로 음대에서 작곡 공부를 하고 영화음악 하기 전에 괜찮은 클래식을 작곡한 사람이고, 그래서 영화 앞부분에 나오는 좀 전위적인 음대생들의 음악회 장면을 내 주변의⋯ 김도향 씨, 이장희 씨, 강근식 씨가 그걸 만들 수가 없다고 생각했었어요. 제대로 클래식 공부를 한 사람이 맡아줬으면 좋겠다 싶었던 거죠. 그런 사람들 가운데 익숙하게 이 〈무릎과 무릎 사이〉가 원하는 어떤 감각을 입혀줄 사람이 누굴까 고민하던 중,

정민섭씨가 가장 적합하다고 생각했죠. 정민섭 씨는 아마 청산리 전투를 영화로 만들었던 〈일송정 푸른 솔은〉에서도 음악을 담당했을 거예요.

김홍준 이장호 감독님의 영화를 제외한다면 사실 그 당시에 극장에서 상영되는 대부분의 한국영화 속의 음악 스타일이 바로 정민섭 씨 스타일이었어요. 약간 구슬픈 관악기가 나오고 프랑스 경음악 같은 느낌의, 사실 저런 음악들이 외람된 말씀이지만 포르노영화를 보면 많이 나오는데요.

이장호 글쎄, 아마 타이틀 전에 나오는 음악회 장면만 음악이 뛰어나다는 생각이 들고 나머지들은 뭐 별로 음악으로서의 장점이 없었다고 생각해요.

김홍준 또 영화의 음악 자체가 그 시대 감수성의 기록이란 생각은 듭니다. 여러분께 질문할 기회를 드리기 전에 제가 궁금했던 거 한 가지만 더 물어보겠습니다. 오늘 보면서 궁금했던 것은 촬영은 역시 감독님과 계속 호흡을 맞춰왔던 서정민 촬영감독님이셨죠?

이장호 사실은 서정민 감독 전에 신옥현이라는 촬영기사를 시키려고 했었는데 그 친구가 자기가 데뷔하는 것에 대해서 상당히 부담을 느꼈던 것 같아요. 뭐랄까, 자기 선생한테 미안함을 느끼는 것 같더라고요. 크랭크인 때는 슬그머니 자기가 찍었는데 그 다음에는 서정민 기사한테 맡기더니 결국에는 서정민 기사가 다 담당하고 넘어갔어요.

김홍준 영화를 보면 실내장면이 많은데 우연인지 의도적인지는 몰라도 거울 장면이 많이 보였거든요?

이장호 아, 그래요?

김홍준 특별히 거울에 대한 생각을 하신 게 있는지요.

이장호 그건 잘 모르겠는데 거울 장면을 쓸 때는 대체로 특별한 의미가 아니면 안 쓰는데, 영화세트를 만들어 찍은 적이 별로 없어요. 언제나 현장적응을 했는데 현장사정을 보면 굉장히 좁잖아요. 좁으면 의지할 데가 거울밖에 없어요. 그래서 거울을 사용하지 않았나 생각이 들고 특별한 의미는 없어요.

김홍준 방안에서 장롱의 거울이랄지?

이장호 좁은 방에서 찍을 수 있는 방법 가운데 하나죠.

김홍준 그것도 하나의 노하우라고 볼 수 있겠네요. 그리고 영화의 제작실장으로, 그러니까 요즘으로 치면 라인프로듀서랄까요? 김진문 선생님의 이름이 보이는데요.

이장호 아, 그 사람이 이 무렵에 태흥영화사에 들어왔었나 보네요.

김홍준 참고로 김진문 씨는 제작자로서 임권택 감독님의 〈씨받이〉와 〈개벽〉 등을 제작하셨죠. 한마디만 제가 질문을 드리고 여러분께 마이크를 넘기도록 하죠. 카메오, 감독님은 어떤 마음으로 출연하시기로 했나요(일동 웃음)?

이장호 처음에는 내가 배우지망생이었던 거 슬그머니 한을 풀어보고 싶어서 내 영화마다 나온 적이 있었죠. 그때는 대개는 대사 없는 걸로만 나왔는데 이때쯤 되니까 대사도 한번 해보고 싶다는 욕심이 생겨서 실험을 해보게 되었습니다(웃음). 그리고 영화가 워낙 그렇잖아요. 사람들한테 에로, 포르노를 팔아먹는 게 다라고 인식되니까 그런 영화의 면피를 하기 위해서 메시지를 전해줘야겠는데, 그냥 보통 배우가 나가서 전하는 것보다 내가 나가서 하는 게 좋겠다 싶어서 그런 생각을 가지고 했던 모양인데… 또 나중에 이 영화를 평하는 사람들이 제일 많이 지적하는 장면이 바로 거기예요. 잘 나가다가 왜 메시지를 노골적으로 먹이려고 하느냐는 소릴 듣고는 굉장히 멋쩍었어요.

김홍준 오히려 저는 다른 배우가 나왔으면 '와, 이 영화가 감히 관객을 깔보고 설교하려고 하는구나' 했을 텐데 감독님이 나와서 시치미 뚝 떼고 주제를 설명하시는데 (일동 웃음)… 게다가 주제가 영화와 별로 상관도 없는 것 같고, 외람되지만 귀엽다고 할까? 굉장히 호의적으로 봤어요. 여러분들 생각은 각자 어떨지 모르겠어요. 이 영화에서 클로즈업도 가장 큰 클로즈업이 들어가고요. 어쨌든 지금이라도 감독님이 연기를 해보시면 어떨까 하는 생각을 해봤습니다.

이장호 그렇게 영악한 눈들이 있을 줄은 몰랐어요(일동 웃음). 그냥 넘어갈 줄 알았는데(웃음) 지적당하더라고요.

무릎과 무릎 사이

김홍준 제가 좀 결례를 한 것 같습니다. 그럼 이제 여러분들에게 마이크를 돌리겠는데요. 질문이나 영화에 대한 코멘트, 또는 사춘기 시절에 이 영화를 몰래 봤던 기억 등이 있으신 분들 이 자리에서 고백의 시간을 가져주셔도 되겠고요. 그전에 이 자리에 조금 특별한 손님이 오신 것 같은데요. 정지영 감독님하고 윤진서 씨가 와 계시거든요. 사전에 저희가 말씀을 들었는데 지금 정지영 감독님께서 한국영화에 대한 다큐멘터리를 제작하고 계신다고 합니다. 그래서 오늘 이 자리가 끝나고 감독님과의 인터뷰를 따로 준비하고 계신 걸로 알고 있는데요. 정지영 감독님 반갑습니다. 어떤 기획인지 답변 좀 해주시길 바랍니다(일동 박수).

정지영 그렇지 않아도 윤진서 씨가 감독님한테 질문하고 자기소개를 하려고 했는데 미리 이렇게 소개할 기회를 주시네요. 한국영화사에 대한 다큐멘터리인데요. 말하자면은 정지영 감독이라는 노장 감독, 지금은 일이 없어 일을 하려고 애를 쓰는 그러나 기회가 잘 안 오는 그러한 감독과 한 여배우가 '한국영화란 무엇이고 우리는 어떤 지점에서 영화를 하려고 노력하고 있나' 혹은 '한국영화는 어디로 가야 하나' 이런 걸 찾아보려고 시작을 하다보니까 영화사를 더듬게 됐습니다.

저는 지금 '이 시점에 왜 나한테 영화할 기회가 안 오는 것이며 어떤 노력을 해야 영화를 할 수 있나'에 대한 해답을 찾는 것이고, 윤진서라는 배우는 지금 이십대 후반으로서 자기 선배들을 보면서 나이가 들면 영화배우로서의 입지가 좁아지고 사라지는 걸 많이 보고 있는데, 그러면 지금 '나는 이 시점에서 한국영화가 뭐기에 어떤 입장에서 영화를 해야 되는 것이며 한국 여배우로서 나의 입장은 무엇일까' 또 '내가 지금 가지고 있는 영화의 불만은 무엇인데 이 해결점을 어디서 찾아야 하나' 이런 쪽에서 그 해답을 더듬어가고 있는 셈이죠. 윤진서 씨의 입장까지 제가 대변한 셈인데요. 사실은 이에 대해서는 본인 스스로가 더 자세하게 이야기할 수 있으니까 이따 뒤에 기회를 주시면 감사하겠습니다.

김홍준 예, 지금 이야기할 기회를 드리겠습니다(일동 웃음). 반갑습니다(일동 박수).

윤진서 안녕하세요.

김홍준 아예, 앞으로 나와서 말씀하시는 게 나을 것 같네요.

이장호 원체 옷을 평소에 그렇게 검소하게 입고 다녀요?

윤진서 아, 네.

이장호 보기 좋아요, 아주.

윤진서 제 입장은 요즘 여배우로 사는 게 너무 힘들다고 느끼고 있어요. 영화 하는 것도 너무 힘들어지고 갈수록 영화산업도 안 좋아지고요. 어리지만 어쨌든 이번 작품이 열두 번짼데, 열두 번째 작품을 찍으니까 영화가 하기 싫어지고… 아, 어떻게 하지 할 때 이런 영화가 있다는 얘기를 들었고요. 요즘에 정지영 감독님과 함께 영화계 선배님들을 만나러 다니는 중입니다. 그리고 오늘 제가 감독님 작품을 처음 본 건 아니라 영화수업 때부터 개인적으로 많은 작품을 봤었는데요. 저도 김홍준 감독님과 마찬가지로, 감독님이 직접 나오

무릎과 무릎 사이

서서 뻔뻔하게(일동 웃음) 영화에 대한 주제를 말씀하시고 그럴 줄은 몰랐는데… 어쨌든 저도 그런 생각을 했고요. 개인적으로 궁금했던 것은 저도 여배우니까, 이보희 선배님이 어떤 배우인지 잘은 모르겠지만 혹시 연출하시면서 힘드셨던 건 없었는지 혹은 여배우와의 갈등은 없으셨는지 궁금해요.

이장호 영화감독 백 명이면 백 명 다 아마 그런 느낌을 가질 거예요. 여배우에 대한 애정이 없으면 영화 만들기 힘들다는 생각을 갖고 있는데요. 내성적인 감독은 내성적인 감독대로, 다혈질인 감독은 다혈질인 감독대로 그런 감정을 가질 텐데요. 저도 마찬가지입니다. 이보희 씨는 굉장히 뭐랄까요, 내성적이고 돌발적인 배우예요. AB형의 뭐랄까, 그 원형이라 할 정도로. 내성적이다가도 갑자기 대담해질 수 있는 배운데요. 그것을 만들어내기 위해서 내가 할 수 있는 방법은 갑자기 분위기를 험악하게 만들어서 베드신을 찍을 수밖에 없었다는 거예요. 잘 타일러서는 죽어도 안돼요. 그래서 일부러 베드신을 찍을 때는 좀 위장해서 뭔가 일이 안 풀리는 것처럼 화를 내기 시작하고 현장분위기를 공포로 조성하죠. 가장 먼저 당하는 건 조감독이죠. 욕지거리가 나오고 뭐하고… 그래서 하는 수 없이 찍는 것처럼 촬영을 하죠. 그리고 그런 분위기에서 옷 벗으라 그러면 옷 벗어요. 그런 게 항상 한 번밖에 써먹을 수 없는 방법인데 계속 쓰다 보니까 내 자신에 대해서도 역겨움이 생기고 그렇죠.

윤진서 감독님 작품은 꼭 피해야겠네요(일동 웃음). 보면서 굉장히 궁금했던 게 편집에 관한 거였는데요. 마이클 잭슨 장면 전에 성적 욕구가 표현되는 장면이 나오고 바로 다음 장면으로 동생이 춤을 추는 장면, 창을 하는 장면이 연달아서 자주 나오는데요. 그게 아까 말했던 대조를 위해서 그렇게 하신 건가요?

이장호 예, 그런 거죠. 메시지가 베드신은 아니라는 걸 강조하기 위해서 그렇게 한 거죠.

김홍준 사실 〈내시〉 당시를 회고하실 때도 평소에는 굉장히 인자하시던 신상옥 감독님이 베드신 찍을 때 갑자기 막 공포 분위기를 조성하시더니 윤정희 씨가 끝나고 나서 다 들으라고 대성통곡을 하셨다던 에피소드도 들려주셨는데요. 어떻게 보면 그런 것도 약간 신상옥 감독님의 영향을 받으신 게 아닌가 하는 생각이 드네요.

이장호 베드신 찍을 때 감독들이 자주 쓰는 방법 중에 "야 촬영기사만 남고 스태프들 다 나가!" 그런 얘기 자주하죠(웃음). 일종의 여배우를 보호한다는 인상을 주고 수치심을 덜게 하고 그 다음에 마지막 방법이 "나도 이런 장면 찍는 데 화난다!" 혹은 "이런 장면 안 찍었으면 좋겠다!"라는 걸 암시하면서 마지못해 찍는다는 인상을 주는 거예요. 제일 미안한 건 여배우들이 이런 얘기를 할 때인데, 난 그런 적은 없었던 것 같아요. 여배우가 "이거 찍으면 뭐해요. 잘릴 걸?" 이러면 할 말이 없을 텐데 나는 다행이도 베드신 때문에 잘려나갔다든지 그런 건 없었던 것 같아요. 〈어우동〉이었나, 그때 검열 때문에 문제가 생기긴 했는데 그 검열도 베드신보다는 정치적인 문제 때문에 검열을 당했던 것 같아요.

김홍준 나중에 저희 수업시간에도 〈어우동〉을 볼 텐데요. 그때도 얘기가 나오겠지만 어떤 자료를 봤더니 왕을 농락하고 희롱하는 장면이라고 해서 마치 그 당시의 권력층에 대한 어떤 걸 연상시킨다고. 그래서 밑에서 과잉충성을 해서는 멀쩡하게 상영되고 있는 영화를 새삼 다시 검열하게 해서 자르게 했다는 기록이 있는데요. 현재 남아있는 필름이 어떤 상태인지는 봐야 알 것 같습니다. 여러분의 질문을 받겠습니다.

이장호 근데 제가 학생들의 질문을 한 번도 제대로 받아보지 못했어요.

김홍준 저희 애들이 리포트는 열심히 쓰는데….

이장호 내 영화가 학생들한테 이해가 쉬운 모양이야.

김홍준 아, 지금 학생 한 명이 손을 들었네요. 뒤에 계신 분이 먼저 말씀해주시고요.

학생1 주인공 남동생은 춤에만 열중하고 대사가 딱히 없는 것 같아서요. 백치 같다는 생각이 들었거든요. 일부러 미국문화에 빠진 젊은이는 뇌가 텅 비었고 생각이 없는 캐릭터로 그리신 건가요?

이장호 음, 그 친구 캐릭터를 상징적으로 만들기 위해 그랬던 것 같은데 사실은 그 배우가 신인이었는데 내가 그 친구 연기력에 대해서 너무 과소평가했던 것 같아요. 그래서 대사를 주지말자 생각했던 것 같고, 근데 나중에 그 친구가 괜찮은 연기자가 된 게 〈야인시대〉에 보면 김두한이 옆에 늘 따라다니는 배우로 나와요. 거기서는 제법 건달이지만 굉장히 인격적인 조폭 역할로 나와서 연기를 곧잘 했죠. 이름은 지금 잘 기억이 안 나는데.

학생2 영화 잘 봤습니다. 저는 이 영화를 세 번 봤고요. 첫 번째 본 게 굉장히 어렸을 때고, 지금도 친구들한테 추천해주는 영화로 첫 번째로 꼽는 게 이 영화예요. 왜 그렇게 저한테 이 영화가 자리매김이 됐을까 생각해봤는데요. 십 년이 지나서 이십대에 이 영화를 다시 봤을 때에는 아까 면피용이라고 말씀하시던 어떤 포인트 이런 게 의식이 돼서 머리로 먼저 보게 됐는데… 처음에 봤을 때는 이보희라는 너무나 아름다운 여성의 존재 자체가 굉장히 충격적이었어요. 그래서 남자들이 이 사람을 만지고 싶어 하는 것도 이해가 되는데 왜 잘못이 없는 이보희가 이렇게 힘들어 할까? 이런 것들이 충격적이고 동시에 굉장히 야하다, 그런 생각을 하면서 어렸을 때 봤거든요.

그래서 제 인생의 영화가 될 수밖에 없었던 것 같은데, 아까 말씀하시기를 면피용이다 아니면 베드신을 포장하기 위한 방향성이었다고 말씀하셨지만, 사실 그것도 인물들이 움직일 때에 작용하는 중요한 축이 되고 있는데요. 그것을 지금 보실 땐 어떻게 판단하고 계시는지 다시 보면서 그게 되게 궁금했거든요. 그러니까 퇴폐성에 대한 판단이 들어가잖아요. 서구문화의 영향, 가정사 등이 이보희를 타락의 길로 몰고 가는 계기로 심어놓으셨고. 처음에 봤을 때도 제가 납득이 안 돼서 왜 잘못이 없는 이보희 스스로가 본인이 타락했다고 정립을 하는 걸까, 하는 의구심이 컸던 것 같아요. 지금 다시 보실 때도 여전히 이보희의 행동이나 생각에 대해서 같은 생각을 하고 계시는지 의문이 드네요.

이장호 아, 굉장히 중요한 질문을 해서 내가 잊고 있었던 걸 다시 생각나게 해줬는데요. 내가 갖고 있는 성적 상처들이 있어요. 저도 전쟁을 직접 봤잖아요. 부산 피난 시절에 초등학교 1학년 땐데 부둣가에 나가면 미군병사가 있었고, 아이들이 잔뜩 주변에 모이면

껌이나 사탕 등을 보여주면서 자기 성기를 한번 만지면 껌을 하나씩 주고 그랬었다고. 껌이 탐이 나니까 두려우면서도 그걸 만진다고. 어렸을 때 그런 경험이 있었던 게 나로서는 최초의 충격을 줬는데, 그런 것을 부모한테 들키면 그 껌둥이가 혼나야 되는데 내가 혼나는… 그런 상처가 있었어요.

　　나는 성에 대해서 좀 왜곡된 어린 시절, 청소년 시절을 보냈는데 그것이 내가 갖고 있는 원죄일까 아니면 그 시대가 낳은 문제일까 하는 생각을 하고 있어요. 지금은 성에 대해서 많이 치유가 된 상태인데, 나는 진짜 성에 대해서 청소년기에는 성 자체를 범죄처럼 생각을 했던 때가 있습니다. 좀 더 순진하게 이야기하면 내가 갖고 있는 성욕 자체가 부끄럽고 치욕스러워서 고등학교 때는 거세를 해볼까 하는 생각을 해본 적도 있어요. 그런 것들이 이 영화에 은연중에, 무의식 속에 나타날 수도 있었겠단 생각이 났어요. 그 질문 대단히 고맙습니다.

　　김홍준 〈무릎과 무릎 사이〉가 겉으로 보는 것만큼 만만하고 쉽게 해석될 수 없는 영화가 아니란 생각이 드네요. 말하자면 무의식적으로 들어가 있는 요소들에 정신분석학적으로 접근한다면 또 흥미로운 여러 가지 것들, 이 영화와 이 영화가 만들어졌던 시대의 감수성과 그리고 이 영화를 직접 쓰시고 연출하신 이장호 감독님의 내면세계, 이런 것들이 다 들어가 있지 않을까 생각합니다. 오늘 시간 관계상 여기서 마쳐야 될 것 같은데요. 와주신 여러분들에게 감사드리고요. 감독님 감사합니다.

　　이장호 감사합니다(일동 박수).

REVIEW

학생리뷰_김현규(예술사2006137018)

여성의 섹스에 관한 선구적 영화

대단히 파격적인 제목이었다. 영화를 보기 전에도 역대 가장 히트 친 영화제목 중에 하나라고 생각해왔는데, 내용도 역시 히트 칠만했던 것 같다. 1980~1990년대에는 혼전순결에 대해 이상한 콤플렉스가 있었던 같다. 다름 아니라 진저리 치는 혼전순결에서 벗어나야 한다는 강박관념인데, 초기의 여성운동가들이 방향을 잘못 잡았거나, 여성운동을 가장한 남성들의 부추김으로 판단된다. 혼전순결에 꼭 목맬 필요 없다. 자유롭게 살아라. 그러니 이제 나와 자자. 이런 식의 이해랄까. 〈무릎과 무릎 사이〉는 '여성의 섹스'에 대해 많은 것을 생각하게 해준다. 어릴 적, 플루트 교습을 하던 외국인의 성추행. 여기서 뭔가 성적 흥분을 느꼈다는 설정. 지금은 페미니스트들뿐 아니라 사회적으로도 돌 맞을 설정이지만, 당시에는 사람들이 수긍하면서 봤나보다. 이 기억 때문에 플루트(남성의 성기를 상징하기도 하는 듯한)을 가지고 자위 비슷한 행동을 하거나, 심지어 후반부에 초원에서 남자와 섹스를 할 때는 직접적인 성적 도구로 쓰이기도 한다. 벙어리로 등장하는 남자의 여러 번의 성추행, 성폭행이 흥분의 소재로 쓰이고, 괴이한 매력을 가진 듯하기까지 하다. 결론적으로 자영(이보희)이의 성적 욕망은 잘못된 것이 아니고, 지나치게 구속한 자영이 엄마의 낡은 사고방식 때문에 자영이는 안돼요돼요돼요 식의 정사와 집단강간까지 경험하고 자살시도도 하게 된다.

여주인공을 마지막에 죽이지 않은 점은 뭔가 특이했다. 지금까지 대부분의 영화에서 사랑의 대상이 된 여주인공을 죽이면서 끝내셨는데, 이번에는 안성기 선배님과 어떻게든 헤쳐나갈 것 같은 분위기를 암시하며 영화가 결말이 난다. 이장호 감독님이 언제 등장할까 지켜보는 것도 그분의 작품을 보면서 느끼는 쏠쏠한 재미인데, 역시나 이번에도 마지막에 신경정신과 의사로 등장하시면서 또 하나 족적을 남기셨다. 지금의 내 나이와 비슷해서일까? 앞서 영화에서 보여주셨던 파격적이고 혈기왕성한 작품들이 이제는 조금씩 성숙하다 못해 능숙해 보여서 오히려 약간은 흥미가 떨어지는 것도 솔직한 느낌 중에 하나다. 문득 〈별들의 고향〉을 다시 보고 싶다….

무릎과 무릎 사이

_어우동

· 1985년, 110분
· 제작 _ 태흥영화사
· 원작 _ 방기환
· 각색 _ 이현화
· 촬영 _ 박승배
· 조명 _ 김강일
· 편집 _ 현동춘
· 음악 _ 이종구
· 미술 _ 도용우
· 출연 _ 이보희, 안성기. 박원숙, 김명곤

〈어우동〉의 이보희

사대부집 딸인 어우동(이보희)은 왕실 종신의 집으로 시집을 가지만 대를 잇지 못한다는 이유로 소박을 맞고 쫓겨나 죽기로 했다가 목숨을 건지고 기생이 된다. 어우동은 몸을 미끼로 양반들을 자신의 성의 노예로 만들어 가는데 그녀의 행적이 알려지면서 끝없이 어우동을 살해하려는 음모가 진행된다. 그 배후에는 그녀의 전 남편과 친정아버지가 가세하고 있었으며, 어우동을 정치적으로 이용하려는 조정 중신들의 계략까지 더해지면서 그녀의 존재는 큰 파장을 일으킨다. 뭇 남성들을 성적 노리개로 삼아가던 어우동은 임금의 수청까지 들게 되는데 여기엔 좌의정의 계략이 숨어있었고, 좌의정의 죄상이 밝혀지면서 어우동은 처형의 상황에 처한다.

어우동_1985

김홍준 〈어우동〉은 시네마스코프 컬러 35미리, 1985년 9월 5일 단성사에서 개봉되었고 개봉관객은 392,678명. 아마 이장호 감독님이 만드신 영화 중에 〈별들의 고향〉하고 비슷할 거예요. 아무튼 관객이 많이 든 영화 중에 하나이고 그해 흥행 1위였을 거예요. 이 영화는 나중에 이야기가 나오겠지만, 극장에 일단 개봉돼서 상영되던 도중에 공연윤리위원회에 투서가 들어갔어요. 이 영화가 왕을 조롱하는 내용으로 돼 있는데요. 그 왕이 사실은 그 당시 최고 권력자를 나타내는 대통령을 비유하고 있는 아주 불온한 운동권영화라는 투서가 들어가는 바람에, 상영 도중에 재심을 해서 장면을 더 잘라냈다고 하더라고요.

감독님 오늘 〈어우동〉을 봤는데요. 지난주에는 1984년 작인 〈무릎과 무릎 사이〉를 봤었죠. 감독님께서 그 작품으로 인해 다시 이른바 흥행감독으로 복귀를 하셨고요. 태흥영화사와의 첫 번째 작품이기도 했죠. 그로부터 딱 1년 후에 〈어우동〉이 완성이 됐거든요. 〈무릎과 무릎 사이〉 이후에 〈어우동〉의 제작과정이 어땠는지를 말씀을 먼저 해주셨으면 좋겠습니다. 그리고 제가 알기로는 〈어우동〉이 새로운 기획이 아니라 1981년도에 현진영화사에서 감독님께서 기획을, 말하자면 일종의 기획실장처럼 기획을 하시고 신인배우로서 이보희 씨까지 캐스팅을 했었고, 기록에 보면 예고편 촬영을 겸해서 첫 촬영을 했다가 여의치 않아서 접었죠. 요즘 말로 하면 엎어졌다고 해야 할까요? 그랬던 기획인데 그 사이에 감독님께서 〈바보선언〉, 〈과부춤〉, 〈일송정 푸른 솔은〉 이런 영화들을 하셨잖아요. 〈무릎과 무릎 사이〉까지 흥행이 되면서 1981년도에 했던 〈어우동〉의 첫 기획보다도 여러 가지 조건과 상황이 달라진 상태였을 텐데요. 이런 상황에서 〈어우동〉을 만들게 된 배경을 말씀해주시죠.

이장호 지금은 그 제작자가 죽었기 때문에 그때 왜 〈어우동〉 제작을 포기했는지 잘 모르겠지만 어쨌든 이보희라는 신인배우가 맘에 안 든다는 것이 제작자가 줄곧 주장했던 바였죠. 그 당시 이보희는 영화에 한 편도 출연을 안 해본 상태고 제작자는 〈어우동〉에서 여배우 역할이 굉장히 중요하다고 생각을 했는데 내가 신인을 고집하니까, 그런 점에서 불안했던 것 같아요. 어쨌든 그때 그 작품은 포기를 했고 그 대신 〈일송정 푸른 솔은〉이라는 영화를 만들면서 이보희를 거기에 조연급으로 출연시켰죠. 그러고서 이런저런 다른 영화를 하다가 태흥영화사에서 〈무릎과 무릎 사이〉를 하고 그걸 성공시킨 이후에 나는 다른 영화를 기획할 의사도 있었는데, 지방의 업자들이라든지 제작자가 자꾸 베드신이 많은 영화를 했으면 좋겠다고 성가시게 굴었죠.

그러다 그때 아이디어가 떠오른 게 〈어우동〉이었습니다. 이전에 〈어우동〉을 만들고 싶었는데 만들지 못한 저쪽 걸 다시 가져와서 기획을 했으면 좋겠다고 하니까 태흥영화사에서는 아주 좋아했죠. 문제는 현진영화사 김원두 사장이 과연 기획을 허락할까 자신이 없었어요. 자기도 그렇게 아끼던 기획이니까, 근데 일이 되려고 하니까 그쪽에서 너무 쉽게 오케이 하더라고요. 이전에 그 기획에 들어간 자기 돈만 주면 넘기겠다고 했죠. 그래서 태흥영화사로서는 아주 값싸게 그 기획을 구입했습니다. 또 그때 이보희는 〈무릎과 무릎 사이〉로 스타덤에 올랐고 더 이상 신인이 아니었으니까요. 모든 일이 그렇게 쉽게 됐어요. 내가 현진영화사 시절 의상 고증을 다 끝마쳤거든요. '기생전모'라는 것이 그 당시 사극에서 한 번도 사용하지 않았던 복식 모습인데 단국대학교의 석주선기념박물관에서 그걸 발견했고 그대로 복원해 가져다가 썼어요.

하여간 그 정도로 고증을 철저히 해서, 그전까지 조선 후기의 의상들로만 이루어진 한국영화의 구태舊態에서 벗어나려는 계기를 만들려고 노력했습니다. 적어도 의상은 구태의연한 시대극의 모습에서 〈어우동〉은 완전하게 탈피했죠. 태흥영화사라는 통이 큰 제작사가 나서서 엑스트라 의상까지 전체 의상을 새롭게 제작하자, 그렇게 되면 제작비가 엄청나게 올라가지만 어쨌든 그걸 감행했기 때문에 사극의 모습을 싹 바꿀 수 있었고, 심지어는 그 〈어우동〉 의상이 신문에 나가면서 그걸 본 사람들이 왜색이 짙다 오해할 정도로 사극의 모습이 그때 많이 바뀌었다고 생각합니다.

김홍준 영화의 배경이 되고 있는 때가 성종 때인데요. 요즘 소위 HD화질이니 뭐니 해서 때깔에 신경을 쓰는 고화질 텔레비전 드라마에 익숙해진 우리들의 눈으로 이 영화를 보면 촌스럽게 보일 수도 있겠지만, 사실 〈어우동〉이 나왔을 당시에 이 영화가 주던 시각적 새로움은 굉장히 큰 것이었습니다. 당장 눈에 들어오는 게 의상인데 한국 사극에서 의상이나 소품에 대한 표준은 아마 신상옥 감독님이 만드셨다고 해도 과언이 아닐 거예요.

여기서 보셨겠지만 물론 1960년대 〈내시〉 같은 영화도 정통 스타일에서 많이 벗어난 것이겠지만 전체적인 색감이랄지 재료의 재질이랄지 이런 것들은 뭐 크게 벗어난 게 아니었거든요. 그런 것이 거의 1980년대까지도 별생각 없이 또 실제 한국영화의 제작환경이 열악했기 때문에, 가령 엑스트라의 옷은 따로 제작하는 것이 아니라 의상팀에서 이미 가지고 있는 옷들을 가지고 와서 그냥 입히는 수준이었다고 볼 수 있겠는데요. 의상 전체를 새로 다 제작했다는 것은 단순히 한 영화를 위해서 옷을 몇 벌 만든다는 차원이 아니라 디자인부터 모든 것까지 완전히 시스템을 새로 만든다는 것이기에, 또 그것을 접하는 스태프들이나 배우들이 익숙하지 않기 때문에 사실은 감독에게 부하가 걸리는 일이라고 볼 수 있거든요.

이장호 〈내시〉는 엄밀하게 말하자면 신상옥 감독님이 의도적으로 고증을 파괴한 거죠. 중국에서 모자라든지 소도구들을 다 제작해 와서 한국역사에서는 없었던 의상을 만들었고 두루마기 초록색도 전혀 고증에 없는… 요즘은 하도 복식사가 발달해서 텔레비전 드라마를 보면 판타지인지 실제 고증을 한 건지 모를 정도로 많이 달라졌어요. 〈대장금〉이라든지 〈선덕여왕〉이라든지, 물론 〈선덕여왕〉 같은 경우에는 거의 다 신라 때 복식사를 재현하기가 불가능한 거니까 그거는 판타지 사극처럼 마음대로 디자인할 수 있는 거죠.

김홍준 김영진 씨의 책을 보고 감독님이 말씀하신 걸 바탕으로 이전의 시대극과 〈어우동〉의 차이를 알아본다면 극에 등장하는 인물들이 입는 옷의 색감에서 찾을 수 있겠는데요. 이전의 시대극에 나오던 한복의 색이 대개 옥색, 회색, 연보라색, 연분홍색, 흰색 등의 색이었다면 이 영화 속에서는 지금의 우리 눈에 많이 익었지만 당시에는 매우 낯설게 보이던 색들이 등장합니다. 특히 양반들의 도포나 바지, 저고리가 실제 천연염료를 사용해서 나올 수 있는 잿빛, 쪽빛, 갈색 등으로 나타나는데요. 사실 그전 연분홍일 때는 거의 안 쓰이던 색들이죠. 지금 또 〈추노〉 같은 분홍을 보면 이 색들만 다 쓰더라고요. 그리고 또 이전의 사극에서 보였던 좀 빤질빤질한 나일론 재질이 아니라 합성섬유 느낌을 최대한 피해서 무명이나 실제 면 종류를 써서 거기에 천연염료로 염색을 했다고 밝히고 있는데요. 이 부분에서 상당히 많은 전문인력이 필요했을 것 같아요. 어떤 분들에게 도움을 받으셨는지요?

　　이장호 이헌정 씨라고 한복의 원로이시고, 또 허영이라고 역시 한복 전문가인데 특별하게 소도구를 아주 섬세하게 만드는 사람이에요. 이 영화에 등장하는 중요한 소도구들은 이분이 대부분 만든 것이고요. 그만큼 비용은 많이 나갔지요. 우리는 주로 석주선박물관에서 석주선 선생의 자문을 많이 받았는데요. 어쨌든 우리가 알고 있는 백의민족, 이런 것들은 그 전통이 조선 후기에 외국에서 문물이 들어오고 사진을 촬영하는 사람들이 왔다 갔다 하고, 그래서 기록이 된 것이 시작이고, 조선 전기와 후기 복식의 역사는 전혀 다르죠. 태조 때라든지 그런 사극들은 거의 고려시대 때 옷을 입어야 되는데 그게 안 되다가 텔레비전에서 좀 시도를 하고 있죠. 그 이후에 〈깜동〉이라는 영화를 만드는데 여기서 고려시대에서 조선 초기로 넘어오는 시대의 의상을 많이 사용했죠. 거기까지의 복식사는 제가 영화를 만들 때쯤엔 재현할 만큼 충분히 준비되어 있었죠.

김홍준 이게 25년 전에 나온 영화다 보니까 당시로서는 상당히 혁신적이라 할 수 있던 것들이 많은데요. 그만큼 개척자적인 영화라고 볼 수 있겠죠. 얘기가 약간 성인용 얘기로 흐르긴 합니다만, 이 영화가 보여준 또 하나의 시각적인 충격이 한국 속곳의 아름다움이라고 해야 하나요? 야함이라고 해야 하나요? 사실 영화에서 보면 겹겹이 있는 속곳을 벗기는 굉장히 인상적인 장면이 있거든요. 이런 장면은 또 고증에 의하신 건지, 아니면 영화적인 효과를 생각하신 건가요?

이장호 그건 실제로 고증에 의해서, 숫자는 기억이 잘 안 나는데 거의 열여섯 개의 속옷을 입는다고 하는 정도였는데… 그걸 보여주기 위해 일부러 그런 장면을 만들었죠. 재밌는 건 여자들 옷은 열여섯 개를 입어도 밑은 다 터져있다는 거예요. 가장 깊은 속옷까지 다 터져있는 그런 것을 보여주고 싶었습니다.

김홍준 영화 속의 에로티시즘을 표현하는 데도 전통의 도움을 받은 영화라고 볼 수 있겠네요.

이장호 〈명자 아끼꼬 쏘냐〉에서는 일본 의상을 가지고 그렇게 사용하게 됩니다.

김홍준 그것도 한번 기다려보겠습니다. 그리고 또 지금이야 기생이 쓰고 나오는 모자, 전모가 눈에 익어서 텔레비전 드라마나 영화에 등장하는 게 당연하다고 보이겠지만 이 영화가 나옴으로써 비로소 대중화가 됐다고 해야 할까요?

이장호 '어우동쇼'가 그래서 나왔죠?

김홍준 예, 그렇지 않아도 제가 지금 그에 관련한 이야기를 하려고 했는데요. 제가 1980년대 기억을 더듬어보면 그랬어요. 〈어우동〉이 얼마나 사회적인 현상이 되었냐면 그 당시에 나이트클럽이나 스탠드바 그런 데서 스트립쇼 비슷한 걸 했었는데 거기 빠지지 않는 게 어우동쇼였어요. 지금도 어디 변두리에 가면 어우동쇼를 하고 있지 않을까? 무형문화재로 지정해야하지 않을까? 그런 생각도 하는데요. 아, 얘기를 조금 돌려야겠네요(일동 웃음).

　　〈별들의 고향〉부터 〈무릎과 무릎 사이〉를 쭉 보면 공통점이, 캐릭터가 정확히 설정이 되어 있고 내러티브가 있지만 왠지 전통적인 아귀가 딱딱 맞아떨어지는 그런 내러티브보다는 자유롭게 흘러가는 느낌이었는데요. 〈어우동〉은 전체적으로 내러티브 자체는 고전적인 느낌을 강하게 주는 듯해요. 영화 속에 그 어떤 미스터리가 던져지지만, 가끔 감독님 영화에 미스터리가 나오면 포기를 해야 돼요. 저거 끝내 안 풀리겠지(일동 웃음)? 그런데 이 영화에서는 모든 미스터리가 너무 친절하다 싶을 만큼 결국엔 다 해명이 되고, 그래서 비약이나 생략 같은 것도 플래시백 등으로 다 해결이 되는데요. 이현화 선생님, 많은 희곡을 쓰신 희곡작가신데요. 아마 감독님도 이현화 선생님의 이 시나리오를 받았을 때 처음으로 완벽한 시나리오를 가지고 작업하나보다 싶었을 것 같은데, 그 각색 과정과 이현화 작가의 역할에 대해서 말씀 좀 해주시죠.

이장호 이현화 씨는 나하고 오랫동안 선후배 관계로 지냈죠. 그분의 연극을 참 좋아했는데요. 〈어우동〉의 원작인 방기환 선생님의 소설이 신문소설이니까, 옛날 노인의 에피소드로 가득 찬 야

어우동

• 〈어우동〉의 목욕 장면
• • 〈어우동〉에서 안성기와 이보희의 자결 장면(마지막 씬)

담이어서 참 재미없었어요. 이걸로 어떻게 영화를 만드나 했는데 아마 이현화 씨가 원작은 전혀 보지도 않았던 것 같아요. 단지 어우동이라는 여자 캐릭터만 잡고 스스로 마치 연극무대처럼 생각하면서 자기 특유의 미스터리를 꾸며나간 것 같은데… 사극에서 사극티를 없앤다는 거, 그게 참 중요했어요. 이현화 씨는 말도 대사도 절제되어 있었기 때문에 그 당시로서는 이현화 씨의 사극이 아주 독보적이지 않았나 생각해요. 그래서 다른 영화는 시나리오가 완전하지 않은 상태에서 찍었기 때문에 영화가 거칠고 흔들리고 해서 편집으로 정리하고 이랬는데, 〈어우동〉은 시나리오 그대로 촬영을 했기 때문에 지금 봐도 초지일관으로 마지막을 향해서 조각 맞추기처럼 짜 맞춰 나아가는 느낌이 드는 것 같아요.

김홍준 사실 25년이 지난 지금에 봐도 영화의 어떤 부분은 굉장히 세다고 할까요? 충격적인 부분도 있고요. 요즘에 미드(미국 드라마)를 보면 뭐 〈롬Rome〉이랄지 〈스파르타쿠스Spartacus〉 등의 약간 잔인하고 폭력성이 짙은, 일반적인 공중파에서는 받아들이기 어려운 수위까지 성적인 표현들을 과감하게 치고 나가는… 그래서 또 그걸로 영역 안의 장르에서는 고지를 선점하는 작품들이 있는데요. 〈어우동〉이 정도의 이야깃감이라면 그런 표현수위까지 허용될 때 좀 더 내용이 강하게 부각되지 않았을까요? 이거 한번 어떻게 할리우드에 리메이크를….

이장호 할리우드에서 리메이크한다면야 좋은 일이겠지만 한국에서나 누가 리메이크했으면 좋을 것 같아(웃음).

김홍준 감독님께서 이 작품을 내놓으셨을 때 어느 정도 태흥영화사라는 든든한 배경도 있었고, 영화가 가지고 있는 화제성, 시각적인 화려한 볼거리들, 거기다 당시 이보희 씨도 스타덤에 올랐었으니까요. 흥행에 대해서는 자신감을 가지셨을 것 같은데, 실제 공식통계를 보면 그해 약 40만 명 정도 관객이 들었고 흥행도 1위였는데요. 어느 정도 예상하셨던 건가요? 아니면 예상했던 것 이상이었나요?

이장호 흥행이 연말을 넘겨서 다음해까지 갔거든요. 그래서 내 개인 기록을 깼어요. 이 영화가 제일 많이 흥행했었죠. 이것은 뭐 흥행이 아주 된다고 확신하고 있었던 게, 우리가 편집을 하면서 러시를 본다든지 당시의 안목으로서는 이미 화면도 화려한 게 넘치기 때문에 이건 틀림없다는 생각을 가졌죠. 영화 내용보다 아까부터 줄곧 의상 이야기를 해서 뭐한데요. 역시 의상이 화려하다는 것이 일반인들의 관심을 크게 끌었던 것 같아요. 개봉 전부터 언론플레이를 통해서 영화사진 같은 것들이 공개되었으니까요. 우리가 개봉했을 때는 단성사 앞에 커다란 유리 상자, 쇼룸을 만들었죠. 마네킹에다가 어우동 옷을 입히고 사람들에게 볼거리를 제공하느라 그랬었죠. 〈별들의 고향〉이 음악의 힘을 얻었다면 〈어우동〉은 의상의 힘을 얻었던 것 같아요. 그 당시 여성관객들의 마음을 얻는 데 그게 큰 역할을 했다고 봅니다.

김홍준 네, 뭐 남성관객들도 의상에 관심을 많이 가졌던 것 같은데요. 약간 다른 종류의 의상이었겠지만요(일동 웃음). 지금 말했듯이 단순히 의상 자체의 문제가 아니라 영화의 전체적인 톤이 아마 여러분이 지난주에 보신 〈무릎과 무릎 사이〉와 다를 거예요. 불과 1년 사이인데도 〈무릎과 무릎 사이〉가 속된 말로 왠지 좀 70년대 필이라면 이 영화에서는 오히려 요즘 영화 못지않은 무언가를 느낄 수 있는데요. 이 영화가 나온 것이 1985년인데 이즈음이 한국영화계의 기술적인 전환기였습니다. 그러니까 이전까지는 주로 1960년대, 1970년대에 들어왔던 시네마스코프 렌즈와 미첼카메라랄지 이런 쪽이었는데, 아마 이 영화는 그때 태흥영화사에서 막 새로 도입한 아리플렉스 비엘로 찍은 최초의 영화 중에 하나일 거예요. 아직 동시녹음과 보급화에는 몇 년 더 기다려서 1990년대까지 와야 되지만….

이장호 아마 극장에서 상영할 때는 앞에 비스타비전 렌즈를 껴야하지 않나 생각하는데, 지금 끼고 한 건가?

김홍준 예, 제대로 맞지는 않지만 마스킹이 돼 있거든요. 그당시에 충무로에서 부르는 용어가 비스타비전이었는데 정확히 말하면 원래 1950년대에 미국에서 개발했던 와이드포맷이고, 그런데 1.85:1로 사이즈가 같거든요. 그러니까 〈무릎과 무릎 사이〉까지는 시네마스코프로 2.35:1, 2.33:1로 쭉 찍으시다가 이 영화에선 처음으로 1.85:1로 찍으셨는데요. 단순한 사이즈 변화뿐 아니라 카메라가 좋아지고 렌즈가 좋아지고 아나모르픽이 아니라 와이드스크린 그대로 찍으신 거고, 현상도 업그레이드가 되고 해서, 여기엔 당시 영화진흥공사의 새로운 시설과 테크니션들의 노력도 굉장히 많이 뒷받침을 해준… 그래서 연출부 때 제가 그분들의 말씀을 들어보면 1985년에 〈어우동〉에선 그런 자신감을 많이 얻었다고요.
　　그전까지는 우리가 색감이나 해상력에서 할리우드 영화나 외국영화들을 도저히 따라갈 수 없다고 생각했는데 〈어우동〉에 보면 디졸브라든지 특수효과들이 많이 나오거든요. 자막에도 옵티칼을 담당하는 윤종두 실장님이나 유재형 촬영감독님의 자막이 있는데, 그런 특수효과라고나 할까요? 지금의 디지털시대에서는 아무것

어우동

도 아닌 것 같지만 이 영화를 그 당시의 다른 한국영화에 비해서 중점적으로 봐야 될 점이 있다면 무엇이 있는지 말씀해주시죠.

이장호 돈을 넉넉히 쓸 수 있었기 때문에 옵티칼 작업을 했는데, 당시 그 작업하는 데 프레임을 계속 복사해야 하니까 돈이 많이 들지 않습니까? 그런 점에서는 옵티칼에 돈을 많이 썼고, 불만이 있다면 오늘도 거슬리는 게 그 포교의 대머리를 살리고 싶었는데 대머리 분장이 너무 완벽하지 못했다는 거예요. 지금도 텔레비전을 보면 한국 분장술이 좀 떨어지는 것 같다는 생각이 가끔 들 때가 있어요. 일본도 분장술이 그렇게 발달이 됐다던데 일본 역시도 분장이 완벽하지 못해서 부자연스럽거든요. 옛날에 김홍도의 그림이랄지 그런 걸 보면 대머리가 굉장히 많았어요. 그런 대머리를 사극에서는 잘 못 살리는 것 같아. 그래서 드라마에서도 대머리 분장을 제대로 자연스럽게 살릴 수 있는 실력이 있으면 얼마나 좋을까 하는 생각이 들어요.

김홍준 감독님을 보면 항상 누가 시키지도 않았는데 새로운 걸 영화 속에서 계속 도전하시면서 고생을 사서 하시고(일동 웃음) 나중에 또 후회하시는 경우가 많은 것 같은데요. 저도 아까 보면서 김성찬 씨죠? 〈바람 불어 좋은 날〉에서 여관 종업원으로 나왔던, 김성찬 씨가 포도대장으로 나오니까 이미지에 안 맞나 싶은데 또 굉장히 이지적이면서 조선시대의 셜록 홈즈가 저렇게 생기지 않았으려나 싶을 정도였는데… 역시 대머리 분장이 거슬렸어요. 사실 지금이라도 CG를 사용한다면 그 색깔 정도는 맞출 수가 있습니다. 〈어우동〉 보정판이 나올 수 있다면 그런 효과로 처리하면 될 것 같네요.
자연스럽게 캐스팅 얘기로 넘어갔는데 이보희 씨는 영화 몇 년 만에 데뷔작이 될 뻔했던 영화의 히로인 역할을 해내신 거고요.

연기도 보면 영화 속에서 큰 역할 아닙니까? 단순히 노출이 심하다 뭐 그런 걸 떠나서 굉장히 복잡한 캐릭터이고 이전에는 볼 수 없었던 캐릭터인데 어떻게 준비하셨나요? 이 역할에 대해서 말이죠.

이장호 개인적으로 이보희라는 배우가 연기력이 좋다? 중간이다? 나쁘다? 이렇게 세 개로 나눌 수 있다면 나는 그 배우가 중간 정도의 연기력을 갖추고 있다 생각하는 입장인데요. 어쨌든 연기력보다는 온몸을 던져서 연기를 하니까 그런 걸로 사람들한테 만족을 줄 수 있었고요. 여전히 표정은 뭐라 할까? 이렇게 '파~' 하고 자연스럽게 풀리는 것이 없는 그런 부분이 남아있는데, 어쨌든 단시일 내에 불과 1982년에서 1985년 사이에 일 년에 한 작품 꼴로 뛰었기 때문에 비교적 빨리 정상에 도달한 여배우가 됐죠.

제일 힘들었던 것은 숲속에서 전라의 장면을 찍을 때였는데요. 대본에는 나와 있지만 여배우는 그런 장면을 스스로 섬세하게 생각할 수가 없잖아요, 자기가 숲속에서 맨몸으로 있는 모습을. 공포 분위기를 조성해야 여배우가 저항하지 않고 순순히 노출을 감당할 텐데 서로 민감해져 있을 때였습니다. 그런데 그날 그걸 찍기 전에 다행스럽게도 굉장히 심각한 사태가 벌어졌어요. 그래서 내가 영화사에다가 항의를 하고 현장에 스태프들은 다 놔두고 나 혼자 그냥 떠나버렸거든요. 물론 조감독들이 타깃이 되고 제작부들도 타깃이 됐죠. 그러니까 모두 다 어떻게 할 줄 모르잖아요. 감독이란 사람이 소리 없이 나가버렸으니까. 현장에 그대로 있어야 하나 철수해야 하나 갈팡질팡하고 있을 때 제가 다시 돌아와서는 아주 서먹서먹한 상태에서 다시 촬영을 하기 시작했는데요. 그렇게 바로 촬영하게 되니까 여배우가 내 눈치를 보면서 말없이 시키는 대로 전라의 모습을 보여주었습니다.

정말 어려웠어요. 대낮에 그것도 툭 터진 자연 속에서 전라의 장면을 찍는 거였어요. 고맙게도 이보희 씨가 체념으로 순순히 임해준 것 너무 자연스럽게 촬영이 되었던 것 같아요. 그 다음부터 이보희 씨는 노출하는 거에 대해서 버티거나 하지 않고 몸 전체로 촬영에 임했으니까요.

김홍준 김명곤 씨는 이 작품 말고 〈일송정 푸른 솔은〉에서도 나왔고 〈바보선언〉에서는 감독님의 페르소나를 연기하셨고 〈과부춤〉에서도 잠깐 나왔었는데요. 처음부터 이 영화에서 김명곤 씨 역할을 생각해두신 건가요?

이장호 그렇죠. 재밌는 게 김명곤 씨는 〈바보선언〉에서도 사람들이 김명곤 씨라는 걸 모르고, 아주 잘생기거나 특징이 있어야 사람들 기억에 남을 텐데 뚜렷하지 않은 모습이니까 사람들의 기억에 남질 못하는 거예요. 또 여기서는 사극 분장을 하고 애꾸눈을 만드니까 더더구나 김명곤 씨인지 누구인지 사람들이 잘 몰라보죠. 나한일 씨도 계속 등장하지만 사람들이 나한일인지 잘 모르지, 사극이란 게 그런 문제로 어려움을 겪어야 하는 것 같아요. 분장 속의 캐릭터가 바로 이 사람이다. 동일 인물이라는 것을 알리는 게 어렵습니다. 띄엄띄엄 등장하는 사람들을 알리는 게 힘든 것 같아요. 안성기 씨는 확실히 튀어 '이게 이 사람이다'라는 걸 기억하지만, 나머지는 어디서 어느 장면에 등장했는지, 또 그 사람이 그 사람이고 저 사람이 저 사람인지… 그런 게 애매한 것 같아서 내가 편집하면서도 관객들한테 잘 전달될까? 고민이 되더라고요.

김홍준 또 이 영화를 보면 어느 정도의 액션신이 나오는데요. 나한일 씨야 뭐 아시다시피 해동검도를 하시는 분이니까 아무런 대역 없이 본인이 하셨겠지만, 안성기 씨가 등장하는 신을 보니까 거의 날아다니시더라고요, 기계체조선수처럼. 혹시 그때 본인이 직접 하신 건지 대역이 하신 건지 그게 궁금하네요.

이장호 이때 무술감독이니 뭐니 이런 게 없을 때거든요. 그래서 나한일 씨가 검도를 했기 때문에 무술에 관한 아이디어를 나한일 씨가 현장에서 제공했을 것 같고요. 아까 잠깐 얘기도 나왔지만, 이보희 씨가 춤추는 장면이 자주 나오는데 춤 연습을 참 많이 했어요. 아마추어의 초기에 지나지 않았지만 판소리도 공부를 하고 조선 가곡도 공부를 했고요. 그런 것들을 하면서 조선무용 살풀이춤도 따로 공부를 하고요. 〈바람 불어 좋은 날〉의 안성기 씨가 농악인가요? 그걸 열심히 했듯이 이보희 씨도 열심히 했죠. 안성기 씨의 닌자 액션은 무슨 특수효과는 따로 쓰지 않았지만, 이 영화에서 중요한 것은 자기 자신의 초인적인 날쌤이 필요하니까 그걸 하기 위해서 바위를 탄다든지 나무에서 다른 나무를 붙잡고 이동을 한다든지 하는 아이디어를 내고, 굉장히 노력을 했던 것 같아요. 어쨌든 그 당시에 무슨 특수효과나 무술 가르치는 사람 없이 우리가 현장에서 짜내지 않으면 안 됐었죠.

김홍준 그럼 와이어나 그 당시 현장용어로 '가이다마'라고 했는데 대역 없이 본인들이 다 소화를 하신 거네요.

이장호 그 뭐던가? 트램펄린인가? 그것도 써본 적이 없어요.

김홍준 현장에서 부상은 없었나요? 뭐 성룡처럼 미끄러지

어우동

거나 떨어지거나….

이장호 아, 그런 건 없었던 것 같아요.

김홍준 보면서 제가 막 마음이 조마조마하더라고요. 바위 사이를 뛰어다니시는데 대역이겠거니 생각하며 보고 있다가, 싹 돌아보니 안성기 씨 본인이서서 깜짝 놀라고 그랬습니다. 제가 상영 전에 자료에서 본 것을 잠깐 말씀드렸는데, 이 영화가 검열의 큰 문제 없이 극장에 붙었던 것 같은데요. 그런데 상영 도중에 무슨 투서가 들어가서 성종을 농락하는 부분이 당시의 뭐 최고권력자를 빗대서 했다는, 이게 굉장히 불온한 운동권 영화라고 운운해서 상영 도중에 그 부분이 잘려나가는 해프닝이 있었다고요. 오늘 본 영화는 그런 것 없이 다 살아 있다고 하네요.

이장호 예. 오늘 본 영화는 그런 부분까지 다 살아있고요. 전두환 대통령이 재임할 당시에 태흥영화사가 로비를 잘 해서 검열에서 문제없이 통과해 단성사에서 개봉을 하면서 첫날부터 매진사태가 일어났죠. 그러던 어느 날 갑자기 영화필름을 수거해갔어요. 이젠 내가 이름을 다 밝힐 수 있는데 감사원이 영화검열에 손을 댄 적은 없었거든요. 당시에 감사원장이 황영시라는 사람이었는데, 그분이 명령을 내려서 상영을 중단하고 필름을 거둬오라고 했대요. 그렇게 수거해서 그 사람들이 보고 자른 데가 어디냐면, 어우동이 전라로 술을 마시다가 술이 온몸으로 흘러내리는 것을 성종이 마시는 장면이에요. 그러니까 어우동의 발을 빼는 것, 영화에서 그 모습이 잘 나타난 것 같아요.

그런데 문제는 여기에 투서가 들어왔다는 거예요. 포르노를 핑계로 한 민중영화라는 투서가 왔는데 검사를 해보니까 그 장면이 현 대통령을 묘사한 것 같은 오해를 줄 수 있다고 결과가 나왔죠. 어제 참 재밌는 얘기를 들었는데요. 전두환 정권 때는 아니지만 여러분이 어려서 잘 모를 것 같아서 이야기 하나 해주는데, 전유성인가? 전유성이라는 개그맨이 옛날에 라디오에 출연을 해서 "어젯밤 꿈에 박정희 대통령이랑 육영수 여사가 나와서 부부싸움을 했는데 그들의 싸움을 뭐라고 표현하겠습니까?"라고 했대요. '육박전'이죠. 근데 그것 때문에 라디오에 출연정지 당하고, 당시엔 그런 게 문제가 크게 돼서 연예인들이 다치고 그랬죠. 그때나 전두환 정권 때나 몇 년 차이 안 나니까요.

김홍준 다시 더 그 상태로 상영됐습니까?

이장호 아니 잘렸죠. 잘려서 그 장면을 본 사람도 있고 못 본 사람도 있어요.

김홍준 아까 말했던 야외장면이 바로 그 장면인가요?

이장호 네, 그 장면이죠.

김홍준 굉장히 사연 많은 장면이네요. 그래도 오늘 우리가 보는 건 백퍼센트 버전, 원래 오리지널 버전을 볼 수 있게 돼서 참 고맙게 생각합니다.

이장호 그래서 그때 당시의 여배우들이 그런 장면을 촬영할 때 감독에게 꼭 이렇게 항의를 했죠. 그런 장면 찍어봤자 잘리는

어우동

데 뭐하려고 촬영을 하냐는, 이 영화는 그래도 처음 본 사람들은 다 봤는데 나중에 본 사람들은 전라로 노출해서 열심히 찍었던 것을 못 봤던 거죠.

김홍준 1980년대에는 영화가 개봉하면 빨리 가서 봐야 하는 이유가 있었습니다. 중요한 장면을 놓치는 수가 있기 때문에… 제가 이 영화를 보니깐 저한테 개인적으로 반가운 이름이 스태프 중에 있어서요.

이장호 누구요?

김홍준 바로 그 박승배 촬영감독님이요. 제 졸작의 촬영을 맡아주셔서….

이장호 아, 〈장미빛 인생〉!

김홍준 보니까 박승배 촬영감독님이 새삼스럽게 신상옥 감독님의 〈증발〉도 촬영하셨고요. 임권택 감독님하고는 〈축제〉 작업을 하셨고, 또 하길종 감독님의 영화 〈여자를 찾습니다〉도 하나 찍으셨더라고요. 이원세 감독님하고는 〈엄마 없는 하늘아래〉.

이장호 많이 찍었어요.

김홍준 또 박찬욱 감독의 데뷔작 〈달은 해가 꾸는 꿈〉도 박승배 감독님이 찍으셨고, 송능한 감독의 〈넘버3〉, 그렇게 주로 신인 감독들의 데뷔작을 많이 찍으시면서 스타일을 맞추어주셨고, 특히 이장호 감독님하고는 여러 편 하셨잖아요.

이장호 〈어우동〉 이후로 거의 다.

김홍준 〈이장호의 외인구단〉, 〈나그네는 길에서도 쉬지 않는다〉, 〈와이의 체험〉까지. 〈어우동〉에서 처음 박승배 촬영감독님이 어떻게 작업을 하셨는지, 이후에 계속 작품을 같이 하시게 된 데 어떤 특별한 이유가 있었는지요.

이장호 그전에는 우리 서정민 기사하고만 많이 찍었잖아요. 처음에 촬영감독이 장석준 감독하고 유영길 씨, 정일성 씨하고는 이틀 촬영을 해봤어요. 이틀을 촬영하고서 정일성 씨가 도저히 나하고는 못하겠다, 이러고 나도 정일성 씨하고는 못하겠다는 생각이 들어서 관두고 유영길 씨로 대치된 거죠. 근데 서정민 씨하고는 참 호흡이 잘 맞아서 했는데 서정민 씨한테 나도 권태감이 생긴 거예요. 어떤 거냐면 액티브한 장면을 잘 찍다 보니깐 움직임이 없는 서정적인 장면은 뭐랄까? 평범한 액션 같은… 그래서 서정민 기사한테 없는 것을 누구한테 찾을까 하다가 짜증이 나기 시작했는데 마침 서정민 기사가 월권越權이라고 할까, 내 사생활까지 시비가 붙고 하니까 이 기회에 잘됐다 하고서는 헤어졌어요. 박승배 기사는 굉장히 섬세하고 나이브해요. 박승배 기사 만나면서 서정적인 장면들에 대해서 많이 얻을 수가 있었으니까. 대표적인 것이 〈어우동〉인데 〈어우동〉에서는 박승배 기사가 나와 처음이니까 촬영에 대해 아이디어를 많이 짜냈었던 것 같아요.
오늘도 멈춰있는 화면에 대한 구도를 보면 박승배 기사가 애를 많이 썼다는 느낌이 여실히 나타나네요. 근데 영화에서 연출하는 사람들은 지금 잘 새겨들어야 될 게, 감독이 가지고 있는 여건이 잘 이루어지고 제작자가 뒷받침을 잘 해주고 이럴 때 촬영감독도 자신의 베스트가 나오는 것 같아요. 그런데 감독이 여건이 안 돼 있어서 짜증이 나 있다든지, 현장이 풍족하지 못하다든지 하면 촬영감독도 베스트가 안 나오는 것 같아요. 그런 것이 내가 여태까지 경험을 통해 봤을 때 어느 촬영감독이나 공통적이라는 생각이 들어요.

김홍준 이 작품은 그런 면에서는 여건이 좋은 상태에서 찍었다고 볼 수 있을까요, 촬영감독 입장에서는요?

이장호 아주 베스트죠. 베스트라는 게 끝나고 나면 술도 잘 사주고….

김홍준 이태원 사장님에 대한 말씀도 잠깐 여쭤보고 싶은 게 있는데요. 말하자면 그 당시가 지금처럼 자본과 제작이 분리되어 있던 상태가 아니라 '태흥영화사 제작' 이러면 태흥영화사가 투자자이자 제작자이자 프로덕션이자, 태흥영화사 안에 있는 제작부가 말하자면 영화사가 되는 거고요. 그 다음에 이태원 사장님이 투자자가 되고 혼자서 다 해서 벌어도 내가 벌고 망해도 내가 망한다, 이런 시스템이었는데….

이장호 이것도 오십대 오십으로 나눈 동업 조건이었어요. 동업 조건이었는데 굉장히 돈을 많이 받았죠. 그런데 법인세라든지… 혹시 여러분 나중에 동업할 때 변호사하고 같이 계약서를 꾸미면 틀림없이 잘 될 거야. 근데 나는 변호사도 없었고 회사가 법인세 내야 되고 뭐 내야 된다고 하면 방법이 없죠. 갑자기 돈이 많이 들어오고 이러니깐 조감독들하고 만날 어울려서 술 마시고 어쩌고저쩌고 하다 보니 적은 개런티를 받을 때나 동업하고 이익이 컸어도 한 작품 끝나면 또 다시 빈털터리가 되는 그런 경우였다고 봅니다.

김홍준 〈어우동〉 다음 단계로 넘어가면 감독님께서 드디어 영화사를 직접 차리시고 보스이자 사주이자 이그제큐티브executive 프로듀서가 되시는데, 그야말로 1980년대 영화청년들이라면 누구나 잊을 수 없는 판영화사거든요. 영화판의 그 판영화사인데, 1985년에 한국영화계에 사실 굉장히 중요한 일이 있었습니다. 그게 뭐냐면 70년 동안 법으로 규정되어 왔던 영화사의 제작 독점 시스템. 20여 개의 등록된 영화사만이 영화를 만들 수 있고 신규자본이나 신규회사의 진출이 제한되어 있어서, 지난 시간에 말씀드린 것처럼 대명제작이랄지 편법이 있을 수밖에 없었는데요. 1985년에 주로 미국의 시장개방이나 무역자유화 압력과 결부되어서 부분적이지만 영화사 제작이 자유화되거든요. 그래서 1985년에 판영화사를 설립하시게 되는데요. 그것과 〈무릎과 무릎 사이〉, 〈어우동〉에는 말하자면 동업 형태로 나름대로 직접 제작에 반 정도 끼어드셨던 것과 판영화사를 설립하게 되신 것과 상관관계가….

이장호 거기엔 재미있는 얘기가 있네. 〈어우동〉까진 성공했단 말이죠. 그때도 퇴계로에 '이장호 워크숍'이라는 사무실은 그대로 있었거든요. 당시 기획했던 것 중에 〈무릎과 무릎 사이〉가 있고 〈이장호의 외인구단〉을 갖고 있었는데 자꾸 저쪽에서는 에로틱한 영화를 만들자고 하니까 〈이장호의 외인구단〉이 스톱이 된 상태에서 진행이 안 되고 있었죠. 그런 상황에서 자꾸 지방업자들이나 태흥영화사는, 역시 이장호는 에로틱한 걸 찍어야 돈을 번다고, 그래서 할 수 없이 '부드럽고 뜨거운 와이'라는 제목으로 기획을 했는데요. 그 당시에 여기 여러분의 영상원장인 박광수 감독이 조감독을 했어요. 박광수 감독이 나한테 빚이 있습니다(웃음).

〈부드럽고 뜨거운 와이〉로 시나리오를 쓰기로 하고 돈을 받아 갔는데, 끝내 시나리오는 나오지 않고 중단됐죠. 그때 영화사와 와해되면서 제일 먼저 이두용 감독이 독립해서 자기가 제작사를 차렸어요. 나도 생각이 바뀌어서 독립하려는 생각을 했는데 이태원 사장이 워낙 눈치가 빠른 사람이니깐 자기가 먼저 만나자고 해서 이야기를 하는데, 이감독도 독립할 때 되지 않았냐 이런 이야기를 하면서… 아, 이 갈등 전에 또 하나 단계가 더 있네. 내가 〈나그네는 길에서도 쉬지 않는다〉를 그때 하려고 했어요.

태흥영화사에서는 〈부드럽고 뜨거운 와이〉를 준비 중이었는데 좋은 시나리오가 나오지 않으니깐 할 수 없이 〈이장호의 외인구단〉 신인배우들을 공모해서 태흥영화사에서 다 했죠. 태흥영화사에서 준비해서 신인배우도 물색해놓고 다 했는데, 그때 내가 뭘 갑자기 들고 나왔냐면 〈나그네는 길에서도 쉬지 않는다〉 이걸 만들자고 주장을 했어요. 이태원 사장은 내가 자기를 괴롭히는 한 사람이라고 생각했죠. 그때 제작 회의를 한다고 하니깐 이태원 사장이 결정을 내린 거예요. '헤어지자. 네가 독립해라. 〈이장호의 외인구단〉은 널 주겠다. 〈나그네는 길에서도 쉬지 않는다〉도 널 주겠다. 대신 〈부드럽고 뜨거운 와이〉는 내가 갖겠다' 이렇게 해서 헤어진 겁니다. 결국은 내가 판영화사를 차리고 첫 작품으로 〈이장호의 외인구단〉을 만들고 〈나그네는 길에서도 쉬지 않는다〉는 내 식으로 만들고, 저 쪽은 기획을 끝내고 시나리오가 완성이 안 돼서 만화가 중에 강철수 씨가 있어요. 강철수 씨가 시나리오를 썼는데 그게 실패한 거예요.

그때나 지금이나 방송출연을 참 많이 했는데 어느 날 무슨 방송녹화를 하러 갔는데 전영록 씨와 같이 출연하는 프로였어요. 근데 잠깐 쉬는 시간에 전영록씨가 나한테 『공포의 외인구단』 만화 봤냐고 해서 모른다고 하니깐 홍행감독님이 그걸 모르냐고 하더라고. 그 아카데미 1기생이 김소영 씨인가? 김소영 맞지. 김소영 교수가 아카데미 졸업하고 방송국 일을 잠깐 했을 때인데, 김소영 씨가 알면 진짜다 해서 『공포의 외인구단』이라는 만화 압니까? 물었더니, 대학교에서는 모르는 사람이 없다고 그러더라고. 그 소리를 듣고 워크숍 사무실에 와서 조감독들에게 물어봤죠. 『공포의 외인구단』 아냐고? 하니깐 다 아는 거야. 이게 유명한 만화라는 거야. 나만 모르고 있었어. 야, 너희들 나한테 그런 걸 빨리 얘기를 안 하냐고! 그래서 빨리 만화를 사오라니깐 청계천에 가서 그걸 스무 권인가 사왔어요. 책상에 앉아서 읽었는데 스무 권을 다 읽어버렸다고. 아, 이건 놓치면 안 되겠더라고요. 마음이 급해져서 이현세를 이화여대 앞에서 만나서는 내가 영화를 만들겠다고 하니 오케이 하면서 판권도 굉장히 싸게 했어요. 그 당시에 시나리오 하나 만들려면 한 천만 원 줘야 했어요. 최인호씨 원작도 당시에 2천만 원은 줬어야 하는데 2백만 원에 오케이 하더라고, 난 공짜로 먹었지(일동 웃음).

　　그런 걸 또 태흥영화사에서 하기 싫어하고 〈나그네는 길에서도 쉬지 않는다〉 같이 내가 자꾸 예술영화를 만들겠다고 하니깐 정나미가 떨어졌나봐. 이게 분단문제고 하니깐, 태흥영화사 이태원 사장은 분단문제라든지 이데올로기 문제라면 아주 질색을 한다고. 〈나그네는 길에서도 쉬지 않는다〉도 자기가 하기 싫어서 너 나가라 이러니깐 헤어진 거죠.

김홍준 그 후에 〈이장호의 외인구단〉이 성공하고 이현세씨가 섭섭해 하거나 사이가 나빠지지는 않았어요?

이장호 사이가 나빠졌어요. 속편 할 때 저작권이 누구한테 있느냐면서 왈가왈부하다가 판례가 저작권 속편은 제작자에게 있다… 이야기가 없잖아. 내 스토리가 없으니깐 그것은 제작할 때는 제작자가 가지고 있다고 해서 이현세 씨가 상당히 섭섭해 했을 거예요.

김홍준 중간에서 그거 가지고 말하는 사람도 있었겠죠.

이장호 그럴 수도 있고, 나도 너무 했고. 내가 보너스 줬는지 안 줬는지도 기억이 안나.

김홍준 이현세 씨도 그렇지만 전영록 씨나 김소영 교수님한테도 사례를….

이장호 전영록 씨도 나 때문에 〈돌아이〉라는 영화를 하게 됐죠. 그게 몇 편까지 나왔잖아요. 〈돌아이〉가 제목은 아니고 나중에 내가 〈미스 코뿔소 미스터 코란도〉에 쓰기는 했지만, 전영록 씨가 태권도 하는 배우니깐 전영록 씨를 주인공을 해서 음악만 들으면 초인적인 힘이 생기는 그런 캐릭터를 생각했죠. 술을 마시면 초인적인 힘이 나오는 인물인데 전영록 씨를 써서 록음악이 나오면 초인적인 힘이 생기는 그런 캐릭터를 제안했더니, 나하고 같이 〈무릎과 무릎 사이〉를 기획했던 방규식 사장이 이두용 감독하고 기획을 해서 〈돌아이〉라는 아이디어로 바꿨어요. 전영록 씨는 계속 〈돌아이〉의 속편을 하고요.

김홍준 김소영 교수님은?

이장호 김소영 교수는 확인만 해줬으니까 섭섭해 할 것도 없을 거 같아.

김홍준 또 옛날이야기가 나왔군요. 〈어우동〉 이야기를 하다가 잠시 1985년 한국영화의 변화와 판영화사 얘기까지 나왔는데요. 아마 판영화사 이야기는 다음 시간에 계속할 거 같고요. 어떤 평론가의 말을 빌리면 걸작, 수작 보통 이런 표현을 쓰는데 〈나그네는 길에서도 쉬지 않는다〉 이 작품은 괴작怪作. 정말 난데없이 튀어나오는, 감독님의 필모그래피에서도 그렇고 한국영화의 맥락에서도 그렇고 어떻게 보면 말로 표현하기 힘든 것 같아요. 세 번 봤는데 볼 때마다 다르더라고요. 이제 다음 주에 〈나그네는 길에서도 쉬지 않는다〉를 보게 되겠고요, 여러분의 질문을 받겠습니다. 여러분의 질문이 없으니까 감독님이 섭섭해 하시는 것 같고 오늘은 좀 더 많은 질문을 받고자 합니다.

이장호 지난 시간에 누가 질문을 잘 해줘서 〈무릎과 무릎 사이〉에서 잊어버리고 있던 것을 아주 잘 찾아냈잖아요. 일본에서 그런 경험이 있었는데 관객과의 대화에서 감독 자신이 몰랐던 것, 무의식 속에 있었던 것을 찾게 되는 계기가 됐었어요. 관객에게 중요한 것이 아니라 감독에게 굉장히 중요하다고. 일본에서는 내 영화를 본 일본관객이 느닷없이 생각지도 않게 이장호 영화를 보면 주인공이든 누구든 장애인이 항상 등장한다, 그래서 가만히 생각해 보니 정말 장애인이 등장해요. 왜 그게 의도적이냐고 하는데 난 그게 전혀 의도적이지 않거든요. 내 의식 속에 스스로 인격적인 거든 성격적인 거든 정상이 아닌, 내 속에 있는 거라고 그 다음부터 느꼈어요. 사람은 누구든지 지체가 아닌, 성품이나 인격 속에 장애가 있을 수밖에 없다는 것이 내 무의식에 크게 자라고 있지 않았나 하는 생각이 드네요.

김홍준 제가 대신해서 공통된 질문을 던지자면요. 이번 학기 감독님의 영화를 보면서 〈내시〉를 같이 보지 않았습니까? 저한테도 영향이 많이 남아있고 감독님께서 〈별들의 고향〉 때 말씀하셨던 것 중에 인상적인 것 하나가, 사실은 저도 데뷔작을 찍을 때 그런 느낌을 받아서 와 닿았다고 할까… 뭐였냐면 "현장에서는 내가 감독인데 내가 아니라 신상옥 감독님이 오셔서 대신 찍고 있는 것 같다" 저도 그런 느낌이 들 때가 있었거든요.

사실 어려운 상황에서 감독이 혼자만 고민하면서 뭔가 풀려고 하는데 얄밉게도 스태프들은 전혀 안 도와주고 이런 시간이 있거든요. 그럴 때는 일종의 자기 보호본능인지 최면인지 몰라도 '아, 이건 지금 내 영화가 아니라 선생님 영화를 내가 잠시 대신 찍고 있는 거다' 그러면서 마음이 편해지고 하는데… 저는 이 〈어우동〉 안에 신상옥 감독님에 대한 오마주가 굉장히 많이 있다고 느껴져요.

그게 가령 거세 장면이 당연히 〈내시〉를 떠올리게 한다거나, 억압받는 여성이라는 것을 표현한 봉건사회의 칠거지악에 대한 부분이라든지, 신상옥 감독님의 〈이조여인 잔혹사〉도 생각나고요. 그러면서도 신상옥 감독님이라는 스승에 대한 오마주, 경의를 표하는 것임과 동시에 또 한편으로는 거기에서 벗어나고 싶어 하는 일종의 애증이라고 할까요. 그래서 사극의 틀에서 의상을 다 바꾸셨다거나, 이 작품이 감독님에게 아버님의 그늘에서 벗어나고자 하는 것과 그러면서도 그분의 그것을 계승하고자 하는 그런 것이 겹쳐져 있나 싶었는데, 혹시 〈어우동〉을 찍으실 때 느낌은 어떠셨어요?

이장호 참 중요한 질문이에요. 난 이 질문이 고마운데, 학생들한테서 이런 질문이 나왔으면 얼마나 좋았을까. 내가 조감독 때는 소위 역사극만 조감독을 했어요. 〈만종〉이라는 영화 하나만 현대물이었고 나머지는 다 역사극 조감독 생활을 했는데, 그때는 그게 그렇게 불만이었어요. 당시는 여배우한테 이런 저런 의상을 준비해오라고 연기자 통보서에다가 써놓으면 여배우나 배우들이 알아서 자기가 가져오는, 지금처럼 무슨 코디가 있는 것도 아니었으니까요. 그래서 가난한 여배우들은 애환이 많았죠.

현장에 와서 그것 때문에 우는 배우들도 있었는데 역사극은 연출부가 다 준비를 해야 되니까 일거리도 굉장히 많고 중노동이에요. 의상을 전날 전부 궤짝에 다 넣어서 운반하고 하니까 짐꾼을 따로 두는 게 아니라서 연출부가 그 무거운 것들을 다 나르고, 또 사극 촬영은 큰 길에서 하는 게 아니고 전봇대가 없는 데나 산속이나 오지에 들어가니까 자동차가 못 가니 이걸 모두 날라야 하고… 연출할 때는 그게 그렇게 싫었어요. 난 팔자도 더럽게 태어나서 매번 사극만 했는데, 감독이 되고 나서는 계속 멜로드라마만 찍고 시대극을 안 찍어봤으니까. 그 향수가, 반대로 그렇게 고생했던 사극에 대한 향수가 불끈불끈 솟아요. 〈어우동〉은 그런 향수가 지배하게 돼서 꼭 만들어 낼 수밖에 없는, 의지가 거기서 폭발해야 되는, 그런 게 쌓였던 것 같아요.

그래서 〈어우동〉 만들 때 신상옥 감독님 밑에서 사극하면서 느꼈던 불만들, 거기다가 신상옥 감독님 때 조선의 복식사라는 것이 마스터되지 않았을 땐데, 내가 영화를 만들 때는 많이 연구된 상태여서 그런 저런 것들이 폭발된 상태였죠. 그게 〈어우동〉에서 폭발되었던 거 같고, 여전히 김홍준 감독이 나한테 얘기해 준 소위 선생님에 대한 극복이라는 생각은 굉장히 강했을 거예요.

내가 우리 신상옥 감독님을 생각할 때 영화감독이지만 나하고 다른 게, 성향이 정치적 성향을 가지고 있다는 것. 나로서는 꿈도 못 꾸는데 최고 권력자와 뭔가 교감이 이루어져야만 영화를 만들 수 있는, 그래서 자유당 시절에는 이승만 박사와 같이 〈독립협회와 청년 리승만〉이라는 영화를 만들었죠. 5·16이 나자 박정희 대통령과 빨리 친분이 생겨서 〈쌀〉이라든지 그런 영화를 만들 수 있었고, 권력의 보호 아래서 최고의 영화를 만드는 데 익숙한 사람이고, 정권의 눈 밖에 났을 때 묘하게 또 납치되어 북한 최고 권력자 밑에서 영화를 만들었죠. 그런 것 때문에 이 양반은 영화가 거칠고 굵어요. 난 성향이 즉흥연출은 뭐 그분한테 배웠으니까 현장 콘티라든지 그런 면에선 신상옥 감독님과 닮은 게 많지만, 난 그 양반보다 정치성향이 좁고 세심한 쪽이에요. 신상옥 감독님에 비하면 세심한 편이고 작은 영화, 신상옥 감독님은 대작을 만드는 편이고 나는 대작을 시도해봤는데 솜씨가 없어서… 아마 〈명자 아끼꼬 쏘냐〉 때도 다 드러나겠지만 대작은 정말로 힘들어요.

이 〈어우동〉에서는 신상옥 감독님에 대한 것을 극복하려는 의지가 강했던 것 같아요. 그래서 〈내시〉 같은 작품에 비하면 〈어우동〉이 훨씬 섬세한 느낌을 주고, 〈내시〉에서 영향을 받은 건 이현화 씨가 〈내시〉에서 강한 인상을 받아 '갈매'라는 인물을 등장시켰던 것 같아요. 원작에는 갈매라는 인물이 없거든요. 이현화 씨가 갈매라는 등장인물을 안성기로 등장시키면서 소위 거세를 당한다는 임팩트를 만들었죠.

김홍준 이현화 씨는 연극에서도 굉장히 잔혹극적인….

이장호 아, 좀 변태 같은 성격이 많았어요.

김홍준 영화 속에서도 그런 느낌이 좀… 이장호 감독님의 성격과 전혀 무관한 것임을 이 자리에서….

이장호 저는 변태 아니에요(일동 웃음).

김홍준 마지막 질문인데 〈어우동〉을 신상옥 감독님이 보셨나요? 보시고 뭐 코멘트를 하진 않으셨고요?

이장호 그 양반 묘한 게 있어서 보고도 못 본 척했을 것 같은데, 신상옥 감독님이 북한에 계셨을 땐데 우리 영화들이 다 거기 있대요. 내가 생각하기에 지금 홍상수 영화나 뭐 〈괴물〉 같은 영화도 들어갔을 것 같은데, 〈전우치〉 같은 것들도 다요. 왜냐면 우리가 영화를 제작하고 했을 때 노골적으로 일본에서 섭외가 왔어요, 프린트를 일본으로 좀 보내줄 수 없냐는 정도로, 그러니까 조총련을 통해서 말이죠. 한국에서 보존하지 못한 게 북한에는 있다고 할 정도로 북한에는 지금 남한의 필름들을 다 가지고 있다는 얘기가 있어요.

이장호 네, 질문을 좀 받아볼까요.

질문자(배혜화 교수) 정치 얘기가 나왔는데요. 겉포장은 섹스로 얘기하지만 나는 사실 정치를 얘기하는 거야, 라고 말하시는 것 같다고 생각을 했거든요. 감독님 영화를 보면 지금 이것도 억압받은 이조사회를 얘기하지만, 사실은 그때 억압받은 상황을 바로 얘기 못하니까 우회해서 얘기하는 거라고 저는 느꼈거든요.

이장호 여기는 정치가 테마가 되기 때문에… 그런데 신상옥 감독님은 정치테마가 아닌데도 영화에서 정치적 성향을 나타내는 편이고 나는 여기서도 말하자면 〈어우동〉 자체가 권력에 대해, 남성세계에 대해 비판적이었으니깐 그걸 나타냈을 뿐이죠. 갑자기 배혜화 교수가 질문하는 바람에 당황해서 내가 어떻게 말을 해야 하는지(웃음).

질문자(배혜화 교수) 예를 들어서 그때 감독님이 〈어둠의 자식들〉인가 그 영화를 찍을 때 남대문시장에 갔던 일을 말씀하시면서 아이들이 너무 가난한 걸 보시고 마음이 안 좋아서 나 정치하고 싶다, 이런 얘기를 하셨다고….

이장호 나는 좀 뭐랄까? 정치성향이 아니고 순진한 상태에서 그런 권력이라든지 하는 걸 아주 원시적인 힘으로 비판한 것이죠. 신상옥 감독님의 정치성향은 하이클래스죠. 차원이 높아서 정치 구단인, 나는 갈매의 눈으로 정치를 바라보니깐 귀여운 정치성향이 여기서 나타나는 군요(일동 웃음).

김홍준 제가 외람된 말씀을 드리자면 신상옥 감독님은 높은 곳에서 크게 왕처럼 고립되시면서 그 안에서 이렇게 막 자기네들끼리 왔다 갔다 하는….

이장호 정치적 성향이 너무 높으면 영화에서 정치성이 안 나타나요. 근데 신상옥 감독님 영화는 이면에 나타나지 않습니까(웃음). 나는 그게 화면에만 나타날 뿐이지.

김홍준 감독님은 워낙 사람들 좋아하시고 항상 주변의 많은 사람들을 만나고 그 시대의 공기를 호흡하고, 결국 관객들을 생각하다 보면 1980년대 억압받던 사회에서 살던 관객들은 분명히 이 영화에서 그런 메시지를 읽어 내고 카타르시스를 받았을 텐데… 그런 것들은 위에서 준 거라기보다는 말이 이상하지만 관객들이 원했기 때문에 감독님이 영화 속에 그런 모습을 드러낸 것이 아닐까. 그래서 저는 다음주 〈나그네는 길에서도 쉬지 않는다〉를 보고나서 여러분의 반응이 궁금한 게, 어쩌면 감독님의 영화사에 가장 개인적인 영화일 수도 있다고 생각이 들거든요.

이장호 제가 만든 영화 중에 원시적인 나온 작품이 〈바보선언〉과 〈나그네는 길에서도 쉬지 않는다〉인데요. 다른 것들은 틀에 있거나 제약이 있거나 해서 시나리오 자체도, 시나리오가 완전히 없거나 〈나그네는 길에서도 쉬지 않는다〉처럼 기존 시나리오 같지 않는 것들, 이런 것들은 내 원시적인 성향이 저절로 나타난 것 같아요. 그래서 내가 이랬어요. 내 근본은 흥행성이 없는 감독이로구나. 흥행했던 것들은 주변에서 만들어줬기 때문에 한 거였지, 나를 가만히 놔두면 제작비를 못 건지는 위험한 영화감독이 될 거다, 그러한 것이 내 안에 숨어있다고 생각을 한 적이 있습니다.

김홍준 그게 더 무서운 것 같은데요. 다음 주에는 〈나그네는 길에서도 쉬지 않는다〉를 보겠는데, 여러분들 학기말도 가까워오니까 다음 주에는 많은 질문을 할 수 있도록 진짜 말 그대로 대화가 됐으면 좋겠고요. 감독님의 지극히 개인적이고, 작가로서의 성숙함, 거기에 또 실험성 이런 것들이 있는 작품이니까 사전에 이제하 선생님의 원작소설을 읽어보셔도 좋을 테고, 좀 준비를 해서 한번 재미있는 시간을 가져보면 좋을 것 같습니다. 그럼 감독님 오늘 감사합니다.

이장호 고맙습니다.

REVIEW

학생리뷰_나호영(예술사2008137014)

진정한 팜므파탈 어우동

이 영화를 보고 제일 먼저 든 생각은 '아, 내 젊은 시절엔 왜 이리 평면적인 섹스심벌 밖에 볼 수 없는 건가! 라는 한탄이었다.

인터넷 검색창에 '섹시스타' 라는 글자만 치면 수십 명의 연예인들이 비슷한 옷차림과 비슷한 표정, 비슷한 포즈로 찍은 사진들이 넘쳐난다. 그들을 표현하는 수식어들도 '꿀벅지' 니 '팜므파탈' 이니 '청순글래머' 니 '착한몸매' 니 한두 가지가 아니다. 물론 그들은 아름답다. 몸매도 좋다. 얼굴 또한 아름답다. 하지만 그뿐이다. 인터넷에 클릭 몇 번으로 손쉽게 볼 수 있는 사진 몇 장. 그게 전부다. 물론 사진이라 그럴 수도 있다. 그럼 영화는 어떤가. 〈어우동〉과 비교해 봐도 몇 배는 노출이나 정사신의 수위가 높은 영화를 찾는 데는 그리 오랜 시간이 필요치 않다. 말초신경을 직접적으로 후려치니 더 자극적이고 더 쾌락적이다. 하지만 기억에도 남나? 기억에 남는다 할지언정 그 장면의 앞뒤 상황까지 머릿속에 그려지나? 나는 그렇지 않다. 마치 영화와 정사신이 분리라도 된 양, 그들의 감정까지 전해지는 그런 장면을 본 기억이 아득하다.

팜므파탈이라는 말, 요즘 참 쉽게 쓴다. 뭐 특별한 행동이나 연기 없이 눈 밑에 검은 화장하고 나와서 세상 남자들이 다 하찮다는 듯한 눈빛 한 번 보내면 팜므파탈이라는 수식어는 자연스레 따라온다. 단어의 의미 그대로 남자를 파멸에까지 이르게 하는 치명적인 매력을 가진 여자로 보이고 싶은 연예인이 주변에 있다면, 〈어우동〉이라는 영화를 보라고 권하고 싶다. 〈어우동〉은 그 누구에게도 당당하다. 명망 높은 양반들 앞에서도, 흉기를 들고 자신을 겁탈하려 드는 괴한에게도, 심지어 왕과 함께한 자리에서조차(극중에서 그가 왕임을 어우동이 알고 있는지는 잘 모르겠으나) 그녀는 자신의 의도대로 상황을 이끌어 나간다. 단순히 아름다운 몸과 미모뿐만이 아니라 카리스마 있는 태도와 듣는 이를 사로잡는 언변으로 모든 이를 굴복시킨다. 여러 사내를 농락하며 당시의 올바른 여성상과는 정 반대의 파격적인 삶을 살았고, 칠거지악이라는 지극히 남성우월주의적인 관습에 저항하며 살았던 그녀의 모습이 영화 내내 너무나 매력적으로 다가왔다.

정작 영화적인 얘기를 하나도 안한 것 같아 죄송하지만, 나의 글에서 어떤 진지한 영화에 대한 고찰이나 통찰력을 기대하시지 않을 것임을 알기에, 그리고 요즘 들어 스무 살이 갓 넘은 아이들이 반쯤 벗고 골반을 흔들며 뇌쇄적인 눈빛을 날리는 것을 보며 눈살이 찌푸려지는 나를 발견하면서, 왠지 이런 글을 한번 써보고 싶었다.

_나그네는 길에서도 쉬지 않는다

· 1987년, 104분
· 제작 _ 판영화
· 원작 _ 이제하
· 각색 _ 이장호
· 촬영 _ 박승배
· 조명 _ 김강일
· 편집 _ 현동춘
· 음악 _ 이종구
· 미술 _ 신철, 왕숙영
· 출연 _ 김명곤, 이보희, 고설봉, 추석양

수종(김명곤)은 3년 전 죽은 아내의 유골을 벽장에서 꺼내 뿌릴 곳을 찾아 동해로
떠난다. 막연히 동해를 향하던 중 낯선 곳에 내려 헤매다 세 명의 여자를 만나는데
한 여자를 제외하곤 모두 죽은 아내와 닮아 있다. 처음 만난 여자는 창녀였는데 원
인모를 죽음을 당하고, 두 번째로 만난 여자와는 아내와 꼭 닮은 얼굴에 끌려 동침
을 하지만 그녀 역시 교통사고로 죽는다. 그리고 세 번째 여자는 간호사였는데 자
신이 수발을 들고 있는 노인의 부탁에 따라 수종과 마찬가지로 동해를 헤매고 있
었다. 둘은 곧 가까워지지만 선착장에서 굿판을 구경하던 그녀는 갑자기 신내림을
받고 무당이 되고, 수종은 홀로 배를 탄다.

나그네는 길에서도 쉬지 않는다_1987

김홍준 지난 시간에 감독님이 〈무릎과 무릎 사이〉에 이어서 〈어우동〉 두 편을 연속으로 흥행에 성공을 시키시고 그 과정에서 아마 1985년으로 생각하고 있는데요. 그 즈음에 영화법이 개정되고 이전의 영화사 등록제에서 누구나 영화사를 설립할 수 있는 체제로 바뀌면서, 감독님도 말하자면 스스로 독립하셔서 최초로 본인이 직접 제작과 연출을 겸하시는 판영화사를 만들게 됐는데요. 우선 그 판영화사의 이름이 그 당시로서도 좀 뭐랄까, 당연하면서도 신선하게 들리는? 우리가 항상 쓰는 말이 영화판, 영화판 그랬었거든요. 그 판영화사의 '판'이라는 이름의 유래와 영화사를 설립하게 된 과정을 잠깐 설명해주셨으면 좋겠습니다.

이장호 저는 이름 짓기를 참 좋아해요. 배우들 이름도 지어주고, 또 내가 낳은 아이의 이름을 지을 때도 재미를 느끼는데요. 영화사 이름을 뭐로 할까 고민하다가 판굿도 있고, 뭐 마당굿도 있고 마당극도 있잖아요. 영화는 아직 판이란 개념을 도입하지 않았는데 〈바보선언〉을 만들고 또 〈바람 불어 좋은 날〉의 마지막에서 안성기씨하고 임예진씨하고 손잡고 관객들한테 말을 거는 장면을 찍으면서, 영화도 마당영화 같은 게 나왔으면 좋겠다고 생각했었죠. 그래서 스스로 영화사를 만들면 '판'자를 사용해봐야겠다 싶었어요. 그래서 판영화사라는 이름을 붙였습니다. 마침 판은 영어로 해도 좋은 의미가 있더라고요.

　여담인데 그땐 내가 아직 크리스천이 아닐 때라 태흥영화사는 굿도 많이 하고 점쟁이도 많이 드나들었는데, 하루는 점치는 사람이 태흥영화사에 왔어요. 그래서 영화사를 만드는 데 판이라는 이름이 어떠냐고 물었더니 그 사람 얼굴에 그늘이 지더라고요. 좋은데, 라고 해놓고 끝을 흐리더라고요. 그러고는 더는 얘기를 안 했어요. 나중에 영화사를 닫게 됐을 때 그걸 떠올리면서 처음 시작은 좋은데 끝이 좋지 않을 거였구나… 그런 생각을 했습니다.

김홍준 사실 그전에 '이장호 워크숍'이라는 일종의 기획사 무실은 있었지만 정식으로 설립하신 것이 판영화사고, 그때가 1986년이었죠?

이장호 1985년에 등록을 하고 1986년에.

김홍준 저는 그때 외국에 있어서 현장에는 없었지만 사실 80년대 초반에 대학에서 8미리를 찍거나 아니면 대학 밖에서 활동할 때 만난 많은 친구들이 잠시건 오래건 판영화사를 거치지 않은 사람이 거의 없었던 것처럼, 한 번씩은 다 그렇게 감독님 주변에 몰려들었던 것 같은데요. 항상 감독님이 사람을 끌어당기시고 또 사람들 틈에 둘러싸여 계시는 걸 즐기시지 않았나, 하는 생각을 많이 했습니다. 감독님이 회고하시는 판영화사의 초창기 모습은 어땠나요? 그리고 어떤 식으로 직원들, 멤버들을 구성하셨는지요.

이장호 옛날 잘 나갔을 때를 추억하면 사람이 발전성이 없다고 그러던데(웃음), 그 당시에는 사람을 하도 좋아하니까 자동차도 뭘 가지고 있었냐면 12인승인가? 봉고를 갖고 다녔어요. 어디 술 먹으러 간다고 하면 열두 명이 다 차요. 늘 같이 어울리던 게 조감독들, 이름을 얘기하면 잘 모를 것 같은 사람도 있지만 알 사람들이라면 장선우, 이춘연, 신승수, 선우완, 박광수. 배창호는 이미 졸업을 했을 때고, 그런 친구들부터 시작해서 판영화사에서 새롭게 조감독 공모를 했어요. 그 공모할 때 페미스의 전신인 이덱에서 학생을 뽑는 방식을 흉내를 내서 수유리에 있는 무슨 호텔인가 거기서 사흘 동안 조감독 공모 응시자들을 묶어놓고 시험을 쳤죠. 그래서 뽑은 사람이 다섯 명인가 있었어요. 그래서 그 사람들, 그리고 영화평론을 하는 정성일씨, 하여간 굉장히 많은 사람들이 어울려 다니면서 술을 마시고는 했습니다.

김홍준 사실 감독님 작품을 만들기 위한 것이 아니라 다른 감독님의 작품도 하지 않았습니까? 여기서 구태여 정리하자면 판영화사가 1986년부터 존재해서 언제까지 있었죠? 1989년까지였나요?

이장호 1991년에 〈핸드백 속 이야기〉와 〈숲속의 방〉을 하면서 끝났어요.

김홍준 그 사이에 여러 작품들이 제작되었는데 사실 그 중에서 흥행에 성공했던 영화는….

이장호 없죠. 아, 〈공포의 외인구단〉이 있구나.

김홍준 감독님 작품으로는 저희가 좀 이따 이야기할 〈나그네는 길에서도 쉬지 않는다〉, 〈와이의 체험〉, 〈미스 코뿔소 미스터 코란도〉 이렇게 세 편이 있고, 그 밖의 것들도 많이 제작을 하셨는데요. 감독님께는 조금 아픈 질문이 될 수도 있겠는데요. 감독님이 아까 또 너무 잘 나가던 시절만 생각하면 안 된다고 하셨으니까, 제작자로서의 본인을 지금 스스로 평가해보자면 어떤 것 같습니까?

이장호 제작자로서는 정말로 자격이 없는 사람이고, 그 외에도 뭐 여러 가지 생각 속에서 내가 결정적으로 제작자로서 자격이 없다는 건… 다른 데서 내가 영화를 만들 때 돈 버는 제작자를 보면 나오는 다른 것이 그 사람들은 항상 돈, 돈, 돈 하는 사람들이에요. 그 사람들 하는 일을 보면 사무실에 있는 것보다 골프장에 더 많이 가 있고 로비라든지 그런 것 등에 전념하는데, 사실은 그런 것들이 돈 버는 사람의 자격 중에 하나예요. 돈, 돈, 돈 하면서 돈에 집중을 해야 하는데 저 같은 경우는 기획 쉽게 하고 나가서 촬영하고… 이런 것들이 영화 만드는 것 이외의 여러 가지 로비라든지 또 제작 여건을 만들어내는 데는 아주 무능력했던 거죠. 그래서 스필버그 같은 사람은 아주 특출한 재능을 타고난 게 아닌가. 또 미국은 분업이 확실하니까 그 사람들을 다 수용할 수 있어서 그런 건데, 제가 들었던 말 중에 가장 아팠던 게… 이장호는 원맨쇼를 하기 때문에 기획이 다양하지 못하다. 그러니까 여러 사람이 회의를 해도 내가 가지고 있는 주장을 많이 하기 때문에 기획이 이장호 식으로밖에 안 나온다. 그 얘기를 굉장히 가슴 아프게 새겼습니다.

김홍준 예, 감독님의 그런 카리스마나 추진력 같은 것들이 어떻게 보면 기획자나 제작자로서는 단점으로 작용했던 것 같다는 그런 말씀인데요. 그런데 판영화사에 대해서는 무언가 잘 되면 사람들이 질투도 하고 음해도 하기 때문에 아마 그때도 감독님에 대해서 많은 질투나 음해 등이 있어서인지는 몰라도, 이장호 감독님이 그야말로 자신의 욕심을 채우기 위해서 만든, 뭐 돈도 벌고, 명예도 얻고, 대장 노릇도 하고… 그런 식으로 그때 많이 뒷말들을 했던 것 같아요.

헌데 판영화사가 이장호 감독님이 단순히 자기 영화를 만들기 위해서 만드신 회사가 아니라 뭔가 다른 더 큰 뜻이 있으시구나,

하고 생각하게 된 계기가 하나 있었는데요. 그게 뭐냐면 판영화사에서 책이 나온 적이 있습니다. 아마 그게 한 권일 텐데요. 그때 막 이름을 내놓기 시작했던 20대 중반의 아주 애송이 평론가가 한 명 있었어요. 바로 정성일씨였는데요. 이 사람이 난데없이 판영화사에서 책을 하나 내는데 그게 바로 임권택 감독님에 대한 책이었거든요. 그래서 임권택 감독님을 찾아가서, 그때 임권택 감독님은 책이 기획되던 중에 〈씨받이〉로 베니스영화제에서 강수연씨가 여우주연상을 타는 바람에 굉장히 또 알려지셨을 때인데요. 판영화사에서 어떻게 그 책이 나오게 됐는지 감독님의 말씀을 좀 듣고 싶습니다.

이장호 그때 해외영화제를 다니면서 보니까 한국영화가 전혀 각광을 받지 못할 땐데, 특출한 게 우리나라는 감독 한 사람을 뭐라 그러죠? 영웅화시키지 못한다는 생각이 들었습니다. 우리한테는 장수설화라는 게 있잖아요. 사람이 좀 될 만하면 죽이는, 싹을 죽이는 그런 설화가 있는데… 일본 같은 경우는 구로자와 아키라 같은 사람을 사회가 집중해서 영웅화해서 어떤 모델로 만들죠. 일본 자체가 그래요. 정치가든 경제인이든 모델화를 어떻게 하냐면, 영웅의 이미지와 연결시켜서 유명한 역사 속의 인물들하고 항상 맥을 같이 해서 비교를 해놓는데요. 그런 걸 보면서 우리 한국에서도 영웅을 만들어야 하는데 그 당시에 내 선생님이었던 신상옥 감독님은 북한에 계시고, 그래서 영웅을 만들 수 없는 시절이었고. 그 다음에 또 유현목 감독님은 작품활동을 활발하게 안 하시고, 나는 신상옥 감독님을 모시고 있었기 때문에 유현목 감독님에 대해서는 좀 폄하하는 그런 환경 속에서 자랐어요.

그래서 그럴 순 없었고 가만 보니까 만만한 게 임권택 감독님이신데, 임권택 감독님의 영화세계를 나는 좋아하지 않습니다. 좋아하진 않는데 누구 하나를 내세워서 영화계의 가장 모범적인 톱을 하나 만든다면 임권택 감독님이겠다는 생각을 했죠. 임권택 감독님의 미덕은 그분이 굉장히 겸손하다는 거거든요. 그 모습이 우리들에게 존경받을 수 있는 것이기 때문에 임권택 감독님을 정해서 그 사람에 대한 집중적인 책을 하나 만들어보자는 생각을 했어요. 그 당시 작가연구 같은 책이 한국감독에게는 하나도 없었거든요. 그래서 그걸 해두면 나중에 나도 누군가의 덕을 보겠지, 하는 생각을 했었습니다.

김홍준 그래서 그 필자인 정성일씨는 어떻게 그 책을 맡게 됐나요?

이장호 정성일씨 글이… 그 당시의 다른 평론 흐름을 보면 뭐랄까? 노멀한 평론이지만 정성일씨는 자기가 의식을 했던 것 같은데, 전통적인 것보다는 자기 주관을 많이 섞어놨죠. 하여간 정성일씨가 젊은 사람 중에서는 붙임성도 많았고 활발하게 일을 했어요. 그래서 월급을 주며 영화사에서 일을 하게 하면서 임권택 감독님의 책을 만들게 했더니, 결국엔 나중에 우리 기획실 직원하고 결혼을 해서 (일동웃음) 나갔지요.

김홍준 그 일이 정성일씨가 처음 임권택 감독님을 만나게 된 인연이 돼서 그때부터 거의 30년을 임권택 감독님을 쫓아다니다시피 하면서, 그래서 몇 년 전에 나왔던 『임권택이 임권택을 말하다』란 책이 있는데요. 사실 오리지널은 당시에 판영화사에서 그 책을 내자는 기획에서부터 나온 것이겠죠. 그것이 정성일씨에게도 단순히 영화평을 쓰는 평론가나 저널리스트가 아니라 한국영화에 대한 본격적인 연구의 길에 들어서게 되는 큰 계기이자 행운이었다고 생각합니다. 방금 감독님께서도 말씀하셨지만, 그렇게 임권택 감독님에 대한 책을 기획하시면 덕이 쌓여서 감독님께도 돌아올 거라는 생각을 하셨다고 그랬는데요. 아마 조만간에 돌아오지 않을까 생각을 합니다.

이장호 영화부터 만들어야죠.

김홍준 (웃음)그리고 그때 판영화사에 있었던, 지금은 한국 영화계의 중견이 된 사람들이지만 그 당시에는 하루하루 밥벌이를 걱정했던 그런 청년 백수들, 전부 판영화사에 모여 있다시피 했는데요. 그래서 재밌는 일화들을 많이 들었던 적이 있어요. 박찬욱 감독도 한때 판영화사에 있었죠? 기획실 쪽에서 일했었나요?

이장호 아뇨, 〈깜동〉이라는 영화의 조연출로 있었죠.

김홍준 아, 제가 왜 그 얘기를 하냐면 저는 박찬욱 감독님이 판영화사에서 일했다는 사실은 몰랐었는데요. 김기영 감독님에 대한 다큐 때문에 인터뷰를 했더니, 한번은 박찬욱 감독님이 판영화사 사무실에서 촬영준비를 하고 있었는데 김기영 감독님이 불쑥 찾아오셨대요. "장호 있냐?" 그러면서요. 저 노인 누굴까, 하고 있는데 안에 계시던 감독님이 그 목소리를 듣자마자 거의 버선은 안 신으셨지만 버선발로 뛰어나오시면서(일동웃음) 맞이해서 굉장히 인상적이었던, 그게 바로 박찬욱 감독님이 갖고 있던 김기영 감독님에 대한 첫인상이라고 하더라고요. 그런 김기영 감독님에 대한 말씀을 해주시죠. 감독님과의 관계와 이런 저런 기억에 남는 얘기를 해주시면 좋을 것 같아요.

이장호 김기영 감독님에 대한 이야기는 재밌는 게 많아요. 그 양반이 신상옥 감독님, 유현목 감독님과 함께 우리 때의 거두였는데요. 세 사람이 서로 상대방에 대해서 질투심을 가지고 있었어요, 서로 무시하고. 신상옥 감독님이 안 계실 때 나는 김기영 감독님을 참 좋아했어요. 김기영 감독님은 직접 제작한 영화를 나한테 맡기려고 하신 적도 있었어요. 일은 잘 안 됐지만… 말년에는 그 양반이 영화를 만들고 싶어 해서 내가 프로듀서를 한번 해볼 생각도 가지고 있었고요. 자주 어울려 다녔는데 그 양반 특징이 검정 고무신을 신고 다닌다는 거, 그 다음에 시장판에서 싸구려만 먹는다는 거, 엄청난 구두쇠라는 거, 그리고 집이 몇 채인지 몰라요. 여기 저기 집 사놓은 게 많은데도 자기가 제작하는 영화 스태프들하고 지방 로케이션을 가면 될수록 싼 것만 먹이려 하니까, 그런 거 있죠? 왜 자기가 먼저 라면을 먹으면 하는 수 없이 스태프들도 라면을 먹을 수밖에 없게 되는 거(웃음)….

김홍준 오늘은 왠지, 라면이(일동웃음)….

이장호 그런 걸 뭐라고 하죠? 등치는 굉장히 커요. 몸은 꼭 장비처럼 생겼는데 하는 짓은 그렇게 쩨쩨할 수가 없어요. 가령 "라면을 맛있게 먹는 방법 알아? 치즈를 넣어서 먹어봐" 이런 식이예요(웃음). 그게 치즈라면의 원조인지도 모르겠는데(일동웃음), 얼마나 궁상을 떠는지 부인이 치과의사거든요. 그리고 김기영 감독님이 외과의였어요. 그런데 의사생활을 안 했죠. 아침에 나올 때 부인한테 만원을 얻어가지고 나와요. 그래서 어딜 가냐면 집 앞에 고시원이 하나 있는데 거기 가서 시나리오를 써요.
내가 한번은 그 현장을 가봤더니 꼭 기다란 관 같더라고요.

아주 작은 방인데 드러누우면 더 움직일 틈이 없는, 거기에 책상이 하나 있고 이불이 깔려있고, 딱 거기서 글을 쓰는 거예요. 그 옆에는 어김없이 라면 끓이는 등산용 버너와 냄비가 있고, 그리고 얼마나 더러운지 그 분은 담배를 재떨이에 털어본 적이 없어요. 그냥 피고서 아무데나 막 털어요. 그래서 그분이 화재 때문에, 두 부부가 불에 타서 돌아가셨는데 틀림없이 그 불 때문에 화재가 난 거라고 생각해요. 그분이 살던 집에 가보면 응접실이면서 서재처럼 되어 있는 방이 있는데 자기가 썼던 옛날의 소도구들 뭐 이런 것들을 창고처럼 그 위에다 쌓아놨어요. 제일 특징은 역시 담뱃재는 어김없이 아무데나 터는 거였죠. 그래서 그 양반이 정말 터무니없이 그렇게 화재로 돌아가신 게 그런 이유 때문이라고 생각이 들어요.

김홍준 감독이 저를 따라 청담동에 있는 교회에 나가기 시작했을 무렵, 똑같이 김기영 감독님한테도 교회에 가자고 해서 이 분도 교회에 나왔는데, 내가 괴로웠던 것이 목사님이 설교를 하면 "저건 거짓말입니다, 저건 거짓말이에요"라고 내 옆에서 속삭이는데… 하여간 앞에 앉은 사람들이 그 말을 들을까봐 노심초사 여간 신경 쓰이는 게 아니었어요. 아주 소름이 끼쳐요(일동웃음).

계속 그렇게 부정적으로 목사 얘기하는 걸 비틀어서 해석하고, 그 부인께서 아주 독실한 크리스천인데 남편이 이장호 때문에 교회를 나간다고 하니까 너무 기분이 좋은 거예요. 자기가 오랫동안 몇 십 년 다니던 교회를 작별하고 남편하고 같이 우리 교회에 등록을 했어요. 그래서 예배가 끝나면 점심시간에 함께 점심을 먹는 게 낙이었어요. 한번은 예배가 끝나고 유명한 해장국집에 모이기로 했어요. 김기영 감독님은 사모님이 운전하는 차를 탔는데, 이 분은 독특하게 부인 옆에 앉지 않고 꼭 뒷좌석에 앉아요. 그렇게 먼저 출발하고 내가 운전하는 차는 바로 뒤따라갔는데, 그 해장국집 앞에서 멈추질 않고

나그네는 길에서도 쉬지 않는다

획 가버리는 거예요. 그래서 길을 몰라서 그러나 하고 빨리 추월해서 차를 되돌리게 하고 유턴해서 해장국집에 왔죠. 그런데 두 분 사이가 아주 냉랭해요. 분위기가 썰렁해서 눈치만 보다가 "아니 왜 사모님이 화나셨나요?" 물으니까 김기영 감독님이 능글능글하게 이렇게 말씀하셨어요. "아, 이감독 내가 말이야. 오늘 예배 때 기도를 끝내고 나서 하나님이 사랑하는 김기영의 이름으로 기도드립니다 그랬거든 (일동웃음). 그랬더니 이 사람이 화를 낸다." 두 부부가 어린애처럼 투탁거리는 건 자주 있었지만 노인들 같지 않는 사랑싸움이었죠. 정말 잉꼬부부였어요. 김기영 감독님은 머리가 천재예요. 내가 본 사람들 가운데 가장 머리가 좋은 사람이었어요. 자기는 늘 돈을 벌려고 영화를 만드는데 영화가 완성되면 사람들이 그걸 예술영화라고 한다. 자기는 그 이유를 모르겠다는 거예요.

그 말 속에서 저는 그분이 머리가 비상한 만큼 교활하다는 생각도 했지만, 또 한편 저 자신을 반성하면서 숙연하게 생각한 적도 있었습니다. 덜 떨어진 예술을 내가 자랑해선 안 된다, 이런 거죠. 어쨌든 그분이 아이큐가 높다는 것은 두뇌게임을 즐거하는 데서 잘 나타납니다. 김기영 감독님은 누군가 만났을 때 그 사람이 똑똑하거나 영리해 보이면 슬쩍 약을 올립니다. 상대방의 비위를 살짝 건드리는데 고의적이에요. 그리고 상대가 거기에 걸리지 않으면 좀 더 단계를 높여 비위를 건드립니다. 마침내 상대방이 낚이면 그 사람을 상대로 심리적인 두뇌싸움을 해요. 그렇게 낚이는 사람을 여러 번 지켜봤어요. 절대로 교묘하지 않습니다. 터무니없이 약을 올리니까요. 상대방 결점을 잡지요. 가령 야무지고 똑바로 생긴 사람한테 "이 사람 멍청하게 생겼네" 그러면 저쪽에선 당연히 약이 오르죠. 그렇게 말려들게 만든 다음에 그걸 즐긴다고나 할까요. 악취미 아닙니까? 김홍준 감독은 한 번도 안 걸려봤어요?

김홍준 어, 저는 지금도 이해할 수 없는 게요. 저는 사실 김기영 감독님과 만나게 된 것도 이장호 감독님 때문인데요. 부천영화제에 이장호 감독님께서 저를 프로그래머로 부르셔서 1회 부천영화제 때 〈하녀〉를 상영하려고 했거든요. 60년대 한국대중영화 회고전을 하려고 해서 보니까 저작권을 김기영 감독님이 가지고 계셔서 방금 말씀하신, 영어로 말하면 던전dungeon 같은 혜화동 댁에 찾아갔었는데요. 처음에는 굉장히 쌀쌀하게 하시다가 어느 순간부터 갑자기… 아마 제가 서울대학교 나왔다는 말을 어떻게 하게 됐던 것 같아요. 그랬더니 "아, 진작 좀 얘기하지 않고서!" (일동웃음).

갑자기 사랑스러운 후배를 보는 모드로 바뀌어서가지고 그 후에 부천영화제에서도 영화를 틀었고, 또 그해 있었던 서울단편영화제에 심사위원장으로 모셨었습니다. 저하고 정성일씨가 집행위원을 맡았었어요. 그래서 돌아가시기 직전에 몇 달 동안 가장 가까운 곳에서 모시게 된 그런 인연을 갖게 되었는데요. 이상하게 저에게 특별대우를 해주셨던 것 같아요. 그래서 제가 빚진 마음이 있었는데, 이 기회에 감독님에 대해 여쭤보고 싶습니다. 김기영 감독님이 정말 구두쇠로 유명하셨는데 남한테 뭘 안 주는 걸로 유명하셨어요. 김기영 감독님이 뭐 자장면 한 그릇 사준 적이 없다고 했는데, 김기영 감독님이 생전에 시나리오 선집 한 권을 출판하신 적이 있거든요. 혹시 감독님 그 책 받으셨어요?

이장호 나한테는 그것도 있고, 미완성 원본도 있고 그래요.

김홍준 아, 그 책 사인해서 받으신 거에요?

이장호 아니, 사인은 안 받은 것 같은데?

김홍준 저한테 그 책을 사인해서 주셨거든요. 제가 지금까지 그 책을 사인해서 받았던 사람을 한 명도 못 만나 봤어요(일동웃음). 그래서 뭐, 그런 인연인데 어쨌든 오늘은 제가 이렇게 길게 이야기를 하면 안 될 자리이고, 여기서 잠깐 공지사항을 말씀드리자면 요번에 임상수 감독의 〈하녀〉가 개봉해서 꽤 괜찮은 흥행성적을 올리고 있는데요. 그래서 CJ에서 김기영 감독님의 〈하녀〉를 극장개봉을 합니다. 아마 많이는 아니고 몇 군데 CGV의 예술영화 상영관에서 할 것 같은데요. 6월 1일로 알고 있는데 대학로 CGV에서 〈하녀〉 VIP시사회 비슷하게 한다고 합니다.

그날은 영화 상영이 있고 끝난 다음에 그 아드님 김동원 선생님, 그리고 생전에 고인과 친하셨던 정용탁 교수님이 함께 하십니다. 간단하게 김기영 감독님을 회고하는 자리가 있을 테니까, 자세한 시간 같은 걸 필요로 하시는 분은 인터넷을 찾아보시면 좋겠습니다. 그리고 영상자료원에서 나오는 김기영 감독님의 박스 세트를 보면 서플먼트들이 들어있는데, 그중에 〈고려장〉 DVD안에는 제가 만든 〈감독들, 김기영을 말하다〉라는 40분짜리 다큐멘터리가 있거든요.

이장호 〈고려장〉이라는 영화가 지금 불완전판이던가?

김홍준 네, 불완전판이지만 남아있고요. 그래서 그게 DVD로 나왔는데, 거기 서플먼트에 제가 만든 건 시네마테크 프랑세즈에서 김기영 감독 회고전 할 때 그쪽의 부탁으로 영진위에서 지원을 해줘서 만든 거였어요. 스무 명의 한국감독들이 나와서 자신들이 알고 있는 또 기억하고 있는 김기영 감독님에 대해서 이야기하는, 인터뷰만으로 된, 별로 재미는 없지만 김기영 감독님에 대해서 알고 싶은 분들은 한번 보시면 좋을 것 같습니다. 그러면 이제 〈나그네는 길에서도 쉬지 않는다〉에 대해서 이야기를 해봐야 할 것 같은데요. 감독님 이 영화는 도대체 어떤 마음으로 생각을 하셨나요?

이장호 〈나그네는 길에서도 쉬지 않는다〉는 기획이 엉뚱한 데서 들어왔는데, 내가 좋아하는 불문학자 중에 고려대학교 불문학과 교수이신 김화영이라는 분이 있어요. 그분은 김승옥씨를 통해서 알게 됐는데, 그 양반이 이상문학상을 탄 이제하씨 소설 『나그네는 길에서도 쉬지 않는다』를 추천했어요. 이감독이 한번 만들어 보라고. 마침 이제하씨를 개인적으로 좋아했고, 이제하씨 소설은 아주 특출 나거든요. 그 당시 문단에는 김승옥씨처럼 우리한테 익숙하면서도 외국문학 번역문체를 갖고 있는 작가로서, 막내로는 최인호 같은 소설가가 있었죠. 또 한쪽으로는 이문구 선생님을 비롯해서 『우리들의 넝쿨』을 썼던 최일남 선생님처럼 투박한 우리 토속어를 사용하는 작가들이 있었지만, 이제하씨는 그 양쪽의 작가들과 달라 아주 엉뚱한 사람이죠. 추상적인 감성의 소설을 쓰는 사람인데 그 작품들 전부가 신비한 느낌으로 사람을 이끌어가요. 감수성으로 읽으면 전체 이야기 내용을 파악할 필요 없이 굉장히 만족감을 주는 소설인데 이 소설을 추천받고 영화로 만들고 싶다는 생각을 했죠.

그때 이상문학상을 타면서 이어령씨랑 김화영씨가 추천한 내용이 뭐냐면 '자동기술'이라는 말이 있는데, 인터넷에 들어가서 '자동기술'을 찾아보면 영靈이 씌어서 쓰는, 자기도 모르게 글을 쓰는 행위라고 나올 텐데요. 그걸 이제하씨가 인정을 했어요. 이 소설을 쓴 것은 어느 날 자동기술처럼 쓴 거라고 했고, 그걸 이어령씨도 지적을 했고요. 나는 그것 자체가 아주 좋았죠. 그래서 이 영화를 할 때 특별하게 이 작품에 뚜렷한 해석을 하는 것보다는 그 감수성 그대로 이어받아서 나도 그런 염력念力으로 영화를 만들고 싶다는 생각

나그네는 길에서도 쉬지 않는다

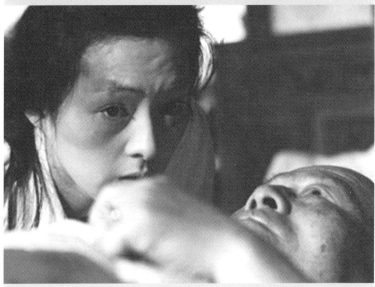

〈나그네는 길에서도 쉬지 않는다〉는 기획이 엉뚱한 데서 들어왔는데, 내가 좋아하는 불문학자 중에 고려대학교 불문학과 교수이신 김화영이라는 분이 있어요. 그분은 김승옥씨를 통해서 알게 됐는데, 그 양반이 이상문학상을 탄 이제하씨 소설 『나그네는 길에서도 쉬지 않는다』를 추천했어요. 이감독이 한번 만들어 보라고. 마침 이제하씨를 개인적으로 좋아했고, 이제하씨 소설은 아주 특출 나거든요.

감수성으로 읽으면 전체 이야기 내용을 파악할 필요 없이 굉장히 만족감을 주는 소설인데 이 소설을 추천받고 영화로 만들고 싶다는 생각을 했죠.

을 갖고 만들었습니다.

김홍준 이 작품에서 기술적으로 가장 도전이었던, 그리고 감독님이 아직 만족을 못하시는 것이 바로 영화의 모노크롬 분위긴데요. 전체 분위기가 황톳빛이잖아요. 그 황톳빛에 대한 어떤 특별한 의미를 처음부터 생각하신 겁니까? 그리고 이 작품하실 때 기술적으로 어려웠던 부분은 어떤 부분이었나요?

이장호 내가 이전에 여러분한테 얘기했는지 모르겠는데, 우리 어렸을 때 서울 거리에는 전쟁 직후에 사금파리라고도 하는 유리조각 같은 것들이 많이 있었어요. 그땐 청소하는 사람이나 미화원이라는 게 없었을 때니까 거리에 그런 유리조각들이 흔히 발견되는데, 어렸을 때 그런 유리 조각들을 눈에 대고 봤던 경험들이 유년 시절 인상 깊게 기억 속에 남아 있어요. 그 병 깨진 유리 색깔에 따라서 세상의 색이 변하는데요. 그걸 내가 언제 인상 깊게 영화에서 봤냐면 클로드 를르슈라는 프랑스 감독의 〈남과 여〉라는 영화가 한국에 들어왔는데, 영화 분위기에 따라서 모노크롬의 몇 가지 색으로 연출을 했던 영화였습니다. 그걸 보면서 굉장히 공감을 했었죠. 그런데 〈나그네는 길에서도 쉬지 않는다〉의 소설을 읽었을 때 나는 황톳빛이 생각났어요. 황톳빛이 우리의 고유한 색깔이란 생각이 짙었습니다.

개인적으로 영화 형식에서 색감에 대한 욕망이 들어간 게 몇 가지 있는데, 하나는 〈나그네는 길에서도 쉬지 않는다〉에서 전체가 세피아 컬러의 모노크롬인 것. 또 하나는 컴퓨터그래픽을 사용하든 어떻게 하든 우리 동양화 같은 선, 인물, 저기 그 족자簇子의 신선도 神仙圖 같은 그림을 그릴 때 동양화의 붓, 묵으로 된 터치와 컬러, 그런 영화를 만들고 싶은 꿈이 하나 있었고요. 그 다음에 아리랑… 뭐라 구체적 설명을 할 순 없지만 아리랑이라고 하면 어떤 컬러가 느껴져요. 백색에 붉은 톤의 핏빛보다는 좀 더 황톳빛 같은 톤. 우리가 갖고 있는 원색적인, 샤머니즘에서 흔히 보는 초록색, 청색 이런 것들을 가지고 내가 이름을 붙인다면 아리랑 색깔이라고 하고 싶은데… 그런 세 가지 꿈 중에 하나가 바로 〈나그네는 길에서도 쉬지 않는다〉의 황톳빛인 거죠.

가끔 옛날 다큐멘터리를 볼 때 1차 대전, 2차 대전 화면이 나올 때면 화면의 무엇이 변형됐는지는 모르겠지만 세피아 톤으로 된 다큐멘터리를 볼 때가 있었는데 그런 것의 복원이랄까? 영화에서 한 번 사용해보고 싶었고, 그걸 어떻게 해야 할지 몰라서 촬영하는 박승배 기사하고 의논을 했는데요. 그 당시 박승배 기사가 내가 생각하는 컬러에 대한 정확한 이해를 못하니까 필터를 사용해서 촬영하는 수밖에 없겠다, 해서 촬영을 했죠. 한국에서는 현상에서 그걸 내 생각대로 이루어내질 못했어요.

영화진흥공사에서도 애를 쓰고 하다가 안 돼서 결국 필름을 들고 일본의 도에이영화현상소에 가서 설명을 했어요. 그러니까 일본사람들은 한국사람들하고 달라서, 한국에서는 그때 자동컬러시스템이 들어왔다고 해서 그게 최고인줄 알고 영화진흥공사에서 무조건 거기에 의뢰했는데, 일본사람들은 같이 연구하고 얘기를 하다가 이렇게 설명을 하는 거예요. 이건 자기네들이 요즘엔 사용하지는 않고 옛날에 사용했는데 말하자면 피스, 즉 매 쇼트마다 피스밴드piece band를 만들어 쇼트의 앞부분과 뒷부분을 잘라내어 그걸 밴드로 만들어서 수동으로 색 조정을 하는 거예요. 그래서 그 사람들이 프린트를 딱 뽑았는데, 마음에 드나 확인하려고 테스트 해 온 걸 보니까 내가 생각했던 컬러가 그대로 나왔더라고요. 그래서 수작업으로 프린트를 만들어서 동경국제영화제는 그걸로 돌리고 했는데, 한국에서는 끝내 성공시키지 못하더라고요. 그 프린트를 갖고 들어와서 보여 줬는데도 이루지 못했어요.

김홍준 그때 그 프린트는 감독님이 지금 가지고 계신가요?

이장호 일본에 있어요.

김홍준 요즘 같으면 전부 그걸 디지털로 변환해서 DIDigital Image 작업이나 혹은 CG작업 등을 거친다면 색깔이나 이런 것들이 다 제대로 나올 수 있지 않을까 생각하는데요.

이장호 최근에 내가 실망한 것이 영화진흥위원회에서 자기 들이 선정한 작품을 해외에 유포시키려고 DVD를 만들었어요. 〈나 그네는 길에서도 쉬지 않는다〉도 DVD로 만들었는데 내가 아주 깜 짝 놀랐어요. 세피아 모노크롬을 어떻게 복원시켰는지 세피아 톤을 전부 떼어내서 억지로 컬러로 만들어놨어요. 그러니까 이거는 정말 볼썽사나운 DVD가 돼가지고 이걸 내가 원하는 대로 해주던지 아니 면 전부 폐기처분해라 하니까, 그 사람들이 다시 만들기는 어렵고 폐 기처분하겠다고 해서 폐기처분이 됐죠.

김홍준 저는 그걸 가지고 있는데요. 폐기처분되기 전에 구 해가지고요.

이장호 너무 형편없더라고.

김홍준 영진위에서는 그 영화의 네거티브 필름만 보고서는 일반적인 영화라고 생각하고 영화를 만든 분들한테 물어보지도 않고 DVD를 제작해서 그런 일이 생긴 것 같은데, 다시 그런 일이 없었으면 좋겠습니다. 〈나그네는 길에서도 쉬지 않는다〉에 대해서는 아직 여러분들이 영화를 보지 않았으니까 보신 다음에 다음 시간에 질문이 있으면 해야 할 것 같고, 후일담을 얘기하자면 영화가 나온 다음에 국내에서는 정식으로 개봉은 되지 않았지요. 워낙 흥행과는 상관없이 만들어진 영화니까요. 그리고 아마 영화제에서는 동경영화제에서 먼저 출품돼서 어떤 상을 탔었죠?

이장호 아, 동경국제영화제에서는 그런 상이 있었는지 몰랐는데요. 하여간 그해에는 국제비평가연맹이라는 데서 심사를 해서 국제비평가상을 받았어요. 베를린영화제에서는 영인터내셔널포럼 부문이라고 해서 비경쟁부문인데 상을 주더라고요. 그때 〈바보선언〉이랑 〈나그네는 길에서도 쉬지 않는다〉 두 편이 나가서 하나는 지티상, 하나는 칼리가리상을 탔는데 〈나그네는 길에서도 쉬지 않는다〉가 아마 칼리가리상을 탔던 것 같아요.

김홍준 비경쟁부문이지만 그 부분에 속한 영화들을 별도로 심사하는 심사위원단들, 가령 영화평론가들이나 이런 단체가 있어서 영화제 공식 부문상은 아니라도 언론에서는 비중 있게 다뤄주는 그런 상이었는데, 칼리가리상은 영화 〈칼리가리박사의 밀실〉에서 이름을 따온 것인데요. 말하자면 실험적이고 새로운 영역을 개척한 영화에 주는 상으로 기억하고 있습니다. 이렇게 말씀드리는 이유는 〈나그네는 길에서도 쉬지 않는다〉는 사실 그 당시에 중요한 작품이었던 게, 이 영화가 뉴욕영화제에도 초청이 되지 않았습니까? 동경영화제를 거쳐서 베를린영화제를 거치고 뉴욕영화제에 갔는데, 지난

나그네는 길에서도 쉬지 않는다

번에도 말씀드렸지만 제가 미국에 있을 때라서 뉴욕영화제에 감독님 통역으로 뛰었는데요. 저도 그때 영화제라는 것에 대해서 뭔지 잘 몰랐어요. 뉴욕영화제에 대해서 잠깐 설명을 드리자면, 요즘 칸영화제가 한참 화제이지만 칸영화제는 전 세계에서 유일한, 말 그대로의 칸영화제구요. 스타들이 몰리고 경쟁부문이 있구요. 뉴욕영화제는 칸과는 전혀 반대 지점에 있다고 생각하시면 됩니다.

칸이 매스컴의 주목을 끌고 축제 분위기가 강하고 영화산업과 연결이 되어 있는, 심지어 할리우드도 좀 연결이 되어 있다면… 뉴욕영화제는 정말 예술영화 그 자체, 작가영화와 예술영화를 지지하는 영화제인데요. 정확하게 말하면 영화제라고 이름이 붙었지만 링컨센터에 있는 필름소사이어티 시네클럽의 연례행사예요. 그러니까 상을 주는 것도 아니고, 지난 1년 동안 전 세계에서 나온 영화 가운데 자기네들이 생각하기에 괜찮다 싶은 영화들을 초청해서 회원들이 함께 보는 그런 영화제고요. 그래서 장소도 영화제의 극장이 따로 있는 게 아니라 영화제 기간 동안 영화를 상영할 수 있도록, 뉴욕의 유명한 링컨센터의 오페라하우스나 콘서트홀에 시설을 들여와서 상영하는, 그때 아마 감독님 영화가 가장 큰 엘리스튤리홀Alice Tully Hall에서 상영됐던 것 같아요.

이장호 그래서 뉴욕필름페스티벌의 스태프들은 작품을 무슨 출품이다 뭐 선정이다 이런 말을 안 쓰고 데뷔라는 말을 써요. 그러니까 뉴욕영화제에 데뷔했다 이런 거죠. 거기에 그 문예비평하는 수잔 손택이라는 여자가 신문에 평도 써주고 그랬어요.

김홍준 지금은 돌아가셨죠.

이장호 그렇죠.

김홍준 그래서 그때 저도 뉴욕영화제를 관객이 아닌 초청된 게스트의 옆에 붙어서 게스트인 척 경험을 한 적이 있었는데, 나중에 뉴욕영화제에 대한 여러 글들이 올라왔는데요. 그해 뉴욕영화제가 역사상 가장 중요한 전환점이었던 한해였어요. 영화제라는 것은 그 영화제의 디렉터, 그러니까 우리나라에서 흔히 집행위원장이라고 부르는, 사실은 예술감독이죠. 그 예술감독의 취향과 선정기준에 따라서 결정이 되는데요. 뉴욕영화제가 명성을 얻은 것은 물론 뉴욕에 있으니까 미국의 영화문화의 중심인 것도 있지만, 원래 1987년 이전까진 리처드 라우드Richard Roud라는 페스티벌 디렉터가 있었어요. 그 사람은 말하자면 미국에 처음으로 트뤼포나 고다르나 샤브롤 같은 프랑스 누벨바그영화를 60년대에 소개했고, 그 다음 70년대에는 파스빈더나 헤어조크나 벤더스 같은 뉴저먼시네마를 소개했고.

그래서 주로 유럽의 새로운 영화를 가장 먼저 알아보고 미국에 소개함으로써 그 사람들이 미국에 알려지고 그래서 어떤 발판을 만들어준… 뭐 이런 대부 같은 분이었는데요. 이분이 점점 비판을 받은 이유가 너무 유럽 중심적이라서 70년대부터 떠오르기 시작하는 이른바 제3세계 영화들, 아시아나 아프리카나 남아메리카 영화들을 너무 홀대한다, 관심이 없다, 그러다가 몸도 안 좋고 해서 이분이 그만두셨어요. 그래서 1988년에, 아직까지 뉴욕영화제 집행위원장을 하고 있는 리처드 페냐가 처음으로 그해 집행위원장을 맡았는데요. 이 사람은 그전에 시카고 미술관에서 영화프로그램을 하던 큐레이터였는데, 바로 뉴욕영화제의 약점으로 지적됐던 70년대 이후의 아시아와 아프리카영화들, 또 남미영화들을 소개함으로써 굉장히 대중화시켰던 역량이 있어서 뉴욕에서 스카우트해온 거죠.

그 해의 아시아영화를 보면 두 작품이, 말하자면 뉴욕영화제가 미는 작품이었어요. 그중의 한 편은 바로 이장호 감독님의 〈나그네는 길에서도 쉬지 않는다〉였고, 또 하나는 무지하게 촌스러운 신인감독이 한 분 있었는데 장이모라고(일동웃음) 〈붉은 수수밭〉, 그 두 편이었습니다. 그래서 그 두 편의 영화가 왔는데 〈나그네는 길에서도 쉬지 않는다〉가 사실 〈붉은 수수밭〉보다는 너무 예술적이다 보니 〈붉은 수수밭〉은 미국에 배급이 되고 그 후에 나름대로 예술영화 시장에서 히트를 한 반면에, 〈나그네는 길에서도 쉬지 않는다〉는 역시 미국시장에서도 크게 대중적인 호응은 없었던 영화로 그렇게 된 것 같습니다. 거기에 대한 얘기를 해주시자면요.

이장호 아니 그거보다 〈나그네는 길에서도 쉬지 않는다〉는 한국에서도 본격적으로 흥행이 안됐는데 왜 그랬냐면… 옛날엔 지방 흥행사들이 돈을 보내주면 그걸로 만들고 그랬는데 처음으로 내가 영화를 남의 돈으로 만들지 않고, 이건 김명곤씨, 이보희씨 두 사람 모두가 개런티를 희생적으로 싸게 해줘서 회사가 갖고 있는 돈으로만 처음부터 끝까지 만들었어요. 그러니까 촬영도 눈치 볼 것 없이 어느 날 다들 의견이 모여서 떠나자 해서 청평부터 버스를 타고 전부 갔어요. 가서 촬영을 하면서 즉흥적으로 이동을 하는 거예요. 다음 장소는 어디 어디, 그렇게 여행하듯이 청평으로 해서 설악, 옥천으로 나가서 저기 동해안으로 돌아서 쫙 촬영을 했는데, 그야말로 내가 첫 번째로 경험한 게 〈바보선언〉을 찍듯이 이거는 또 이것대로 즉흥적으로 사람들과 어울려 다니면서 일시적으로 다 찍어버린 그런 영화가 됐습니다.

참 다행히 영화를 보고나서 얘기를 안 한 게 난 큰 행운이라고 생각해요. 보고나면 여러 가지 복잡한 생각을 가지고 여러분 얘기를 들을 텐데, 이 영화를 볼 때 스토리텔링으로 절대로 보지마세요. 그냥 편안하게 이해 못하면 이해 못하는 대로 보시는 게 아마 좋을 겁니다. 왜냐하면 이 영화는 나도 다 해석을 못해요. 이제하씨도 자기 이야기를 다 해석을 못하듯이, 나도 해석을 못하고 즉흥적으로 찍었기 때문에 여러분 머릿속으로 오히려 이야기를 더 잘 정리할 수 있을 거라 봅니다.

김홍준 예. 감독님 당부하신 대로 꿈꾸듯이 비몽사몽 간에 영화를 보게 될 것 같고요. 보다보면 좀 약간 그렇게 됩니다, 빠지면요. 아쉬운 것은 오늘은 영상자료원 프린트라서 감독님이 말씀하신 그 세피아 황토색 톤이 완벽하지는 못하지만, 언젠가 이 영화가 한국 내에서 새로운 기술로 제대로 복원이 돼서 감독님이 생각하시는 원래의 모습대로 볼 수 있는 날이 곧 올 수 있기를 한번 바라봅니다.

이장호 돈은 뭐, 내 돈 들이면 되니까(일동웃음).

김홍준 감독님 돈 안 쓰셔도 그런 건 국가에서 돈을 쓰게 만들어야 됩니다. 오늘 감사합니다.

이장호 고맙습니다.

REVIEW

불투명성이 만들어낸 분위기

작가정신이라는 것, 혹은 영화작가로서 이장호 감독 따위의 것들이 가장 짙게 배어있는 영화였던 것 같다. 자신의 의식세계를 하염없이 따라 나온 것 같은, 이해할 수 없는 기이함과 쓸쓸함이 모래먼지를 만들고 있는 것만 같은 그런 영화. 바보 선언에서 엿보였던 시대 앞의 사명감을 띤 이장호 감독님의 작품과는 또 다른 작가로서의 이장호 감독님의 세계였다고나 할까.

이 영화에 있어서 내용이란 그다지 중요한 문제가 아니다. 그저 3년 전 죽은 아내의 유골을 가지고 길을 돌아다니는 남자와 그의 과거, 그리고 자신이 돌봐주고 있는 식물인간 회장을 데리고 그의 고향으로 향하는 한 간호사의 이야기가 맞물려 있는, 나그네가 정처 없이 떠돌며 그들이 만나고 헤어지는 그런 이야기라고 볼 수 있다.

오히려 영화 속에서 재밌는 것은 영화 자체가 주는 감상과 쓸쓸한 감성을 풍기는 몇 가지 독특한 설정들이다. 가령 3년 전 죽은 아내의 유골을 들고 물치로 떠나온 주인공 자체도 관을 세 개 진다는 남자의 운명 같은 것들 말이다. 정확한 의미를 붙일 수 있는 기호들은 아니지만 그 불투명성이 영화 자체의 분위기를 형성하는 데 크게 이바지한다. 또 세피아 톤의 영상과(우리가 본 프린트는 감독님이 일본에서 프린트를 해온 버전은 아니지만) 느린 호흡을 간직하면서 개연성이나 상식에 얽매이지 않고 영화를 이끌어나가는 그 자체가 영화의 독특한 분위기와 볼 때마다 다르게 다가오는 그런 효과를 만들어 내는 게 아닐까. 감독의 주관은 강하게 녹아들어 있지만 감독의 주관과 세계라는 게 보다 몽환적이고 형체를 구분하기 어려운 그런 세계인데다가 영화의 말하는 방식은 그 어떤 주관도 생각도 의견도 관객에게 강요하지 않았기 때문에 이 〈나그네는 길에서도 쉬지 않는다〉는 보는 관객마다 자기 자신에 맞추어 해석할 수 있는 여지마저 남기는 것 같다.

이번 학기 내내 내게 있어 가장 큰 이슈와 문제는 영화를 만드는 사람으로서의 열정이었다. 이장호 감독님의 모든 영화들이 내게 다 소중한 경험으로 다가온 것만은 아니었다. 그렇지만 〈바보선언〉과 이 〈나그네는 길에서도 쉬지 않는다〉에 있어서 중요했던 것은 두 영화는 다른 종류의 열정을 가지고 있다고 생각하지만, 그럼에도 불구하고 감독 자체의 색깔과 세계관이 가장 강하게 묻어나고 하나의 작품으로서 숨 쉬고 있다는 것 자체를 발견했다는 것이었다. 그것이 무엇이든 간에 자기 앞의 삶, 혹은 상황들을 끊임없이 자기만의 말하기 방식으로 표현하는 것은 예술가에게 있어 가장 참된 열정이요 중요한 문제라고 생각한다. 내게는 그런 것들이 존재하지 않는 것만 같아서 굉장히 괴로웠었는데, 이상하게도 이런 〈나그네는 길에서도 쉬지 않는다〉 같은 영화나 〈바보선언〉 같은 영화들을 볼 때마다 저런 열정을 가졌었어야 했는데 라는 마음과 동시에 이상하게도 마음이 든든해진다.

항상 어느 순간 이 영화를 봤을 때처럼 혹은 감독님의 몇몇 다른 영화를 봤을 때, 가장 놀랍고 존경스러운 것은 지치지 않고 꺾이지 않는 자기 세계에 대한 타는 듯한 열정이다. 영화는 비록 쓸쓸한 분위기와 의식을 따르는 종류의 것이지만 그 안의 열정과 정신을 발견한 것 같아서 다시 한번 놀랍기도 하고 기분이 좋기도 했다.

_명자 아끼꼬 쏘냐

- ·1992년, 138분
- ·제작 _ 지미필름
- ·기획 _ 김지미
- ·각본 _ 송길한
- ·촬영 _ 구중모
- ·조명 _ 박현원
- ·편집 _ 박순덕
- ·음악 _ 김정길
- ·미술 _ 이명수, 박동선, 김종철
- ·출연 _ 김지미, 이혜영, 김명곤, 이영하

이장호 감독과 김지미, 촬영감독 구중모

동진(김명곤)은 일본 공산당에 가입해 파트너인 야마모토(이영하)와 좌익 활동가로 활동하던 중 가라후토(지금의 사할린)에서 과거에 연모했던 연상의 여인 명자(김지미)와 재회한다. 동진은 야마모토와 가라후토 최고 관리를 암살하려다 실패하고, 야마모토는 체포되어 모진 고문과 죽음의 위기에 처한다. 이름을 아끼꼬로 바꾸고 기생집 마담으로 있던 명자는 일본 헌병대장을 꼬드겨 야마모토를 빼내주고, 이 일을 계기로 명자와 야마모토는 부부의 연을 맺는다. 그러나 야마모토는 곧 헌병대장에게 다시 체포되어 죽게 되고, 그로부터 45년이 지난 후 동진은 다시 사할린을 찾아와 젊은 시절 사랑했던 가즈꼬를 통해 그간의 사연을 듣는다. 그녀를 통해 소식을 전해 듣고 할머니가 된 명자를 만나지만, 북한 국적자라서 남한의 고향으로 돌아가지 못하고 사할린에 머물러야 하는 명자의 안타까운 이야기를 듣고 가슴 아파한다.

명자 아끼꼬 쏘냐_1992

김홍준 〈명자 아끼꼬 쏘냐〉를 봤는데요. 영화가 개봉되었을 때 1992년 명보, 롯데1관, 명보아트홀 세 군데에서 개봉이 됐고 서울에서 5만6천 정도가 들었으니깐 흥행에서는 성공하지 못한 영화죠. 그런데 오늘 여러분들 느끼셨겠지만 표면적으로 보기에는 감독님께서 이전에 만드셨던 영화들과 상당히 다르면서 안에 흐르고 있는 여러 가지 정서들이나 느낌들은 이장호 감독님 고유의 것들이 있는 그런 영화인데, 이 영화의 기획 배경을 말씀해 주시죠.

이장호 이 영화를 만들 때쯤 되면 제가 만든 판영화사가 내리막길의 마지막 바닥까지 내려가서 운신의 폭이 굉장히 좁아졌어요. 내가 제작회사를 가지고 있어서 제작자들이 나에게 연출 의뢰를 할 수도 없고, 그랬을 때 시나리오 쓴 송길한씨가 김지미씨와 같이 일해 볼 생각이 없냐고 했어요. 내가 초등학교 5학년인가 6학년 때 김지미씨가 막 데뷔했었는데 데뷔영화를 초등학교 때 처음으로 봤던 기억이 있어요.

김지미씨는 나보다 연상이어서 일할 기회가 없었죠. 조감독 때도 내 선생님인 신상옥 감독님 부인인 최은희씨하고 일을 많이 했지만, 최은희씨와 김지미씨는 일종의 라이벌이고 김지미씨는 오랫동안 신상옥 감독님의 라이벌이라고 할 수 있는 홍성기 감독님의 부인이었고, 그래서 같이 일할 기회가 없었어요. 그러다가 제의가 와서 좋다고 하고 일을 했죠. 이제 계약을 하고 작품을 하기로 했는데 무슨 이야기를 할지 정해지지 않은 상태였어요. 또 김지미씨는 자신이 꼭 주연을 하지 않아도 좋다, 그런 말을 했는데 당시에 사할린 동포들이 한국을 처음으로 방문하는 일들이 있었고 시나리오작가인 송길한씨는 그 동포들의 삶을 한번 다루고 싶다고. 역사적으로 분단을 얘기할 수 있는 길이 여러 가지가 있을 텐데 여태까지의 분단문제를 보는 시각과 달리, 북조선 동포들의 시각으로 분단을 볼 수 있는 것이 방법 중의 하나라는 생각을 했습니다.

그래서 그때부터 송길한씨하고 김지미씨하고 같이 고르바초프가 대통령으로 있는 소련에 들어가서 시나리오 헌팅을 했어요. 세 번을 방문했고 어렵게 얘기를 만들어서 촬영에 들어갔죠. 이 영화는 애를 쓴 것에 비해서 너무 형편없는 흥행성적을 올렸기 때문에 이상하게 나도 이 영화에 대해서는 보고 싶은 마음이 없어서 그 후로 보질 않았는데, 오늘 김명곤씨랑 이영하씨가 같이 연기한 걸 보고 새삼스럽게 놀랐어요. 왜냐하면 며칠 전 월요일에 하얏트호텔에서 무슨 행사를 했는데 내 양옆으로 이쪽에는 이영하씨가 앉고 저쪽에는 김명곤씨가 앉았었거든요. 나는 둘이 서로 아나 모르나 고민을 했었어요. 누가 위인지 잠깐 고민도 하고, 내가 서로 인사하라고 했는데, 이영하씨는 옛날 배우고 김명곤씨는 요즘 배우라는 착각을 해서… 그러고서 오늘 여기 와서 보니깐 너무 민망한 거 있죠(일동웃음).

왜 그런 망각이 있었을까 생각해보니 어렵게 준비하고 촬영하고 했던 것에 비해서 너무 흥행이 안 되고 평가를 못 받으니까 머릿속에서 자꾸 망각하고 싶었었던 게 아닐까 생각이 들어요. 그래서 오늘 보면서도 남의 영화 보는 것처럼 말이에요. 난 굉장히 울었는데, 옛날에 고생하던 생각, 이러저런 여러 가지 생각과 내 한도 쌓여 가지고 많이 울었어요.

김홍준 우신 거였어요? 끝나고 감독님 얼굴이 부어 계시기에, 어제 과음을 심하게 하셨나(일동웃음). 너무 솔직하셔서 제가 또 사태를 수습해야 되는… 아마 현장에서 이영하 선생님과 김명곤씨 두 분이 너무 사이가 좋으셨는지, 그런 경우 저도 가끔 당한 적이 있는데요. 영화 하는 분들이 개인적으로 친한 경우도 있지만 현장에서 만나서 일할 때 같이 하고 평소에는 잘 안 보고 그러다보면 밖에서 만나면 연결이 잘 안 될 때가 있어요.

저는 조감독 때 목욕탕에 갔더니 어떤 분이 저한테 꾸벅 인사를 해서 저도 멋모르고 했는데 며칠을 생각해도 누군지 알 수가 없는 거예요, 벌거벗고 인사했기 때문에. 현장에 갔더니 그 분이 엑스트라 조합장이셨어요. 그때 알겠더라고요. 이런 썰렁한 얘기도 있습니다(일동웃음). 저는 오늘 이 영화를 프린트로 처음 봤는데요. 옛날에 비디오로 조금 보다가 외람되지만 너무 재미가 없어서, 집중이 안 돼서 포기했던 쓰라린 기억이 나는데(일동웃음)….

이장호 내가 쓰라리지 왜 자기가 쓰라려(웃음).

김홍준 아니 영화를 끝까지 못 봤기 때문에… 그런데 오늘 보면서 이 영화에 대해서 비평가적 관점으로 본다면 여러 가지 아쉬운 점도 있겠지만 우선 한국영화의 흐름에서 보자면, 지난번에 봤던 〈나그네는 길에서도 쉬지 않는다〉와 이 영화 사이에 불과 한 4~5년이 흘렀지만 그 사이가 80년대 말 90년대 초 한국영화의 기술적 전환기예요. 모노에서 돌비로 바뀌었고 후시녹음에서 동시녹음으로, 이 영화는 다 동시녹음으로 된 영화고요. 1992년 영화지만 사실 이쯤에 와서 한국영화가 진짜 동시녹음이 제대로 되기 시작했고요. 돌비는 아직도 보면 완전한 상태는 아니에요.

제가 왜 아냐면 바로 일 년 전에 나왔던 〈개벽〉에서 연출부를 했었는데 사운드레벨 같은 것을 제대로 맞추지 못해서 그때 돌비가 거의 실패를 했거든요. 그래서 거기에 대해서 여쭈어 보겠지만, 파나비전 카메라로 촬영을 하셨고요. 보통 1.85:1 화면은 위, 아래를 가리고 마스킹을 하고 찍는데 이 영화는 파나비전 카메라로 찍으면서 풀사이즈로 다 찍었어요. 그런데 영사할 때는 1.85:1 마스킹을 해야 하는데 보통 그 당시에 꽉 차 있으면 시네마스코프 영화이기 때문에, 시네마스코프 렌즈를 꼈다가 버스가 찐빵처럼 나와서 놀래가지고 1.85:1 마스킹을 하고 렌즈를 바꾸느라고 약간의 영사사고가 있었습니다. 소리는 굉장히 다른 걸 느끼셨죠? 현상은 일본의 이매지카 현상소에서 한 것으로 되어 있는데 녹음은 국내의 기술인지 일본에서 하신 건지, 파나비전 카메라로 찍기로 하신 결정은 어떤 것인지 기술적인 것들을 이야기해 주시죠.

이장호 파나비전 카메라는 구중모라는 촬영기사하고 처음 했는데 구중모씨가 굉장히 욕심을 부렸고… 대작을 만들 때에 기본적으로 갖추어야 할 준비는 연출부가 탄탄해야 하거든요. 연출부가 굉장히 탄탄해야 대작을 할 수 있는데 나는 대작을 만들 습관이 안돼 있는데다가 또 아시다시피 즉흥 현장연출이기 때문에, 이 영화에서 내가 느낀 것은 너무 준비들을 안했다는 생각이었어요.

우선 배우에서 제일 눈에 띄는 미스캐스팅은 이영하씨하고 김지미씨를 상대역으로 만들어 놓은 것이 미스인데, 그것보다 더 미스가 배우들에게 충분히 일본말, 소련말에 대한 훈련을 미리 시켜서… 안성기가 〈바람 불어 좋은 날〉을 할 때 농악춤을 그렇게 열심히 배워서 했던 것처럼 충분히 연기준비를 했어야 하는데 그런 것이 전혀 안되어 있었다, 하는 게 화면에 나타나요. 우리가 보니 그나마 괜찮은데 일본사람이 볼 때는 정말 괴로울 거예요. 왜냐면 대사가 서툴러서 바보들이 연기하는 것 같을 거예요. 심지어 오늘 생각났는데 이영하씨가 김명곤씨보다 일본어 연기가 조금 떨어지거든요. 일본말을 못하니까 얼굴 돌리는 데마다 대사를 써 붙인 거예요. 일본말을 한국말로 쓴 것, 예를 들면 저쪽 벽을 보고 대사하다가 고개를 돌려

땅바닥을 보면 다음 대사가 있고요.

　　그렇게 연기를 하니 연기가 자연스러울 리가 없고, 그리고 동시녹음이라는 게 연기력이 얼마나 필요한지… 정말 큰 문제는 내 부끄러운 실책 중의 하나가 있는데, 임권택 감독님 같은 영화를 한번 만들고 싶다는 생각을 해서 연출의 원칙으로 정했어요. 그래서 임권택 감독님 스타일의 영화를 만들겠다, 베이스를 깐 게 굉장히 실책인 것 같아요. 모방을 하면 분명히 그것보다 못할 것이니깐 모델을 딴 것으로 삼았다면, 젊고 스피드하고… 마지막에 사연을 몰아친 것도, 구태여 보여주지 않아도 될 부분들도 정리가 잘 됐을 텐데. 연출 원칙을 잘못 세웠구나… 하는 것이 발견되네요.

　　김홍준 사실 파나비전 얘기를 하자면 90년대 현장에서 촬영감독님들의 꿈이 파나비전 카메라로 촬영을 하는 것이었거든요.

　　이장호 파나비전 쓴 사람이 아마 〈황진이〉 정일성씨일 거예요. 구중모씨하고 두 사람 밖에 없을 거예요.

　　김홍준 배경설명을 하자면 그때 새롭게 들여온 카메라가 아리플렉스였는데, 아리플렉스는 판매를 했지만 파나비전은 판매를 하지 않고, 파나비전 회사가 전부 관리를 하면서 지역별로 일종의 대리점이 있어서 일본이나 홍콩해서 렌탈하게 했어요.

　　이장호 홍콩에서 했어요.

　　김홍준 홍콩에서 파나비전 카메라와 렌즈, 가령 스테디캠도 파나비전용은 파나글라이드라고 따로 있습니다. 그렇게 일체의

장비를 그립까지 들여와서 경비의 부담이 크기 때문에 쉽게 한국영화사들이 할 수 없었고, 그렇지만 파나비전 한번 찍어 본다는 것이 촬영감독님들의 로망이었어요. 그래서 정일성 촬영감독님이 배창호 감독님의 〈황진이〉를 파나비전으로 찍었고 그리고 〈명자 아끼꼬 쏘냐〉를 구중모 촬영감독님이 하셨고, 그 후에는 그보다는 주로 아리플렉스를 가지고 찍게 되었죠. 파나비전을 찍게 되면 현상도 굉장히 까다로워지는데 사실 프린트 상태가 별로 안 좋은 프린트입니다. A급 프린트가 아니라 좀 낡은 프린트라서 제대로 다시 뜬다면 오늘 본 것보다 20~30% 훨씬 좋은 필름이 나올 것 같습니다.

이장호 내가 생각하기에는 파나비전을 기계만 사용을 했지 100%의 기능을 못 갖췄던 것 같고, 꼭 파나비전이 필요했을까… 이런 생각도 듭니다.

김홍준 보니까 하시길 잘하신 것 같은데요. 녹음은 국내에서 다 하신 거죠?

이장호 녹음스태프, 분장스태프가 일본에서 왔어요. 일본에 요시나가 사유리라는 여배우가 있는데 대배우죠. 일생동안 노출을 안 한 여배우라서, 그 여자가 영화에 출연만 하면 기자들이 와서 극성을 부렸대요. 이번 작품에서도 역시 노출이 없느냐고… 그 여자가 출연한 영화 중에 제목이 〈여배우〉라는 영화가 있었어요. 그 영화를 보니까 요시나가 사유리가 김지미씨하고 나이가 비슷한데도 처녀로 분장을 했는데 감쪽같아요. 너무 분장이 잘 돼 있어요. 그럼 김지미씨도 일본의 분장사를 데려다가 하면 되겠구나, 했는데 너무 실망했어요. 겨우 한다는 것이 잡고 당기는 거야. 무슨 강력테이프로

명자 아끼꼬 쏘냐

붙여가지고 실로 잡아당기는데 김지미씨는 자꾸 눈이 이렇게 되더라고(일동웃음). 아, 저게 저렇게 해서 완벽하게 안 되는데 일본에서는 어떻게 분장을 그리 잘했는지 아니면 현상에서 어떤 방법을 썼는지 그 노하우를 터득하지 못하고….

김홍준 노역분장도 보이고요.

이장호 노역분장도 일본에서 했는데 그것도 역시 부자연스럽고.

김홍준 오늘날의 CG나 더 발전된 특수분장에 익숙한 저희 눈에는 그렇지만 이 영화할 때가 〈개벽〉 연출부 했을 땐데, 〈개벽〉도 비슷한 점이 있었어요. 대작이고 거기도 이덕화씨하고 이혜영씨의 특수분장이 있었는데, 지금 보면 쥐구멍에 숨고 싶은… 거기 비하면 훨씬 낫다고 생각합니다.

그리고 아까 이 영화에서 임권택 감독님 말씀을 하셨는데 제가 해석하기에는 임권택 감독님의 특정한 스타일을 참조한다는 그런 뜻보다는 감독님 이전의 영화를 보면 삐딱하다고 할까나… 젊은 감각이었다고 하면 이 영화는 고전적이고 정통적인 영화문법으로 찍고 싶으셨다, 이런 뜻으로 들리는데요. 김지미씨가 허스키한 원래 자기 목소리를 공개하셨던 것이 아마 임권택 감독님의 〈길소뜸〉에서였고요. 그 다음 〈티켓〉을 하셨고요. 〈길소뜸〉, 〈티켓〉은 둘 다 또 이 영화의 시나리오 작가인 송길한 선생님의 작품이고, 〈티켓〉에서 이혜영씨하고 같이 공연을 하셨고, 이 영화에도 같이 나오셔서… 그런 점에서 본다면 캐스팅이나 시나리오 작가에서 자연스럽게 연결점이 찾아지지 않나 생각을 하는데요.

이 영화를 보면 전반부와 후반부가 1945년을 전후로 해서 두 분이 노인으로 나와서 플래시백 하는 후반부와, 다음에 이제 해방 이전의 삶이 플래시백이 거의 없이 진행되는… 어떻게 보면 약간 두 개의 다른 영화 또는 1부, 2부처럼 느껴지거든요. 그런데 감독님께서 어떤 인터뷰에서 원래 이 영화가 감독님이 의도했던 대로 3시간 정도의 러닝타임으로 됐으면 조금 더 관객들에게 다가갈 수 있지 않았을까, 이런 말씀을 하셨는데….

이장호 더 못 봤을 거야, 더 못 볼 뻔 했어.

김홍준 만약에 3시간 버전이라면 어떤 부분이 더 강화가 됐을 거라고 생각을 하시는지요.

이장호 회상 장면이 뒷부분에 딱 한 번 정도 들어갔으면 좋은데, 목사 남편 이야기 같은 것은 구태여 화면을 보여줄 필요도 없었고 그게 들어가서 뒤에 전부 몰아친다는 식으로 얘기를 한 것. 절제하지 못했던 것. 어쨌든 이 작품에서 제일 실패가 심했다면 엑스트라가 많은 신에서 훈련된 연출부, 대중들과 같은 옷을 입고 연출 지휘를 할 수 있는 조감독이 열 명 정도는 있어야 일사분란하게 될 텐데, 그런 연출에 대한 지식이 없었고 고작 연출부라고 해야 4~5명밖에 없었던 데다 속은 속대로 썩고 그랬을 거예요.
소련의 고등학교 아이들이 엑스트라로 나왔는데 얘네들이 우리 동포들인데도 한국말을 몰라요. 나중에 내가 얼마나 지쳤는지 개네가 소련말 하는 것만 들으면 막 토할 것 같아. 그렇게 싫더라고. 결국은 우리가 추석 전에 귀국한다는 약속을 어겨서 추석이 지났는데 진짜 반란이 일어났어요. 스태프들과 배우들이 전부 항의하고 그

명자 아끼꼬 쏘냐

379

촬영 때 기억도 하기 싫은 게…그때까지 감독한테 덤벼드는 연기자나 스태프들은 없었거든. 그런데 그 영화에 젊은 배우들이 많잖아요. 걔네들이 노골적으로 항의하는데 정말로 싫더라고요, 영화 만드는 것이 싫을 정도로. 이런 걸 할 때는 훈련된 연출부가 많이 필요하다는 생각을 했지.

김홍준 얘기하다보니 우울한 얘기들만 나오는데….

이장호 아니 진짜 우울한 작품이야(일동웃음).

김홍준 이 영화가 나올 당시는 일본 현지 로케이션 촬영을 많이 하셨고, 그 당시 러시아가 아닌 소련이었죠. 러시아로 바뀌었나? 그때?

이장호 촬영했을 당시 고르바초프에서 쿠데타로 옐친으로 넘어 갔을 때 우리가 입국했어요.

김홍준 조금 설명을 드리자면 일본문화는 나중에 DJ정부에 가서야 개방됐기 때문에 사실 일본영화가 한국에 들어온다거나 일본 대중문화가 들어올 수 없던 때라서 이렇게 합작이라는 것도, 현지에 가서 촬영하고 일본 스태프들이 들어온다는 것은 그 당시론 굉장히 전향적인 것이었구요. 또 한 가지는 소련은 그전까지는 전혀 갈 수가 없는 곳이었는데 고르바초프의 개방정책과 노태우 정부의 이른바 북방정책, 그런 화해정책으로 어떤 분위기가 있었기 때문에 가능해진….

이장호 그런데도 일상생활에 대한 편리가 갖추어지지 않아서, 멀리 가면 먹는 것이 해결이 안 되는 거예요. 우리 스태프들을 일시에 먹일 만한 곳이 준비가 안 되고. 하여간 저 영화를 할 때만큼 고생한 적이 없었던 것 같아요.

김홍준 즐거운 추억이나, 영화로 얻으신 게 있다면(일동웃음).

이장호 즐거운 추억 진짜 없어요.

김홍준 맛있는 거 드셨다거나(일동웃음).

이장호 자막 보니깐 이규한 조감독이라고 판영화사 하면서 공모해서 뽑은 조감독이고 영화아카데미 2기생인데, 많이 얻어맞고 고생을 했어요. 너무 짜증나서 서로 구타하고 이럴 수밖에 없었는데, 영화 마무리 짓고 한국에 가려고 했을 때 스태프들 한번 풀어주고 해야 되잖아요. 노래를 시키니까 〈너무 합니다〉인가? 〈울려고 내가 왔던가〉인가를 진짜 울면서 부르는데, 그게 남의 일 같지가 않아. 사과를 해서 될 일 같지도 않고(일동웃음)… 참 아까운 친구인데. 고집이 있어서 배우들과 화합도 잘 못하는 아주 슬픈 조감독이 하나 있었어. 근데 감독을 못하고, 굉장히 재능이 있는 친구인데.

김홍준 '슬픈 조감독' 이 영화제목으로 괜찮겠다는 생각이, 자기 성찰적인(일동웃음)… 이쯤에서 여러분들 질문 받고 얘기를 이어가려고 하는데요. 이 영화에 대한 코멘트나 한 학기 전체를 통해서 감독님 영화를 봤던… 리뷰에는 활발한 의견이 나오는데 막상 수업

시간에는….

이장호 리뷰를 보니깐 정말 좋더라고요. 여러분들 반응이 없어서 강제로 끌고 나가는 것이 아닌가 했는데 다들 수줍게도 자기들 의견을 쓴 것을 보고 기분이 좋았어요. 기쁘고 그랬는데 그런 표현들을 질문 시간에는 왜 안 해요? 고등학교 때 머리 좋은 친구들은 학교에서 공부 잘 안 하거든요. 아주 잘 노는 것처럼 하다가 친구들 안 보는 곳에서 머리 싸매고 공부해서 성적을 올리는데, 그것이 머리 좋은 사람들의 특징인 것 같아요. 모여 있을 때는 안 나타내고 집에 돌아가서 파고드는 것 같아요.

김홍준 이 수업에서는 감독님하고 제가 공동으로 가르치는 강사이기 때문에 당연히 여러분들 과제를 읽으셔야 하는 의무와 권리가 있어서, 지난 시간에 오셨을 때 지지난주까지의 리뷰들을 검열 없이 복사해서 드렸거든요.

이장호 난 좋은 것만 주는 줄 알았어요. 근데 다 줬다는 거예요.

김홍준 여러분들이 앞으로 제출하실 것도 학기말까지 감독님이 한 번씩 다 읽어보실 거니까 그렇게 생각을 하고 쓰셔도 괜찮습니다. 질문이나 코멘트… 또 이렇게 침묵이 흐르네.

학생1 질문을 드리고 싶은데요. 저는 이 작품을 울면서 봤어요, 너무 감동적이어서. 그런데 이게 왜 흥행에 실패를 했는지 그때 당시의 상황이나 흥행을 못한 이유가 무엇이라고 생각하시는지요.

이장호 아마 감각이 바뀐 것 같아요. 그때 1992년에 임권택 감독님이 흥행이 안 됐을 때지?

김홍준 1992년에 〈장군의 아들3〉이 됐고요. 〈장군의 아들〉이 1990년에 개봉했어요.

이장호 〈결혼 이야기〉랑 〈세상 밖으로〉가 언제 나왔지?

김홍준 〈세상 밖으로〉가 1994년이고요, 〈결혼 이야기〉가 1991년이고요.

이장호 영화 관객들의 취향이 막 바뀔 때인데 고색이 창연한 역사극을 들고 나왔다는 것 자체가 그 당시 젊은 사람들의 관심 밖이었죠. 〈숲속의 방〉이란 영화를 제작했었고 에로틱한 소재로 〈핸드백 속 이야기〉를 제작했는데 계속 실패하고, 그때는 어리둥절했어요. 요즘에 와서는 의미가 있는 실패를 확인하고 감사하게 생각하는데, 그때는 어리둥절하고 당황하고 그랬어요. 이때 무너지면서 정신 못 차리고 지냈었는데… 〈한 도시 이야기〉라고 이재용 감독이 연출한 서울 천도 600주년 기념 다큐멘터리 제작 발표 때, 영화인들이 파티를 한다고 해서 소피텔 앰배서더에 갔다가 깜짝 놀랐어요. 일단 호텔 파티장 계단에서 나이 많은 사람들을 만났는데 날 보고는 낄낄대더니 "이장호 너 올라가도 아는 사람 없을 거다"라고 하는 거예요. 처음엔 무슨 말인 줄 몰랐지만 곧 파티장에 들어서면서 실감했어요.
　　정말 낯선 세계에 온 것 같아요. 카프카의 소설 속처럼 무슨 딴 세상에 온 것 같은 느낌이 드는데, 여태까지 파티라고 하면 여배우들이 드레스 입고 정장들 하고 그러잖아요. 그런데 거기는 영화인이라기보다는 낯선 젊은 애들이 등에 쌕을 매고 칵테일 잔을 들고 돌아다녀요. 그게 영화인들이래요. 세상에 전혀 모르는 영화인들이 파티장 안에 가득 찼어요. 내가 잠깐 낮잠 자는 동안 세상이 달라져 있는 꿈속의 어떤 장면 같아요. 그렇게 세대교체가 일시에 일어나 버린 거예요. 내가 만든 영화들이 계속 실패하는 동안 나는 줄곧 망각 속에 살다가, 어느 날 정신 차리고 보니 몇 년이 지났는데 세대교체가 싹 된 거죠. 그 후 영화판에 적응하기가 힘들었어요.

학생2 당시 비평가들 평론 역시 관객들처럼 혹독했었나요?

이장호 그랬던 것 같은데 메이저 저널에 글을 쓸 수 있는 비평가들은 흥행이 안 되면 안 써요. 흥행이 돼야 왈가왈부하지, 흥행이 안 된 것은 잘 다루지 않아요. 또 미리 쓰는 건 영업상 모두 광고, 홍보, 선전에 의도적으로 활용하기 위한 것들이죠. 개봉 전에 맞추어서 쓰잖아요. 근데 흥행이 안 되었다 그러면 주춤주춤 하다가 그 다음 쓸 사람들이 안 쓰죠. 영화는 일주일이면 문 닫거든요.

김홍준 제가 기억하기로는 언론이나 평단의 반응은 호의적이었던 것 같은데, 호의적이라는 것이 영화의 상업적인 측면이나 흥행과는 무관한, 이장호 감독님의 새로운 시도고 진지한 영화고 좋은 영화다… 이런 태도였구요. 1992년에 이 영화 나올 때만 해도 영화잡지라고 하면 〈스크린〉, 〈로드쇼〉가 전부인 시절이었고 일간지에서도 영화를 연예 정도로 취급을 하지 진지한 담론이 형성되기 전이기 때문에, 오늘날 우리가 생각하는 것처럼 평단의 반응이나 언론의 반응 같은 것을 같은 선상에서 비교하기는 어려울 것 같아요.

이장호 그리고 관객들이 볼 때 문제가 된 것이 평에서도 역시 문제가 됐을 거예요. 김지미씨와 이영하씨의 나이 차이가 미스캐스팅이다, 라고 해서 이 영화의 가장 큰 잘못으로 알려졌던 것 같아요.

김홍준 이미 관객들한테는 연기자들에 대한 사전 정보와 지식이 있기 때문에, 이 영화 찍을 때 김지미씨는 50대 중반이셨고요. 아까 말씀하신 김지미씨의 데뷔작이 1956년 작.

이장호 이게 1992년이거든.

김홍준 김기영 감독님의 〈황혼열차〉가 데뷔작인데, 전설이지만 길거리 캐스팅이 됐다고 하시는데 그때 19살, 20살이라고.

이장호 18살.

김홍준 18살이라고 하셨는데, 그렇다고 쳐도 여러분이 계산을 하시면 될 거구요. 그러니깐 50대 중반의 연기자로서는 뛰어나게 자기 나이보다 어린 역을 한 것인데, 관객들이 보기에는 알기 때문에….

이장호 관객들에게 배우가 전혀 신선미가 없을 때예요. 여러 번 김지미씨의 신비감이 다 깨진 다음이고… 김명곤씨도 잘 알려지지 않았고 이영하씨가 또 전성기가 지났고, 처음에 나는 주현을 쓰고 싶었어요. 김지미씨와 주현씨를 쓰고 싶었는데 아마 김지미씨는 자기 상대역이니깐 깔끔한 이영하씨 쪽에 점수를 더 주지 않았나

명자 아끼꼬 쏘냐

385

싶습니다. 주현씨를 썼으면 늘씬한 야마모토가 아니고 후덕한 야마모토가 됐을 거예요. 진짜 머슴이 되죠.

김홍준 그래도 저는 오늘 보니까 연기자들은 굉장히 호연 내지는 선방을 한 것 같고요. 이혜영씨도 다른 영화에서 볼 수 없었던 독특한, 우리가 생각한 일본여자스러운 매력도 있는 것 같고, 또 노역으로 나왔을 때도 이혜영씨한테 와 닿는 것들이 있는 것 같아서 다시 생각하게 됐습니다. 이걸 김지미씨께서 직접 지미필름에서 제작하셨잖아요. 제작자를 주연배우로, 또 감독님의 소년시절의 아이돌을 직접 연출하시는 데서 오는 부담은 없으셨나요?

이장호 김지미씨와 인연을 한번 돌이켜 보면, 내가 조감독일 때 홍콩에서 8개월 정도 신필름 지사에서 근무를 했었어요. 그 무렵 아시아영화제 참석으로 한국영화인들이 홍콩에 도착했는데 공항에 마중 나가서 한국영화인들 안내를 하게 됐어요. 모두 시장하다고 해서 식당으로 안내를 했는데 식사를 하고 난 후에 누가 돈을 낼지 궁금했어요. 제작자도 있었고 영화감독도 있었고 물론 배우들이 많았지만 계산할 때가 제일 미묘하고 어색하거든요. 그런데 그럴 때 김지미씨가 한국대표단의 단장도 아닌데 앞장서서 호기 있게 내더라고요. 속으로 참 통이 큰 여자구나, 라고 생각을 했죠. 그렇게 통 큰 여자라는 생각만 가지고 같이 영화를 해보니깐 제작비 가지고 짜기 시작하는데 얼마나 고통스럽게 짜는지, 이 통 큰 여자가 이랬나 생각이 들고 갈등이 꽤 많았어요.

내가 보통 촬영에선 여배우와 친해지고 좀 과장하면 사랑까지 하게 되는데, 김지미씨는 정말 사랑 못 하겠더라고요. 한 가지 이제는 말할 수 있다면, 거기서 몇 달 동안 집에 못 가고 있을 때 소련

공산당의 그 지역 연맹의 서기장인 '올가'라는 여자를 알게 됐는데 에뻤어요(일동웃음). 소련에서 촬영하는 동안 허가 맡아야 할 게 많았는데 이게 모두 공산당을 통해야 하거든요. 그때 올가가 굉장히 많이 도와줬어요. 그 올가하고 지냈던 생각이 납니다(일동웃음). 김지미씨를 좋아하지 못하니깐 엉뚱한 데로 새게 되는….

김홍준 하마터면 〈명자 아끼꼬 쏘냐〉가 달라질 뻔 했던… 여하튼 아까 남의 영화 보시듯 보게 되었다고 하셨는데, 남의 영화라면 보고 어떤 평가를 하셨을 것 같으세요?

이장호 난 내 영화라도 냉정하게 본 것 같아요. 내가 보는 영화의 눈이 있거든요. 말하자면 영화가 정석으로 갈 때는 대담하게 생략해야 할 부분을 아까워하지 말고 생략해야 해요. 그런데 뒷부분에 회상 장면들이 몰려있는 게 이 영화에서 완만한 흐름과 집중력을 다 흩트러 놓은 것 같아요. 마지막이 중요한데 그 흐름을 깨트러 놓았고. 〈닥터 지바고〉라는 영화를 보면서 대작을 할 만한 사람은 뭔가 그릇이 커야 된다, 라는 생각을 했었어요. 〈닥터 지바고〉를 보면 전쟁의 상처를 보여주는데 주인공 율리가 타고 가는 기차에서 차창의 흐르는 풍경이 보이거든요. 그런데 그 장면에서 벌판의 숲 전체에 불을 질렀는지 그 후에는 그 장면이 다시 나오지도 않는데, 그 장면 하나를 위해서 그 넓은 벌판의 숲이 전부 불에 검게 타서 죽은 나무들을 보면서 저 정도로 그릇이 커야 대작을 다룰 수 있지, 요만한 거 아끼고 매달리면 대작을 다룰 수 없다는 생각을 했습니다.

김홍준 저는 컴퓨터그래픽이 나와서 우리가 영화를 보는 맛을 완전히 죽였다고 생각하는 낡은 사람 중의 하나인데요. 옛날 영화에는 특수효과의 한계가 있기 때문에 벌판 하나를 불 지르는 장면을 찍으려면 그렇게 해야 하고, 정말 절반만이라도 어떻게 해야 하는데 요즘은 그런 장면이 나와도 감흥이 없거든요. 오히려 다 가짜라는 걸 아니까.

이장호 컴퓨터그래픽이니까.

김홍준 그래서 가령 〈명자 아끼꼬 쏘냐〉에서 나오는 신도 요즘 영화에 나왔다면 뭐 별거 아닌 거겠지만, 사실은 저기 동원됐던 사람들이나 그런 것들은 거의 다큐멘터리나 다름없기 때문에… 이 영화 때는 제작과정을 담은 다큐멘터리를 만들거나 그런 시절은 아니었죠? 제작과정을 다큐멘터리로 만들었으면 굉장히 재밌었을 텐데, 라는 생각이 듭니다.

이장호 일본에서 사할린 동포들의 이야기를 담으면서, 홋카이도 텔레비전 쪽에서 우리가 촬영하는 장면을 다큐멘터리로 찍었어요. 계속 그것만 취재해 가서 실제로 2번에 걸쳐서 일본에서 방송을 했고요. 오늘이 끝이니까 얘기를 하면, 우리가 영화를 연출할 때 여러 사람의 안목을 거쳐서 이루어지면 좀 덜하지만 대개는 감독 주관적인 것에 의해서 완성이 되기 때문에 그 결과를 세 가지로 나누면… 완벽하게 좋은 것은 딱 적당하게 설명이 되는 것. 그 다음 차선이 설명이 약간 부족한 것. 설명이 부족하면 관객들이 조금 어리둥절해도 자기가 혹시 잘못 봤나 그럴 수도 있는데, 마지막 세 번째가 설명 과잉으로 이것은 관객 모두가 지루해하고 템포가 처진다고 싫어해요. 그러니까 여러분들이 영화 만들 때 정답은 딱 적당한 설명, 그렇게 만들 줄 알아야 되는데 그건 종합적인 능력과 분석적인 능력이 탁월해야 해요. 그렇지 않고 혼자서 판단하기 어려울 땐 약간 설명 부족으로 하는 것이 낫고, 제발 설명 과잉은 하지마세요. 그러면 경멸 받게 된다고.

김홍준 사실 영화가 바보 같은 작업이라고 생각되는 게… 찍을 때는 최선을 다해서 열심히 찍어 놓고서는 다른 예술은 대개 뒤로 갈수록 붙이고 가공하고 없던 것을 붙이면서 만드는데, 영화는 자기가 찍은 영화랑 원수졌는지 무슨 커트부터 잘라야 하는지 편집에서 들어낼 것부터 찾아요.

이장호 참 찾기 힘들죠.

김홍준 현장에서의 그런 것들이 새록새록 생각나면 가슴이 아파서 못하는데, 그 점에서 잔인해질 필요가 있어요.

이장호 신상옥 감독님 편집할 때 뒤에서 보면서 난 그런 것을 많이 배웠어요. 이거 안 들어가도 될 텐데, 라는 생각을 연출하는 사람은 빨리 깨달아야 해요. 자기 영화를 냉정하게 볼 수 있는 눈을 가지면 그 사람은 연출할 자격이 있죠. 그런 것을 빨리 파악하지 못하면 작품에 실패하기 쉽습니다.

김홍준 제가 작품에 대해 한 가지만 여쭈어 보겠습니다. 감독님이 현장연출을 많이 하시는데 이 영화의 경우 송길한 선생님이 쓰신 시나리오하고 원래의 시나리오와 영화와는 어떤 차이가 있는지, 시나리오와 최종 영화와의 차이가 있는지 궁금합니다.

이장호 아마 영상자료원 박물관에 가면 내가 〈명자 아끼꼬 쏘냐〉 때 사용했던 수첩이 있을 거예요. 시나리오를 고치기 위해 안 간힘을 썼던 흔적일 겁니다. 나는 현장에서 시나리오만큼 중요한 것 으로 수첩을 만드는데 독서 카드 같은 것에 요만한 구멍 하나를 뚫어 하나로 묶어서 가지고 다니죠. 거기에 장면만 적어놔요. 그걸 여기다 집어넣고 저기다 집어넣고 하는데… 〈명자 아끼꼬 쏘냐〉도 영상자 료원에 가면 그게 있을 거예요. 송길한씨하고 갈등이 얼마나 많았는 지 매일 촬영 때가 되면 송길한씨는 술에 취해가지고, 좀 술주정꾼이 거든요.

김홍준 현장에서 항상 같이 다니셨나요?

이장호 같이 다녔지. 나는 자기 시나리오에 대한 불만이 있 고 자기는 시나리오대로 안 가는 것에 대한 불만이 있고 하니깐, 촬 영 끝나고 녹초가 되어서 들어오면 술이 떡이 돼서 소리 지르고(일동 웃음).

김홍준 제가 너무 질문을 잘못 드린(일동웃음)… 나중에 송 길한 선생님의 버전을 들어봐야 하겠습니다. 여러분 잘 생각해보시 고 과제 제출해 주실 거라고 믿고, 저희 따로 뒤풀이 계획은 없고요. 감독님 말씀 듣고 오늘 감독님이 준비하신 프로그램이 있다고 해서 막을 내려 볼까 합니다.

이장호 참 고마운 게 있어요. 제가 그 동안 쭉 생활했던 전 주대학교를 금년 8월 30일에 정년퇴임 하는데, 이 무렵에 마침 시나 리오가 완성이 돼서 영화진흥위원회에 집어넣고 심사를 받고 또 영상원에서 한 학기 동안 내 영화를 보면서 여러분과 이야기도 나누고, 한꺼번에 몰려온 축복에 대해서 굉장히 감사하고 있습니다.

내 생애에서 여러분에게 가장 권하고 싶은 것은 우리가 꿈을 갖고 있으면 그 꿈부터 시작이라는 것. 이전에 꿈이 없을 때를 천지 창조 전의 혼돈의 세계라고 하면, 영화 창조하는 사람은 꿈이 생기면서부터 구체적으로 그게 이제 시작이에요. 나이의 시작이고 모든 것의 시작이에요. 제가 지금 새롭게 영화를 만들려고 하는 것으로부터 시작해서 나는 실제로 데뷔하는 기분인데 내 스스로 내 나이에 가끔 놀래요. 내가 누구한테 내 나이를 예순여섯이라고 해놓고 믿기질 않거든요. 그 숫자가 의미가 없어지는 느낌이 드는데, 왜냐하면 내 몸이나 정신력이라든지 모든 것들이 지금 데뷔하려는 것에 쌓여 있다 보니깐 나이라는 것이 정말 필요 없다고 생각이 들고. 그리고 제게 지금 데뷔라는 말이 너무 확실한 것은, 이전에 만든 영화들에 대한 가치관이라든지 시각이 싹 달라졌어요. 일종의 흥분상태라고 할까.

구체적으로 여러분들에게 얘기를 좀 해드리면, 이번에 만드는 영화의 가장 주요한 표현은 〈God's eye view〉예요. 하나님의 시각을 알리고 싶은 마음이 가득해요. 카메라 앵글에는 앙각, 조감, 이런 기능과 이름들이 다 있잖아요. 앵글마다 고유의 명사가 있죠. 버즈아이뷰Bird's eye view, 웜즈아이뷰Worm's eye view, 바스트샷 Bust shot, 웨이스트샷Waist shot, 롱샷Long shot, 풀샷Full shot 다 있지 않습니까? 이 모든 앵글이 누구의 시각이냐, 라고 쉽게 생각하면 감독의 시각이라고 할 수도 있고 그런 거 저런 거 없이 구체적으로 생각할 거 없다, 이럴 수도 있죠. 그런데 저는 그것에 대해 집착을 했어요. 집착을 하면서 왜 이런 앵글을 우리가 알게 되고 사용할 수 있게 되었을까? 영화를 만든 최초부터 어떻게 이런 다양한 앵글이 발전되었을까? 생각을 해봤어요.

기독교적 시각으로 보면 사람은 하나님의 형상을 닮게 만들어졌는데 형상이 닮았다는 것은 우리의 겉모습이 아니고 하나님이 갖고 있는 성향, 성품, 인품 이런 모든 것들을 인간에게 주셨다는 거예요. 하나님이 주신 큰 성품 중의 하나가 소위 창조력, 창의성이라는 말이죠. 그 창의성 중에서도 가장 빛이 나는 것, 하나님과 가장 닮은 것이 하나님께서 천지창조를 하신 것처럼 가시적인 것을 창작할 수 있는 영화가 바로 창의력에서 가장 하나님과 닮은 것이라고 생각해요. 하나님의 기능을 저절로 습득한 게 바로 영화적 앵글이라고 생각하는데 가령 이걸 생각해봅시다. 영화 이전에 인간은 어떤 꿈을 꾸었을까. 여러분들 잘 생각해보세요. 꿈의 앵글은 굉장히 다양해요. 여러분들은 꿈속에서 자기의 모습을 볼 수도 있고 객관적으로 때로는 주관적으로 보기도 하고, 꿈의 앵글은 영화만큼 다양하거든요. 근데 이게 꼭 영화가 나온 다음에 우리가 훈련됐기 때문일까요? 아니면 영화가 이 세상에 태어나기 전에 과연 인간은 어떤 꿈을 꾸었을까?

나는 거기에 대해서 아주 자신 있게 이야기 합니다. 우리가 지금 꾸는 꿈이나, 과거에 영화가 나오기 전에 인간이 꾸었던 꿈이나 앵글은 같다고 확신합니다. 왜냐하면 그것은 하나님이 주신 창의력 때문에 저절로 습득한 것이거든요. 그랬을 때 우리의 앵글은 인간의 앵글이 아니고 작가의 앵글이 아니고 모든 것이 하나님의 시각이라고 생각해요. 부감이나 앙각이나 클로즈업이나 풀샷이나 이런 것들이 전부 하나님의 시각인데 하나님의 시각이라는 것을 깨닫지 못한 사람은 그것을 인간의 시각으로, 다시 말하자면 인본주의, 또는 휴머니즘이라 하고… 그래서 악마의 시각으로 그려진 영화들이 엄청 많습니다. 세계의 영화 중에는 악마의 시각으로 그려진 것이 제일 많고 그것이 가장 인기가 있는데… 여러 가지 반대 의견도 많겠지만 저는 이번에 흥행을 생각하지 않고 이것을 하나님의 시각을 회복하는 어떤 터닝포인트로, 내 생애에서 하나님의 시각을 회복한다는 기념적인 계기로 〈God' s eye view〉라는 표현을 붙여 영화를 만들고 있습니다.

　　이런 데뷔의 꿈을 마지막 시간에 여러분에게 알려주고, 여러분은 젊으니까 기초적인 앵글에서부터 내가 이 영화에서 어떤 원칙을 세울 것인가를 생각하고 영화를 만들어 주기를 바랍니다. 그동안 정말 즐거웠습니다.

REVIEW

꿈이 있으므로 모든 것이 시작된다

영화에 정말 몰입하고 싶었으나 그러기 힘들었던 것은 역시나 김지미 배우 때문이었다. 정말 흥미진진한 이야기라고 생각했고, 김명곤과 이혜영, 이영하의 모습을 보는 것은 너무 좋았지만 솔직히 김지미의 모습을 보는 것은 매우 힘든 일이었다. 그래서 어느 순간부터 스스로 김지미가 나오는 장면은 모두 희화화해서 보기 시작했던 것 같다. 내가 영화를 제대로 봤다고 말할 수 있을지 모르겠다. 다만 생생하게 기억나는 부분들은 소련에서의 장면들이다. 몇 십 년 만에 재회한 김명곤과 이혜영이 걸어 내려갈 때, 이혜영이 버스에 탄 김명곤을 떠나보낼 때, 검붉은 흙과 붉은 하늘, 색이 바랜 버스와 흙모래 바닥은 아름다울 뿐 아니라 너무 맞는 풍경이라고 생각했던 장면이었던 것 같다. 그 장면들을 보며 가슴이 뭉클했었다. 그리고 이장호 감독님이 이 영화에 대한 슬픔을 토로하실 때 그 감정이 무엇인지 아주 약간 알 것 같았다는 것이 기억이 난다.

무엇보다도 감독님께서 마지막에 해주신 말씀이 많이 기억이 난다. 꿈이 있으므로 해서 모든 것이 시작이 된다고 말씀하시며 이야기를 시작하셨다. 솔직히 약간 눈물이 났다. 내가 잘 알아들은 것인지는 확실하지 않지만 마음이 요동쳤다. 감독님 같은 어른을 한 학기 동안 본 것으로 인해 가슴이 뛰었던 것 같다. 한 학기 동안 너무 행복했다. 비록 지각이 잦았지만 (정말정말 죄송합니다!!!) 모든 영화와 말씀을 다 듣고 보았고 김홍준 선생님께 비키라는 말을 들었지만 선생님의 유머가 나와 코드가 맞는다는 생각도 했다.

이장호 감독님에 대해 감히 내가 뭐라고 할 수 있을까. 감독님은 젊게 사시는 분이 아니라 그냥 젊으신 분이라는 생각은 항상 했었다. 색소폰을 부시며 얼굴이 빨게지셨는데 그것도 너무 귀여우셨다. 그리고 나는 아직 나이도 어린 게 왜 이렇게 잘난 척하면서 또 무기력하게 사는가 생각이 들었다. 그리고 아, 내가 남자어른과 이야기를 나눠 본지가 얼마나 되었을까. 혹은 중년, 그 이상의 연세를 가진 어른과 대화를 나눠 본 적이 얼마나 있었나 하고 생각했다. 부모님을 제외하고는, 몇몇 학교 선생님을 제외하고는 없다. 나는 얼마나 좁게 살고 있는 것일까. 어떻게 살아야 하나 매일 생각하지만 얄팍한 나 자신만을 파고들었을 뿐이었다. 그 사실을 의식하지 못한 채 지내오다가 매주 이장호 감독님을 만나면서 자극을 받았고 그것이 어떻게 내게 자극이 되었는지도 모르고 있었다. 지금도 내가 알고 있는지 확신할 수는 없다.

　　나는 항상 내가 존경할 수 있는 어른을 찾았다. 그리고 그것이 쉽지 않다는 것을 알았다. 실제로 그럴지도 모른다는 의심은 있다. 하지만 그렇다고 해도 내가 사람들을 찾으려 하지 않았고 사람들에게 진심으로 관심을 기울이지 않았기 때문에 보지 못했을 가능성이 크다는 사실도 알았다. 보고 싶은 것만 보려했고 나만, 나에 대해서만 생각하려 했다. 내가 바보 같다고 생각하는 사람들, 그러나 사람이 한 가지만 가지고 있는 것이 아니라는 것을 많이 늦게 깨달은 것 같다. 상대방은 항상 나를 비추는 거울이기만 했다. 하지만 그렇지 않다는 것을 이제 알았다. 진심으로 궁금해 하지 않았기 때문에 아무것도 알 수가 없었던 것이다.

　　이장호 감독님과 만나면서 좀 더 다양한 사람들, 다양한 연령대의 사람들을 제대로 만나고 싶다는 생각이 들었다. 다양한 연령대의 사람을 만날 수 있는 사회는 더 건강해질 수 있을 것이라는 나름의 추론도 얻었다. 물론 이장호 감독님이 매우 희귀한 분이라는 사실은 어렴풋이 짐작이 된다. 이런 분을 한 학기 동안 뵐 수 있었던 것이 너무 행운이고 너무 흔한 말이지만 지금 느끼는 감정을 살면서 잊지 않도록 노력할 것이다.

명자 아끼꼬 쏘냐

_에필로그

김홍준 학생들의 질문 중에 첫 질문은 조금 엉뚱하다고 할까, 재미있다고나 할까. 본인한테는 꽤 절실한 질문 같아서 골라봤는데요.

"카리스마와 건강을 유지할 수 있는 비법을 여쭤 봐도 될까요?"

이장호 내가 카리스마가 있는지 건강한 건지 잘 모르겠는데 건강은 내가 따로 노력한 게 없으니깐 부모님한테서 타고난 거고, 하나님이 주신 거라고 감사하게 여기고 있고. 나한테 카리스마가 있다고는 생각 안 해. 주책없을 정도로 덜렁거리기도 하고 사람들하고 같이 있는 것을 좋아하는 것만큼 또 말도 많고, 그래서 오히려 가볍게 보이리라고 생각을 하는데… 나한테 카리스마가 있다는 것은 학생들이 보기에 나이가 많고 하니까 그런 것 때문에 카리스마 있다고 생각되는 게 아닐까. 내가 나를 봤을 때는 위엄이 없다고 느끼고 또 그동안 살아오면서 줏대 있게 살아온 것도 없고, 그런 말에 대해서는 내가 이의를 제기하는데?

김홍준 아마도 이 학생은, 저는 질문한 학생들을 다 아니까요. 좀 고민이 많을 거예요. 나이도 좀 있고 다른 공부를 하다가 학교에 늦게 왔는데 졸업도 다가오고 하면서, 과연 현장이라는 곳에 나가서 자신도 감독의 길을 찾아 봐야하는데 감독님을 뵈면서… 감독이라면 저런 배포와 흡인력과 솔직함 그리고 사람들을 매료시키는 것들이 있어야 한다고 생각하는 것 같아요. 그런데 이 친구가 재밌는 것이 영화는 굉장히 세게 찍어요. 폭력 등이 강한 영화를 찍는데 본인은 아주 순한 친구거든요. 영화제 때도 보면 호러영화나 잔인한 영화 찍는 감독들이 막상 본인들은 순한데, 이 친구는 사실 그런 면에서 감독님처럼 겉으로도 뭔가 있어야 되지 않나, 해서 이런 것을 여쭤 보는데 카리스마는 이런 뜻인 것 같네요.

이장호 리더십은 영화 한 편 잘 만들 수 있을 정도면 충분하고 개인적으로 풍기는 카리스마는 전혀 소용이 없는 것 같아요. 영화 현장에서 양순하고 소심한 감독들이 얼마나 영화를 잘 만들어내. 그런 것을 보면 잘못된 카리스마는 영화를 망칠 수도 있지.

김홍준 영화감독이라는 정체성이나 직분을 어떻게 생각하시느냐에 대한 질문을 어떤 학생이 약간 우회적으로 이렇게 질문했는데요.

"혹시 자식 중에 한 명이 영화감독이나 배우가 되겠다고 한다면 그것에 대해 허락하고 서포터해주셨을지 아니면 반대하셨을지 궁금합니다" 실제 그런 일이 있었나요?

이장호 우리 아이들은 은근히 아빠에 대한 사회적인 명성 같은 것은 다행으로 생각하지만 영화감독에 대해서는 매력을 못 느끼는 것 같아. 영화감독 한다는 애도 없었고 난 영화감독 한다고 하면 반대하지는 않았을 텐데, 한다면 내가 실패했던 것들이라든지 이런 것들은 피해서 젊어서부터 영화감독에 가장 이상적일 수 있는 정

● 유년 시절

●● 형과 아버지, 어머니

●● 어린시절 형과

● 아버지와 동생
●● 아내와 아들 슬기

신적인 것, 환경 이런 것들을 만들어주고 싶어. 그런데 우리 자식들 중에는 없고 좀 힘들 거라는 생각에 그런 것은 꺼려. 좋은 영화를 만들고 사람들에게 평판을 얻고, 이 길에서 성공하기는 힘들다. 그런 생각을 하면 얼른 권하고 싶지는 않아. 그리고 개인이 마음먹었다고 해서 성공하는 것은 아니고 여건을 갖춰주어서 성공하는 것도 아니고. 때로는 너무 잘 만들어서 고생하는 사람이 있을 수도 있고, 그런 것 저런 것 생각하면 얼른 권하고 싶지 않은 직업이기도 해.

김홍준 사실 평탄하고 평균적인 삶을 원한다면 포기하거나 희생할 것들이 많은 일이기도 하죠. 그것과 연관해서 재미있는 질문이 하나 있었는데요. 감독님께서 첫 시간에 성장배경이나 가족사 얘기를 하신 것을 보고 나름대로 유추한 것 같아요. 감독님이 알고 계시는 진실과 다르면 정정해 주시면 되겠습니다.

"그동안 감독님과의 대화를 통해서 유추해 본 감독으로서가 아니라 감독님 개인의 삶은 크게 굴곡져 보이지 않았습니다. 넉넉한 집안 환경에서 유년시절을 보내신 것 같고요. 아버님의 도움을 받아 신상옥 감독님과의 인연도 제법 쉽게 이루어진 편인 것 같았습니다. 물론 그 뒤에 연출부 생활을 하면서 고된 시간을 보내기도 하셨지만, 주변의 도움을 받아 비교적 쉽게 영화를 시작할 수 있었던 것과 초반에 큰 경제적 어려움 없이 마음껏 영화를 할 수 있었던 것에 대한 부러움이 컸습니다. 감독님은 이런 제 부러움에 대해 어떻게 생각하십니까?"

이장호 뭐 그건 정말 사실이고, 나는 상대적으로 우리 신상옥 감독님이 가지고 있던 풍운아적인 그런 삶에 약간 열등감을 느끼고 있거든. 나는 저렇게 거칠게 살지 못하고 평평하게 살았다, 라는 것에 대한 열등감이 있다고. 오히려 영화감독이 된 후에 파란만장했지. 영화감독 되기까지 파란만장했다는 생각은 안 들더라고.

김홍준 사람마다 다르겠지만 어떻게 보면 그때는 영화현장에 진입하기가 요즘보다 더 쉬웠다는 생각이 들어요.

이장호 요즘에? 옛날에?

김홍준 옛날에요. 요즘보다 영화를 하겠다는 사람이 상대적으로 적었겠죠. 후반작업을 뺀다면 오히려 영화현장에서 필요한 인력은 그때나 지금이나 비슷한 수준일 텐데… 요즘은 영화학교나 또 자기가 영화를 하고 싶어 하는 친구들도 많고, 그러다보니까 이 학생이 부럽다고 한 것은 자신을 경제적으로 뒷받침해준다거나 감독님처럼 영화 쪽에 잘 아는 분이 있어서 진입을 할 수 있다거나… 그래서 요즘 보면 영화계, 특히 다른 예술분야 사람들이 바라볼 때 큰 오해가 있더라고요. 우리 영화계가 진입장벽이 높거든요. 사실 연출부 하나 들어가려고 해도 어떤 학교를 나오고 선후배가 있고 자기가 단편영화를 잘 찍어서 수상경력이 있다거나, 이런 경력의 진입장벽이 높다보니까 연줄 같은 것이 많이 작용할 수밖에 없거든요. 그러니까 어떤 오해를 하냐면 영화판은 원래 다 저런가 보구나, 라는 생각을 하더라고요. 사실은 일단 들어오고 나서부터는 영화라는 것은 자기의 실력으로 살아남는 곳 아닙니까. 한국사회의 다른 분야에 비하면 지연이나 학연, 혈연으로 되는 것이 아니잖아요. 저는 그렇게 생각하거든요.

이장호 나는 이미 입지가 되어 있으니까 그런지 몰라도 요

에필로그

401

즘처럼 영상을 쉽게 만들어 낼 수 있는 조건이고 또 내가 젊었으면 영화감독이 '되고 싶다'가 아니고 '하고 싶다'고 하면서, 아마추어로 많이 만들어 보면서 아마추어끼리 발표하고 그러다가 잘하지 않았을까 하는 생각이 들어.

김홍준 요즘 시대는 그런 것이 가능한 시대인 반면에 좀 더 많은 사람과 만나고 싶다, 작품을 통해서 대중을 상대로 하고 싶다면 더 어려운 부분이 있는 것 같아요.

이장호 나도 내 동생한테 차이를 느낀 게 나는 '되고 싶다' 였고 걔는 '하고 싶다' 였지. 하고 싶은 게 많았던 아이고 나는 되고 싶은 게 많았던 아이였다는 것을 어렸을 때부터 느꼈어.

김홍준 저도 약간 고루한 생각인지 모르지만 영화과 학생을 가르치면서 느낄 때 고민이 될 때가 있어요. 학생들에게 어떤 얘기를 해줘야하나. 영화를 하고 싶다, 라는 것과 영화감독이 되고 싶다는 것이 일치하지 않는 경우가 가끔 있는 것 같아요. 그럴 때는 참….

이장호 많지. 영화뿐만 아니라 모든 것이 그럴 거야.

김홍준 특히 우리가 예술이라고 부르는 것들이 더 그렇겠죠.

이장호 그래서 어떻게 보면 된 사람보다, 많이 하면서 평범하게 사는 사람들을 존경스러운 눈으로 봐야 할지도 모를 거야. 그런 사람이 없으면 사회가 어떻게 유지되겠어. 되고 싶다는 놈들만 있으면 개판되겠지.

김홍준 되고 싶다는 사람들이 너무 많은데다가… 다음은 조금 얘기를 바꿔서 감독님이 수업시간에 간간히 언급하셨지만 이런 질문이 있었습니다.

"신상옥 감독님 외에 멘토로 삼았던 감독이 계십니까? 존경하는 외국감독 내지는 롤모델이 있다면 어떤 분이십니까?"

이장호 난 김기영 감독을 짝사랑하는 편이었고, 나에게 없는 것을 가지고 있으니까. 신상옥 감독님은 내가 흉내를 내서 그런지 신감독님이 가지고 있는 것은 내가 충분히 갖고 있고, 같은 성향의 재능으로는 신감독님보다 내가 더 복을 받았다는 생각을 가지고 있는데… 외국 감독은 내가 지금까지도 정말 그 사람이 갖고 있는 것을 갖고 싶다는 사람은 뮤지컬 감독 밥 포스의 재능을 굉장히 부러워하고. 어떤 때는 내가 지금이라도 재즈댄스를 좀 해볼까, 그럴 정도로 그 사람의 감각이라든지 의식의 세계를 좋아했다고. 그 다음에 기초적으로 내가 어릴 때 좋아했던 감독들이 다 내 멘토이지. 뭐 비토리오 데 시카라든지 페데리코 펠리니라든지. 이탈리아 네오리얼리즘 감독들이 다 내 멘토이지.

김홍준 감독님 영화를 본격적으로 연구하는 연구자가 제대로 없어서 그렇지. 〈바람 불어 좋은 날〉, 〈바보선언〉, 〈과부춤〉 그 시절의 일련의 영화를 깊이 파고 들어가면 네오리얼리즘이 있을 겁니다.

이장호 뿌리가 확실히 그거야. 그 안에서 데 시카의 영향을 받은 부분, 루키노 비스콘티의 어떤 부분을 현대적으로 활용하는 그런 것들이 많이 나타나지.

김홍준 어떻게 보면 비스콘티적인 퇴폐적이고 쾌락주의적인 면들이….

이장호 그럼, 그럼.

김홍준 아까 그 밥 포스의 말이 나오니까요. 어떤 영화를 특히 좋아하세요? 〈캬바레〉도 있고 〈올 댓 재즈〉도 있고.

이장호 내가 제일 감탄하는 것은 〈캬바레〉하고 〈올 댓 재즈〉야. 그리고 밥 포스의 뮤지컬이 할리우드의 뮤지컬하고 확연히 구분이 된단 말이야. 제임스 조이스인가? 의식의 흐름을 사용한 작가. 뮤지컬에서 제임스 조이스적인 분위기를 내는 감독이 밥 포스 밖에 없지 않나, 라는 생각이 들고. 그 다음에 내가 영화에서 흉내를 많이 내려고 했던 사람 중의 하나가 〈바보선언〉 그런 쪽에서 영향을 받지 않았을까 하는데, 그 누구지? 한국여자하고 살기도 했고 뉴욕파로 살기도….

김홍준 우디 앨런 감독이요.

이장호 그래. 우디 앨런의 영화를 보면 너무 엉뚱해서, 그렇게 좋아하는 사람은 아닌데 영화의 엉뚱함 때문에 〈바보선언〉 같은 것은 우디 앨런의 영향이 컸으리라고 생각되네.

김홍준 그 즈음에 우디 앨런의 70년대 영화들이 그런 식으로 형식을 비튼다거나 대놓고 야유를 보낸다거나, 뒤에 오면 점점 거장 티를 내기 시작했지만….

이장호 우디 앨런은 그렇게 큰 대우를 받을 감독이 아닌데.

김홍준 이제 작업 얘기를 좀 들어가겠는데요. 저도 이번에 감독님의 영화를 이렇게 한 학기 동안 정기적으로 보면서 느낀 게, 감독님 영화는 연기자들의 영화구나. 연출이 약하다는 이야기가 아니라 연기자들을 영화 속에서 또 영화 바깥쪽에서, 말하자면 발굴하고 그 사람들의 베스트를 뽑아내고… 감독님의 연기론이라고 할까. 이런 것도 아마 체계적으로 말씀을 들을 수 있는 기회가 따로 있었으면 좋겠다고 생각을 했는데요. 연기에 대한 질문이 몇 개가 나왔어요.

"프리프로덕션 단계에서 배우들과 대화를 많이 하시는지요. 배우들과 어떻게 작업하시는지 궁금합니다" 이런 질문이 있고요. 또 이 친구의 재밌는 질문이 "감독님 본인이 처음에 배우지망생이셨는데요. 혹시 거기에 대한 미련이 있으신지요. 카메오로 출연도 하셨지만 직접 주연으로 나서 볼 생각은 해보신 적인 없으신지요?"라는 질문이 있었습니다. 그리고 "요즘 보면 영화감독이 자신의 영화에 주연으로 출연하는 경우도 종종 있는데 그런 현상에 대해서 어떻게 생각하시는지요?" 참고로 이 친구는 본인의 단편영화에 직접 주연을 해봤던 친구예요.

이장호 영화감독이 연기를 한다는 것은 당연한 것이라고 생각해요. 그런 감독 중에 훌륭한 감독이 많고 영화배우 하다가 영화 감독을 잘 하는 감독이 비토리오 데 시카도 그런 편이고, 또 누구지 제일 잘 만드는 클린트 이스트우드, 또 〈흐르는 강물처럼〉이 누구 지?

김홍준 로버트 레드포드.

이장호 로버트 레드포드라든지. 〈시민 케인〉 만든 그….

김홍준 오손 웰즈.

이장호 오손 웰즈라든지. 난 그거는 당연하다고 생각하고 있고 연기자에 대해서는 섬세하게 배려를 하지 않은 것이, 〈결혼 이야기〉를 보면 어떻게 최민수씨하고 심혜진씨를 저렇게 자연스럽게 연기시켰을까하고 놀랐거든. 가만히 보니깐 김의석 감독이 그 사람들한테 일일이 섬세하게 지시를 할 감독이라고는 전혀 생각이 안 되고 연기자한테 많은 부분의 자유를 주지 않았을까. 그래서 민주적 방식에서 연출을 하니깐 저렇게 되지 않았을까 하는 생각이 들더라고. 나는 그런 점에서 연기자들한테 좀 많은 것을 요구했던 것 같아. 커뮤니케이션을 많이 했다기보다 요구를 너무 많이 하지 않았나. 그래서 어떤 때는 연기자들이 괴롭고 부자연스러운 연기를 보여주지 않았을까 하는 생각이 드네.

김홍준 그 점에서 돌발질문이 갑자기 떠오르는데요. 저는 〈나그네는 길에서도 쉬지 않는다〉를 다시 봤거든요. 3년 전에 충무로영화제 때 보고 또 80년대에도 보고 해서 4번째 보게 됐는데, 3년 전에 봤던 것과 완전히 느낌이 다르더라고요. 그때는 〈나그네는 길에서도 쉬지 않는다〉의 형식이나 스타일을 먼저 받아들였던 것 같아요. 의식의 흐름이나 여러 가지… 그런데 이번에는 연기들이 보이는데, 특히 마지막에 이보희씨의 신들린 연기 같은 데서는 오싹오싹 하는 것이 느껴졌었거든요. 그래서 혹시 〈나그네는 길에서도 쉬지 않는다〉를 연출하실 때는 연기자들과의 연출방식에서 그전의 영화와는 다른 게 있었는지, 혹시 감독님이 신들린 상태에서 하셨는지가….

이장호 그것보다 스토리텔링 영화들은 스토리텔링 자체에 내가 휩쓸리게 되거든. 근데 가장 엉뚱하게 나왔던 〈바보선언〉과 〈나그네는 길에서도 쉬지 않는다〉는 보니까 스토리텔링이 아니야. 내가 가지고 있는 생각이나 인식 같은 것이, 의식이 아니라 무의식이 저절로 흘러나올 수 있는 영화가 아니었나 생각이 들어. 내 영화 중에 내가 의식하지 못한 사이에 나의 본 모습이 드러난 것이 〈바보선언〉과 〈나그네는 길에서도 쉬지 않는다〉가 아닌가 하는 생각을 했다고. 그랬기 때문에 이런 추측도 해본거야. 다른 영화는 스토리텔링 때문에 흥행이 됐는데, 나를 그대로 노출하니까 나는 결국은 흥행성이 없는 감독 중의 하나구나. 그런 생각을 하게 된 게 〈바보선언〉을 하고나서, 〈나그네는 길에서도 쉬지 않는다〉는 가장 내가 나왔던 영화라는 생각을 해서 그런 얘기를 했던 것 같아.

김홍준 흥행성은 당대의 이야기이고 산업 이야기지만 감히 이렇게 예언하자면 아마 100년 뒤에는 두 작품이 감독님 영화 중에서 사람들이 가장 많이 보는 흥행영화가 될 것 같습니다. 고전 영화 중에서는요.

이장호 나도 나중에는 그런 얘기를 하게 될 거야. 어떻게 보면 모든 걸 다 털어내고 아무 부담 없고… 하나는 가장 나를 포기했으니깐 부담이 없었고, 하나는 돈에서 해방되니깐 부담이 없었고. 그 두 개가 가장 홀가분한 영화가 아니었나 생각이 드네.

김홍준 〈나그네는 길에서도 쉬지 않는다〉 할 때는 연기자들에게 크게 요구를 하거나 부딪칠 일이 별로 없었겠네요.

이장호 없었어. 어떻게 보면 놀러 다니는 기분이었고 이보희씨나 김명곤씨도 직업으로 생각 안하고 나하고 관계해 왔던 우정이나 애정으로 그냥 쉬는 작품처럼 생각했었다고. 그런 속에서 스태프들 몰려다니면서 찍고 그랬으니까 대학생들이 찍는 실험영화지.

김홍준 요즘에 이유는 다르지만 홍상수 감독이 비슷하게 영화를 찍고….

이장호 홍상수 감독한테 부러우면서도 내 기분을 좀 느끼는 것은 홍상수 감독이 영화를 임하는 태도 몇 개가 나하고 비슷한 게 있더라고. 시나리오가 없다, 라고 생각하고 있고 현장에서 즉흥적인 연출을 하고 있고, 이런 저런 것들이 비슷한 느낌을 주더라고.

김홍준 영화를 만들면서 그것을 즐기는 방식이 비슷한 것 같아요. 즉흥연출이라는 말씀이 나왔는데요. 엄격한 의미에서 즉흥이라는 것은 아니잖아요. 아무것도 없는 것이 아니라 현장에서 뭔가 해놓고… 거기에 대해 감독님이 언급하신 것도 있고 해서 질문이 몇 개가 있는데요. 모아서 질문 드리겠습니다.

"감독님께서는 현장연출이 강하고 그것을 즐기시는 것 같습니다. 저는 아직 부족해서 단편영화임에도 불구하고 시나리오와 콘티가 완성되지 않으면 촬영에 들어가는 것이 너무나 불안합니다. 감독님께서 생각하시는 현장연출의 장점이나 노하우가 있다면 말씀 부탁드립니다. 혹은 현장연출도 좋았지만 이런 것은 프리프로덕션 단계에서 확실하게 잡아두고 갔더라면… 했던 적이 있으시다면 말씀해주세요" 또 비슷한데 "즉흥연출의 힘과 그것이 줄 수 있는 특징들 때문에 한계를 느끼시거나 감독으로서 현장을 진행하는 데 문제가 없으셨는지 궁금합니다. 그리고 그러한 연출이 주는 특징적인 장점도 들을 수 있었으면 좋겠습니다" 그리고 "이번 마스터클래스에서 새롭게 알게 된 사실이 즉흥연출에 대한 것입니다 사실 학교의 현장에서는 정석적으로 콘티나 스토리보드를 짜서 해야만 영화를 찍을 수 있다는 강박관념이 있거든요. 그래서 즉흥연출을 신선하게 받아들인 것 같아요. 자신들이 보기에 저 정도 장면이라면 아주 세밀한 계획을 세웠을 것 같은데 현장에서 즉흥으로 하셨다고 하니깐 경악을 금치 못하는 거죠. 그러면서 짧은 시간 안에 사건의 드라마틱한 느낌의 밀도를 표현해야 하는 영화의 특성상 즉흥연출에 의한 장면을 위해 고려되어야 하는 것들은 무엇인가요?' 디테일한 질문인데 전체적으로는 감독님이 생각하시는 현장연출 내지는 즉흥연출의 노하우라고 할까요.

이장호 질문에 답이 다 있는데. 즉흥연출의 장점은 바로 단점이 되고, 미리 다 준비하는 것은 장점이 되고 단점이 되거든. 이게 자기 성품하고 기질 이런 것이 다 맞았을 때 되는 건데 즉흥연출을 하는 사람은 전체에 대한 흐름이 더 강할 거야. 늘 더 중요하게 가지고 있을 거라고. 근데 정확하게 짜는 사람은 디테일에 집착하는 사람

일거야. 그 사람은 어떻게 보면 늘 자기가 디테일을 짤 때 전체의 흐름을 놓고 짠다고 생각하기 때문에 우리처럼 강박관념에 안 빠져 있을 거라고. 즉흥연출을 하는 놈은 자기가 위험한 짓을 하고 있다, 위험한 길을 가고 있다, 라는 생각 때문에 전체 흐름에 대해서 늘 강박관념에 빠져있고… 반대로 디테일하게 연출을 다 계획한 사람은 늘 자신은 연출하고 있다는 생각 때문에 어느 틈에 전체 흐름에 대해서 소홀할 수 있다는 생각이 드는데.

내 기질은 책상에 앉아서 상상을 못하겠어. 인내심이 부족해. 앉아서 모든 상황을 다 그리면 머릿속이 터질 것 같아서, 의외로 대범한 게 아니고 결벽증이 있기 때문에 앉아서 상상이 다 안 떠오르면 터질 것 같고 괴롭고 견디지 못해서 일어나버리고 말잖아. 하지만 현장에 가면 모든 게 얼마나 섬세하게 준비되어 있어? 자연환경에서부터 모든 게 더 이상 섬세할 수가 없잖아. 거기다가 의식적으로 옮겨놓는 것이 쉬워지는데, 결벽증이 있으니까 아마 즉흥연출을 할 수 있지 않았을까 생각이 드네.

김홍준 그것은 중요한 말씀인 것 같아요. 상식적으로 생각하면 대범하고 거침없는 그야말로 다혈질인 사람이 할 것 같은데 사실은 임권택 감독님도 일종의 즉흥연출 같은, 콘티 없이 하지 않습니까. 그런데 지켜보면 사실은 굉장히 디테일에 매달리고 뭔가를 해결하기 위해 끝장을 봐야하는데, 그것은 현장에 가서 현실과 부딪쳐야만 직성이 풀리는 거죠. 저도 직접 지켜보지는 못했지만 듣기로는 모든 것을 짜 가서 현장은 그야말로 머릿속에 든 이미지를 수단을 통해서 화면으로 옮기는 그런 작업을 하시는 분이 아마 이명세 감독 같은 경우라고 들었거든요.

이장호 그런 사람들이 성공하면 괜찮은데, 현장 가서 자기 뜻대로 안되잖아? 그럼 연출에 서툰 사람은 초기에 실패를 많이 할 거야. 당황해서 어쩔 줄 모르고 배짱이 없으면 외부적 조건 때문에 혼란스러워서 자기가 원하는 가장 이상적인 것을 얻지 못하고 형편 없는 것을 가지고 들어 올 수밖에 없지.

김홍준 이명세 감독님 영화를 보면, 그래도 그런 점에서 자신의 그런 이미지를 끝까지 관철하신 것 같다는 느낌이 많이 들고….

이장호 농염해지는 게 후반기에서 농염해지고, 〈개그맨〉 같은 거는 아마 자기가 생각대로 열심히 할 테지만 당황해서 뜻대로 안 된 걸로 소득을 얻어서 들어오고, 그런 데서 많이 고민하고 짜서 그렇게 성장했으리라고 봐.

김홍준 〈개그맨〉 이야기가 나오니깐, 감독님과 이명세 감독님의 계보를 따져보면 감독님이 조감독이면서 일정부분 뭐랄까, 상하관계나 주종관계라는 측면보다는 동반자적 관계라고 할 수 있는 배창호 감독님이 있었고요. 배창호 감독님이 이명세 감독님과 비슷한 관계라는 느낌이 들었거든요. 배창호 감독님은 그렇다면 어떤 쪽이라고 생각하세요?

이장호 배창호는 굉장히 치밀한 계획을 가지고 영화를 하는 친구고, 현대그룹에서 일을 했으니까. 이게 계획성이 없이는 절대로 설명 못할 조직이거든. 아마 배창호는 내 밑에서 일하면서 즉흥성이라든지 이런 것에서 속으로 놀라고 그걸 많이 흡수했으리라고 봐. 그래서 오늘이 됐고, 만약 나를 거치지 않았으면 이상하게 꼼꼼한 감독이 됐을지도 모르고. 그 밑에서 자란 이명세씨는 배창호씨의 꼼꼼함을 더 확실히 마스터한 것 아닌가 하는 생각이 드네.

김홍준 감독님, 이명세 감독님의 영화는 좋아하십니까?

이장호 난 창작극을 굉장히 좋아해. 남들과는 다른 스타일을 갖고 있는 것을 굉장히 높이 사고 어디 가서 얘기를 하면… 이명세의 환상은 재미라기보다 부자연스러워도 어떻게 저렇게 환상을 확실하게 만들어 낼 수 있을까, 라는 생각이 들더라고. 〈형사〉를 보면 색깔을 현란하게 쓴 것이라든지, 이명세씨하고 배창호씨가 감독이 된 다음에도 일본에서 굉장히 오래 공부하고 있었거든. 그래서 미조구치 겐지 연구하고 했을 때 저놈들이 일본적 환상을 공부를 많이 했구나, 라는 것과 배창호씨한테서 느낀 것은 〈황진이〉를 보면서 일본영화에 심히 빠졌었던 때 영향이 나타나는구나, 라는 생각을 했고. 이명세씨는 안성기를 과장으로 썼던….

김홍준 〈남자는 괴로워〉

이장호 그것은 실패한 것 같은데. 〈첫사랑〉 후에 〈인정사정 볼 것 없다〉하고 〈형사〉, 요즘에 독하게 자기 스타일을 만들고 해서 일본영화의 좋은 점을 잘 받아들인 것이 아닌가 하는 생각이 드네.

김홍준 일본영화 얘기가 나왔으니까 일본의 그런 감독들과 해방 이후에 가장 넓고 깊게 교분을 개인적으로 쌓으신 분이 감독님이신데요. 한일 영화교류에 간접적으로 물꼬를 트신 분 중 한 분이라고 생각하는데, 어쩌면 한국이 군사독재만 하는 줄 알았더니 제법 생각 있는 영화인도 있구나, 라는 충격을 일본의 지식인들에게 준 걸로 기억하고 있어요. 감독님 본인은 일본영화에 대하여 어떻게 생각하시는지.

이장호 나는 일본영화에 대해서 좋은 점을 깊이 발견 못했어요. 미조구치 겐지 영화랑 이런 것들 보면 너무 멜로드라마, 우리 대선배 감독들한테서 흔히 볼 수 있는 모습들이 많고 해서 못 찾았고 그 누구지… 그 사람이 야마다 요지인가? 〈태어나서 미안합니다〉.

김홍준 오즈 야스지로 감독이요.

이장호 아, 오즈 감독. 난 오즈 감독의 실험적인 무성영화를 보면서 야! 이런 천재가 일본에 있다, 라는 생각에 놀랍더라고. 내가 채플린을 좋아해서 그런지 장점을 발견했지. 일본영화는 시나리오를 좋아한 적이 있었어. 내 연구실에 가면 책이 많잖아. 저번에 연구실에 와서 누가 그러더라고 이런 책은 버리라고… 이사 가려고 하니까 책을 버리려다가 거기 아끼는 책이 있었는데 옛날 『전후 세계 문제 작품집』 중에 시나리오가 있더라고.

김홍준 저도 가지고 있습니다. 시나리오 희곡집으로.

이장호 그때 일본 시나리오가 너무 좋았거든.

김홍준 거기 아마 〈태양의 계절〉도 있고 〈나라야마 부시코〉도 있고.

에필로그

413

이장호 시나리오가 굉장히 좋았고, 〈나라야마 부시코〉 같은 경우는 좋게 봤던 것 같아. 내가 일본에 가서 상처를 많이 받은 게, 일본영화는 좋은 영화고 우수한 영화라고 생각했었는데 장점들을 발견 못했어.

김홍준 오시마 감독은 어떻게 생각하세요? 보는 눈이 워낙 다양하시지만.

이장호 오시마 나기사 감독 영화가 너무 다양해서 〈교사형〉 같은 흑백시절의 영화는 서툴고 아마추어적인 느낌을 많이 주는, 그러다가 〈감각의 제국〉 같은 것 보면 어리둥절해. 또 〈메리크리스마스, 미스터 로렌스〉를 보면 서양감독인가 일본감독인가 혼란스럽기도 하고… 오히려 스타일이 확실한 것은 구로자와 아키라 같은 사람이 확실하지. 구로자와 아키라 영화 중에서 내가 가장 좋아할 수 있고, 정말로 생각할 수 있는 영화는 〈꿈〉이라는 영화. 아, 나도 나이 먹으면 저 사람처럼 동심에서 영화를 한번 만들고 싶다는 생각이 들더라고.

김홍준 혹시 구로자와 감독의 최초의 컬러영화인 〈도데스카덴〉 보셨어요?

이장호 내가 아주 좋아하는 영화 중에 하나야.

김홍준 저는 그 영화 보면서 감독님이 좋아하실 것 같다는….

이장호 〈바람 불어 좋은 날〉에 그 영화의 영향이 좀 있지 않을까, 하는 생각이 드네.

김홍준 그전에 보셨어요?

이장호 전에 봤지. 아니다 그 후에 봤구나.

김홍준 그 후에 보셨죠.

이장호 그 후에 봤지. 가만 있어봐 이상하다. 내가 〈바람 불어 좋은 날〉을 80년대에 만들었는데….

김홍준 영화가 일본에서 나온 것은 그전인데요. 그전에 보셨을 수도 있었던 것은 일본에 가셨거나 아니면….

이장호 가서는 못 보고 비디오테이프로 봤겠지. 왜냐하면 〈도데스카덴〉에 나오는 전차 운전하는 남자아이 있잖아. 그런 남자애를 고르려고 굉장히 애썼거든. 그 전에 본거야.

김홍준 감독님께 자양분의 하나가 됐던 영화네요.

이장호 그렇지.

김홍준 감독님 영화의 또 다른 구체적인 작품에 대한 재밌는 질문들이 몇 개 있어서 하나 하겠습니다.
"감독님의 영화는 악역을 찾기가 쉽지 않습니다. 처음에는 악역처럼 보이다가도 결국은 연민을 가지게 된 인물들이 많았었죠. 주인공을 크게 방해하는 대상은 주로 이런 악역들 보다는 계급, 돈, 개인의 어쩔 수 없는 운명 혹은 국가전쟁과 같은 거대한 상대들이었습니다. 감독님께서는 한 사람의 삶이 타인과의 관계 혹은 개인의 선택으로 인해 일어나 사건들보다도 어떤 큰 흐름이나 운명들로 지배된다고 생각하시는지요?"

이장호 그 친구는 내가 못 느낀 것을 얘기해서 갑자기 그릇이 커 보이는데.

김홍준 그러고 보니깐 사실 그런 것 같은데요. 저도 솔직히 딱 느낀 게.

이장호 나는 의심을 못했는데. 악역이 있었나? 악역이 없었잖아.

김홍준 물론 줄거리 속에서 사회적 통념으로 볼 때 도둑이라거나 악한은 있지만 캐릭터가 관객들이 미워하게 만드는 것은 없었던 것 같아요.

이장호 나는 악역을 잘 그리지 못해.

김홍준 〈별들의 고향〉의 경아의 첫 남자 정도가….

이장호 우리가 농담으로 그런 얘기를 많이 하거든요. 시나리오를 잘 쓰려면 악인을 잘 그릴 줄 알아야 시나리오를 잘 쓰는 거야. 우리는 착해서 악인의 세계를 모르고 악인을 그릴 수 없으니깐 시나리오를 잘 못쓴다는 얘기를 농담 반 진담 반으로 하거든. 근데 악의 세계를 그릴 수 있다면 유능한 사람인 것 같아. 〈배트맨〉 만들었던….

김홍준 팀 버튼이요?

이장호 팀 버튼이었어? 그게?

김홍준 네. 〈배트맨〉 1편은 팀 버튼이고… 아, 〈다크 나이트〉 말씀하시는 거예요?

이장호 어. 그 악역.

김홍준 아, 조커?

이장호 그래. 난 그걸 보면서 저 정도로 악의 세계를 그릴 수 있어야지 정말 스토리텔링을 완벽하게 한다고 생각을 했거든. 난 그 영화 보고 감탄했어. 근데 그 사람은 악의 세계를 너무 잘 그리는 사람이니까 정작 배트맨은 너무 무능하게 그려버렸어.

김홍준 평면적이 되어버렸죠. 질문에서는 그런 것도 있지만 감독님 영화에 보니까 사실 영화마다 달라지고 작품세계가 변해도 사람들이 고통 받는 것은 인간관계나 악당이 나를 괴롭힌다는 것보다 역사, 제도라거나 그런 것에 대해서 기본적으로 반골 기질이 있으신 것 같은데.

에필로그

417

이장호 반골 기질이 아니고 정직한 거 아니겠어. 우리 사회를 보면 종교에서도 얘기하지만 사람을 미워하지 마라. 죄를 미워하지 사람을 미워하지 마라. 여러 가지 죄라는 것이 인간이 낳은 전체적인 인습이라든지 제도라든지 이런 데서 나온 거지, 사람에게서 나오는 것은 아니라고 생각해. 사람은 변화할 수 있고 회개할 수 있고 고쳐질 수 있고, 뭐 이런 것이 거든.

김홍준 영화를 만드는 사람으로서 저라도 당연히 감독님 작품을 체계적으로 처음 봤을 때 느끼는 것 같은데요. 다음은 개인적인 고백도 있어서⋯ 그리고 이 수업을 제가 처음 맡았을 때 은근히 바랐던 것이 현실로 답이 나와서 기분이 좋아서요.

이장호 그런 것도 여기 다 있나?

김홍준 다 있습니다. 여긴 제가 질문 부분만 추려내서 편집을 한 것이고, 질문에 대한 답도 좋지만 이런 식의 반응을 보인 학생에게 감독님의 소회나 또 느낌이 있으시면 말씀해주시죠. "사실 저는 고전영화를 좋아하지 않는 사람이었습니다. 어디 가서 영화과 학생이라고 말을 못하고 다닐 정도로 부끄러운 수준이었죠. 그나마 이영화학교에서 2009년 작년에 들은 미국영화사가 첫 고전영화와의 만남이었고요. 한국고전영화를 제대로 접하여 한 편을 처음부터 끝까지 관람한 것도 이번 기회를 통한 이장호 감독님의 영화가 처음이었습니다. 한국의 오래된 영화에 대한 제 선입견은 〈바람 불어 좋은 날〉에서 모두 사라지게 되었는데요. 그것은 기술적인 것이나 만듦새에 대한 선입견이 아닌 감정에 관한 것이었습니다. 세 남자들의 고민과 불안 그리고 마지막 안성기 선배님의 대사는 세대가 흘러도 변치 않는 제 자신의 고민과 다짐이기도 했습니다. 개인적으로 감독님의 영화들 중 가장 좋아하게 된 영화였는데요. 감독님께서는 영화 내에서 플롯과 감정 두 가지 중 어떤 것이 중요하며 관객들에게 더 크게 작용한다고 생각하시는지 궁금합니다" 라는 질문이 있었습니다.

이장호 아이들이 나하고 한 학기 하면서 많이 솔직해진 것 같은데(웃음). 플롯, 감정, 음….

김홍준 아니면 질문을 좀 바꿔보자면 감독님께서 구분해서 생각해 보신 적이 있으신지?

이장호 없지. 나는 논리적이 아니거든. 분석을 해도 체계적으로 분석하지 않고 내 몸 안에, 정신 속에 갖추고 있다고. 분석을 거쳤다고 생각하는 거지, 그것을 끄집어내서 분류를 해놓고 이런 성질이 아니거든. 우선 난 플롯을 굉장히 무시하는 편일 거야. 플롯을 무시하는 편이라 〈과부춤〉도 나오고 〈바보선언〉도 나오고 플롯에 반발할 수 있는 정도로 기승전결에 대해서 얽매어 있지 않는 것, 감정이 더 중요하지 않을까 생각을 해. 난 캐릭터만 확실하면 영화가 된다, 라고 생각을 하거든. 홍상수 감독도 그런 편이지.

김홍준 홍상수 감독은 나름대로 영화의 어떤 심층구조라고 할까요.

이장호 자기 것이 확실하지.

김홍준 어떤 구조가 딱 있죠. 대칭일 수도 있고, 반복일 수도 있고.

이장호 한 번도 거기서 벗어난 적이 없어, 홍상수는.

김홍준 심지어 〈해변의 여인〉을 보면 주인공으로 나오는 영화감독이 감독 본인의 분신 같은, 아예 도표를 그려가면서 자기 영화를 설명하게 했거든요. 홍상수 감독 얘기를 직접 듣는 것 같았어요. 수학문제 풀듯이 자기 영화를… 감독님은 무의식적으로 그럴지는 몰라도 의식적으로는 전혀 그런 게 없는, 심지어는 〈어우동〉 같은 영화도 시나리오에 충실했다고 하셨지만 어딘지 그게 어긋나 있는 게 보이거든요.

이장호 어긋나 있어. 내가 그것 때문에 편집할 때 우리 스태프 말고 모니터를 많이 데리고 와서 이야기 구조와 기승전결을 좀 봐달라고 했었다고. 미스터리로 나가는 구조였는데 플롯이 굉장히 중요하잖아. 그게 손에 안 잡히는 거야. 거기에 내가 재주가 없고, 난 추리에 대한 기능이 전혀 없다고 생각하는데.

김홍준 그래도 〈어우동〉 같은 경우는 그것이 모두 맞아 떨어지거든요.

이장호 시나리오만 없었으면 큰일 날 뻔했지. 시나리오가 중요하지.

김홍준 가끔 한국영화들 중 그런 영화들을 보는데 미스터리를 막 멋있게 만들어내요. 그러면 저는 걱정이 되기 시작해요. 이걸 어떻게 수습하려고 하나… 결국 마지막에 수습을 하지 못하고(웃음). 근데 〈어우동〉은 그런 점에서 최소한 수습은 된 영화이죠.

이장호 〈어우동〉은 오히려 설명 부족이었을 거야.

김홍준 요즘 관객들은 충분히 나머지 빈칸들을 채워 넣을 수 있을 것 같아요. 오히려 비약이나 개연성이 없는 것도, 그것이 이야기를 재밌게만 만들어주면 수용하는.

이장호 〈어우동〉에서 내가 얘기하고 싶었던 게 어우동이라는 인물을 실제와 역사에서 다르게 언급을 했다, 라는 부분을 보여주고 싶었고. 그게 어떤 내용이냐면 어우동은 실록에 보면 죄인으로 취급했는데 어느 부분에선가 죽지 않고 계속 살아있었다… 그래서 박원숙이라는 인물을 어우동 대신으로 죽이고, 실록에는 그렇게 남게 하고 영화에서 어우동은 여전히 자유롭게 살다가 갈매하고 죽었거든. 그런 애매한 것들이 바로 야사를 만들어요. 정사正史와 야사野史가 달라지고 민중 속에서는 어우동이 오히려 영웅화 되어가는… 그런 것을 보여주고 싶었는데 거기에 대해서 내가 설명이 좀 부족했다는 생각이 들더라고요. 그런 메시지가 확실히 살아서 관객들에게 전달됐으면 하는데 좀 어려운 부분이지, 그런 메시지를 전달한다는 것이.

김홍준 또 그게 너무 구체적으로 확실했으면 그 영화가 탄압받는 영화가 됐을 것 같은… 그 정도였는데도 이상한 투서가 나올 정도이었으니(웃음). 여담이지만 어우동이라는 단어와 모자와 의상과 프리섹스의 이미지, 이런 것들은 완전히 감독님 영화로 대중화가 된 건데 대중문화에서 상징적인 아이콘으로서 참 생명이 긴 게 어우동인 것 같아요. 며칠 전에 보니 우동CF에 어우동이 나오더라고요 (웃음).

이장호 아니, 그거보다 〈어우동〉이 그때 2개가 나왔다고. 내 영화하고 동시에 2개가 나왔는데….

김홍준 기획이 같이 된 것입니까? 아니면 감독님 영화 나와서 따라 나온 줄 알았는데 그게 아니었던….

이장호 따로 나온 거지. 난 그 영화를 보지 못했지만 거기는 기생모자도 못 썼거든.

김홍준 좀 포장이….

이장호 시각 차이도 크고 포장도 차이가 크고, 그게 좀 강한 라이벌이었으면 〈성춘향〉 대 〈춘향전〉이 되는 건데 난 은근히 기대를 했는데도 안 따라오더라고(웃음).

김홍준 막상 링에 올라갔더니 맥이 빠지는.

이장호 그래, 맞아(웃음).

김홍준 감독님 본인은 또 〈깜동〉을 만드셨잖아요. 기획자로서의 〈깜동〉에 대해서 이야기해주세요.

이장호 〈깜동〉이 사실은 얘기가 큰 얘기였는데 〈어우동〉의 이보희씨가 〈깜동〉을 했다, 라는 게 벌써 신선하지가 못했고 〈깜동〉을 만들었을 때는 나나 이보희나 사람들 속에 매너리즘 같은… 흥행에 신선함을 안 줬어. 가령 프란코 제피렐리가 〈로미오와 줄리엣〉을 나이를 확 어리게 해서 만든 것처럼, 사극의 감각을 또 한 번 바꿔야 했거든. 근데 신선하지 못했어. 그러니 아쉬운 작품이야. 〈깜동〉을 다시 한 번 만들어보고 싶어.

김홍준 〈깜동〉은 아이디어를 감독님이 내신 거죠?

이장호 내 아이디어였어.

김홍준 근데 신상옥 감독님 같은 경우는 본인이 연출하다시피 하시면서 조감독 출신들을 감독 이름으로 임원식, 나봉한 감독님 이름을 쓰셨다고 하셨는데 〈깜동〉은 그런 케이스는 아니었나요?

이장호 그런 케이스는 아니지. 내가 좋아하던 감독이지 유영진. 굉장히 기대하고 시켰는데 한계가 있는 거야. 참 똑똑한 감독 같은데 욕심이 첨예하지를 못한 거야. 좀 다르게 만들고 싶다든지 이런 게 눈에 띄어서 불이 번쩍 나야하는데 그냥 적당히 만족해하는 것 같더라고. 그게 안타까웠어.

김홍준 그게 요즘의 현장에도 어쩌면 적용이 될 수도 있다, 라는 생각이 드는데요. 제가 연출부 할 때 처음 늦깎이로 들어가서 열심히 짐 지고 다닐 때 그런 말을 들었었거든요. 충무로에 옛날부터 내려오는 속설 중의 하나가, 유능한 조감독이 좋은 감독이 못 된다는… 나중에 그 말이 어떤 말인지 알겠더라고요.

이장호 그런 말이 많지. 거의 틀림이 없고.

김홍준 감독님은 별로 유능한 조감독은 아니셨을 것 같아요.

이장호 예를 들면 내가 조감독 때 참 엉터리였던 게, 다른 조감독들은 스크립트페이퍼에다 기록을 곧이곧대로 했거든. 근데 난 그냥 대학노트에다가 했어. 왜 꼭 스크립트페이퍼에다가 해야 하느냐, 한 장 넘기는 게 너무 번거롭더라고. 그래서 신상옥 감독님이 가끔 가다가 느닷없이 저번에 찍은 거 가져와보라고 하면 기록장 가져가고(웃음), 이렇게 보시더니 놀라. "야, 너 이걸 기록이라고 했니?" 그러다가 화가 나가지고 이 새끼 못쓰겠다며 집어던진다고(웃음). 그렇게 욕먹으면서 그걸 버리지를 못하는 거야. 난 형식 이런 데에 적응을 못하는 것 같아. 조직의 규범, 형식, 인습 이런 데 선천적으로 적응을 못하니까 내 방법을 개척을 해야지만 안심하는 것 같아. 그래서 연출부 일도 내가 편한 방식으로 했단 말이야.

김홍준 반드시 튄다고 해서 좋은 감독이 되는 것은 아니겠지만 그런 것은 있었겠죠. 이미 주어진 시스템에 그런가보다 하면서 자기를 맞춰서 그 안에서 돌아가다 보면 어느 순간 함몰돼서 이게 왜 꼭 이래야 되는지, 대안은 없는지에 대한 생각 자체가 없어지는 것 같아요. 그런데 감독이라는 역할은 사실 반대잖아요. 영화라는 것이 시장에서 관객과 만나서 뭔가 새롭고 자극을 줘야 하는데 자기 안에서 이미 안이하게 딱 굳어버리고 있으니까.

이장호 그거에 대해서 적응하면서도 속에 불만이 있어서 자기 것 그대로를 가지고 나와서 꽃을 피우는 사람이 있는가 하면, 반대로 뿌리째 없어지는 것, 제도와 인습에 완전히 뿌리째 없어져서 정말 거기에 100% 적응하는 사람, 나 같은 경우는 정말 그것 자체도 못 견디는 거지. 그런 세 가지 인물의 종류가 있는 것 같아.

김홍준 그러니까 어느 새인가 영화현장에는 엄청나게 잘 적응이 되었는데, 반면에 자기가 왜 영화를 하며 무슨 영화를 할 것인지 어느 순간 깜빡 잊어버린 거예요. 그런 친구들이 원래 자리로 돌아오는데 굉장히 고생을 해요.

이장호 사람 좋은 게 영혼을 팔게 되는 거나 마찬가지야.

김홍준 그런 유형을 보이는 학생들을 보면 조금 걱정이 되면서도 제가 나서서 그러지마, 이럴 수도 없고.

이장호 그런 친구는 빨리 흥행감독 되고 프로듀서 능력, 이재理財에 밝아질 필요가 있지.

김홍준 경영에 대한….

이장호 그러면 쓸모가 있지.

김홍준 그렇죠.

이장호 오히려 그런 친구는 고집스럽게 자기만 지키려고 하는 친구를 우습게 보면서⋯ 그런 친구를 다루는 걸로 성공을 해야지.

김홍준 그렇게 맞는 환상의 커플이 될 수 있죠. 한 명은 프로듀서 한 명은 감독해서. 저는 아까 감독님 말씀하실 때 뜨끔했던 게 첨예한 욕심이 없는 사람 같아요. 왜냐하면 제가 특히 첫 번째 영화와 두 번째 영화를 완전 다른 시스템에서 했거든요. 첫 번째 영화는 정말 제가 봐도 전통적 충무로 영화의 마지막 세대라고 생각해요.

이장호 〈장미빛 인생〉.

김홍준 왜냐면 그 영화는 기술적으로 보나 시스템으로 보나⋯.

이장호 안전권 이상으로 올라간 영화인데.

김홍준 안전빵으로 찍었어요. 감독님이 말씀하신 것 중에 제일 공감 갔던 게 〈별들의 고향〉 찍으실 때 신상옥 감독님은 어디 가시고 대신 찍고 있는 것 같았다고 하셨잖아요. 저는 〈장미빛 인생〉 처음부터 끝까지 그랬어요. 깜빡깜빡 착각을 하는 거예요. 나는 지금 조감독인데 감독님이 어디 가셔서 대신 찍고 있는⋯ 실제로 조감독이 할 일을 제가 다 했어요. 그런데 〈정글 스토리〉 할 때는 그런 느낌이 없어졌어요. 그때 제가 느낀 게 현장에서 감독님의 큰 장점이라고 생각하는데, 밀어붙이시는 거 있잖아요. 끝까지 가 보는 그게 안 되더라고요. 내가 조금 더 밀어 붙이면 뭔가 나올 것 같은데 스태프들은 전부 피곤해 하고 필름은 잡아먹고 있고 동은 터오고 하면, 에이 100점까지 못가면 90점에서 오늘은 쫑! 그런데 그게 결국은 제

손해인 것은 둘째 치고 스태프들의 손해인 거예요. 그분들이 그렇게 노력하고 희생했던 것들이 결국은 열매를 못 맺더라고요.

　　때로 감독은 아무리 설득하고 설명을 해도 아무도 못 알아듣는 지점이 있어요. 저는 현장에서 약간 선생님 스타일이라 이건 이렇고 저건 저렇고 설명해서 납득을 시켜서 찍고는 했는데 안되는 게 있어요. 그러면 저는 설명이 안 된다면 아무도 모르겠구나, 포기했었는데 그게 사실은 그 영화의 핵심이었던 것 같아요. 그 지점을 아무도 이해 못하는데 내가 옳다고 생각하면 그냥 온갖 욕을 먹든 악당소리를 듣든 가보는 것이….

　　이장호 지금 네가 얘기하니까 외로웠던 생각이 나는데. 〈그래 그래 오늘은 안녕〉을 찍을 때인데 스튜디오 안에서 동그란 이동차를 처음으로 써 본 거야.

　　김홍준 이른바 360도 돌리.

　　이장호 어, 근데 그게 굉장히 까다로운 거더라고. 이동차 구해다가 깔고 그러는데 그게 얼마나 힘든 거야. 스태프들이 한밤중에 다 자. 촬영부하고 나하고만 씨름하는 거야(웃음). 그거 하면서 내가 스태프들 자는 걸 보며 굉장히 외롭더라고, 나만 욕심을 가지고 있고 다른 스태프들은 관심이 없는 거잖아. 근데 촬영기, 그림자, 조명에서부터 굉장히 까다로운 건데 그걸 해놓으면 말이야 관심이 없으니까. 그때 내가 처음으로 영화감독이란 외로운 거구나… 느꼈던 이런 생각이 나네.

　　김홍준 외로운 건 기본(웃음)… 질문을 계속 해야겠네요.

제가 제 질문에 빠져 있었는데 다음에는 감독님 작품의 큰 흐름에 관련된 다른 질문입니다. 감독님 영화를 보면 〈바람 불어 좋은 날〉이 좋았다, 〈별들의 고향〉이 좋았다 등등. 자신의 성향에 따라서 다른데 특이한 게 있어서 얘기를 해드릴게요.

"저는 마스터클래스 수업 중 가장 좋았던 영화가 〈어제 내린 비〉였습니다. 솔직히 작품성 면에서 인정받고 시대의 대표영화로 회자되는 감독님의 다른 영화들보다 더 좋았어요. 김희라씨가 너무 인상 깊었던 나머지 최근 영화 〈시〉에서 중풍 걸린 할아버지 역할을 한 김희라씨가 섹시해 보이기까지 했어요. 그렇지만 이후에는 영화적 성격이 바뀌어 〈바람 불어 좋은 날〉, 〈바보 선언〉, 〈나그네는 길에서도 쉬지 않는다〉 등의 사회성이 짙거나 예술성이 짙은 영화들을 주로 만드신 것 같습니다. 사실 수업시간에 주로 보여주었던 것인데요. 워낙 다양하고 성격도 다르고 흥행성적도 극과 극인지라 하나만 꼭 집어내기 힘드시겠지만, 연출이 아니라 관객으로서 고른다면 감독님 영화 중에서 무엇이 가장 재미있고 보기 좋으셨는지요?"

이장호 이 질문을 한 친구는 엉뚱하기는 좀 엉뚱하다. 그 질문에는 이번에 애들이 못 본 작품만 골라서 보면 어떨까 생각이 드네. 〈그래 그래 오늘은 안녕〉, 〈너 또한 별이 되어〉, 〈그들은 태양을 쏘았다〉 그런 것만 보여주면 애들이 또 이장호 종잡을 수 없다, 그러겠는데(웃음)?

김홍준 〈Y STORY(와이의 체험)〉도?

이장호 그래 〈Y STORY〉. 〈어제 내린 비〉, 〈별들의 고향〉은 여러 사람이 성공시켰다, 내 힘으로 한 번 성공시켜 보겠다, 라고

의식하면서 만든 영화 중의 하나거든. 그러니깐 본격적으로 모작이 많이 나타났지. 내가 〈페드라〉 얘기 했잖아. 근데 어떤 장면이 〈페드라〉인지 모르겠다, 그런 얘기를 했던 아이가 있었던 것 같은데… 그런 것들이 다 어우러져서 내 영화적 재능을 보여주고 싶었던 건데, 나는 개인적으로 〈어제 내린 비〉를 비디오테이프로 보면서 정말 난 못 봐주겠더라고. 근데 큰 스크린으로 보니깐 또 옛날 거기에 빠져. 작은 화면으로 본다는 것이 참 위험하던데?

김홍준 맞아요. 특히 제가 한국고전영화에 관심을 가지고 보면서 정말 놀랐던 게 특히 시네마스코프 영화들은 텔레비전으로 볼 때, 만드시는 분들의 영화에 대한… 이건 되게 비과학적인 얘기지만 요즘처럼 '아, 내가 만든 영화를 요렇게 조그마한 화면으로 관객들이 볼 수도 있겠지'라고 적어도 무의식적으로 알고 있는 것과, 예전엔 그런 게 없으니까 60~70년대에는 영화는 만들면 어쨌거나 큰 화면에서 보는 거였잖아요. 텔레비전에서 어쩌다가 한 것 빼고는 큰 화면으로 보는 것을 너무나 당연하게 생각하고 찍었던 사람들이 만든 영화이기 때문에 크게 보면 다른 것 같아요.

이장호 아 진짜, 카리스마를 완전히 빼버린… 아주 못 봐줄 정도더라고. 그래서 〈어제 내린 비〉를 굉장히 두려워했어. 근데 프린트를 보면서 그래도 볼만하구나, 하는 안심을 했지.

김홍준 또 배우들의 존재감 같은 것은 크게 다가오겠고요.

이장호 근데 확실히 김희라가 했던 역에는 너무 나이가 많은 아이를 택했다는 생각이 들더라고. 김희라씨를 택하기 전에 이대

에필로그

429

근씨를 쓰려고 했거든. 내가 이대근씨를 굉장히 좋아했었다고. 텔레비전에 이대근씨만한 연기력을 갖고 있는 이가 없었거든. 이대근씨랑 친해서 시키려고 하는데 공교롭게도 신상옥 감독님의 신필름에서 〈김두한〉을 하는데, 이대근씨가 자기 성향도 있고 하는데 그걸 놓치겠어. 당연히 거기로 가지. 〈김두한〉 영화는 내가 억울한 게, 아이디어를 내가 줘서 신필름에서 만들게 된 거거든. 내가 꼭 만들고 싶었다고, 조감독 때부터 미치게 좋아했었는데… 결국은 〈어제 내린 비〉 만들기 전에 내 입방정 때문에 이대근씨를 빼앗기고 작품 빼앗기고 그렇게 된 거야.

김홍준 근데 이대근씨는 〈어둠의 자식들〉에 잠깐 나오시잖아요. 가방 들고 서울역에서.

이장호 그렇지, 사기꾼으로 나오는데(웃음). 김두한은 아직도 내가 만들고 싶은 김두한을 그리지 못했어. 김두한 영화는 정말 만들고 싶은 것 중의 하나야.

김홍준 자연스럽게 다음 질문의 답을 감독님께서 해주셨는데 "현재 준비하고 계신 차기작 중에 이것만은 반드시 찍어야 한다고 마음에 담고 계시는 영화가 있으신지 궁금합니다" 일단 김두한 영화를 말씀해주신 것 같고 "많은 시간이 지나고 자신의 영화를 다시 보게 되면서 감회가 새로우셨을 것 같은데, 본인의 작품 중 직접 다시 리메이크 해보시고 싶은 작품이 있으신지요?"

이장호 생각해보지는 않았는데, 사실은 불가능한 일이지만 〈별들의 고향〉부터 전부 다시 만들고 싶어(웃음).

김홍준 다시 만든다면, 그 영화들의 부족함 때문에 그러십니까?

이장호 부족함 때문에 그러는 거지. 나는 그 영화를 만들었을 때 그 시대에 필요해서, 감각이 있어서 만든 거지. 분위기를 완전히 바꿔야 되잖아. 그러니까 그건 의미가 없는 거고, 그렇지 않은 걸로 만들 수 있다면 어떤 게 있을까….

김홍준 그때 수업시간에 학생들도 말했지만 〈어우동〉을 지금 시대에 제대로 한번 만들어보면 재밌겠다, 라는 이야기도 나온 것 같고….

이장호 그거보다 아쉬웠던 게 있을 텐데 나는 지금 마음속으로 섹스 문제에 대해서, 나 스스로도 물론 섹스라는 정말 오묘한 것에 대해서 다 알지 못하고 있을뿐더러, 그거에 대해서 함부로 얘기하면 대외적으로 오해 받을 가능성도 있고. 그런데 나는 섹스에 대해서 본격적으로 한번 영화를 만들어 보고 싶어. 그런데 아주 적나라하기 때문에 오해의 소지도 많고 특히 그것을 크리스천적인 시각으로 그려보고 싶거든. 교계에서 문제가 또 많으리라고 생각하는데, 어쨌든 이번 영화 다음에는 그 문제에 한번 도전해야 되리라고 생각을 해.

김홍준 많은 감독들이 감독 인생에서 후반부이거나 절정이었을 때, 아마 그건 인간의 가장 본연의 부분이기 때문에 정면으로 승부를 거시는 분들이 있는 것 같아요.

이장호 우리가 태어난 데가 바로 여성의 성기에서고, 여성의 성기라는 것은 그런 점에서 보면 인간이 가질 수 있는 가장 존경스러운 것이고, 성기를 통해서 사랑이 이루어져서 잉태가 되는 것으로, 거기서 태어나고 한다면 일종의 성지나 마찬가지거든. 근데 우리는 그것을 희롱하고 음탕하게 얘기하고… 완전히 부계의 모습을 가지고 있단 말이야. 꼭 이 사회에서의 예술을 미리 예언한 것처럼 볼품도 없고 조롱도 받고. 하지만 나는 여성의 성기라는 것에 있어서 크리스천적인 시각으로 적나라하게 다루고 싶다는 생각이 드는데 너무 어려운 점이 많잖아. 그런데 도전은 해야 할 것 같아.

김홍준 감독님이 지금까지 도전하셨던 것들을 보면 그 정도의 어려움은 지금까지도 해 오셨던 것 같은데요. 오늘에서는 오히려 다른 것들에 대한 억압이나 방해가 없기 때문에 좀 더 근본적인 것과 대면하고 싶으신가 보죠. 음, 다음엔 두 가지 소재로 묶어보겠는데요. 그런 다음엔 마무리 질문으로 넘어갈 것 같네요.

"저는 감독님의 삶 속에서 대마초흡연죄로 감독 자격을 박탈당한 사건은, 오랜 시간 개인으로서는 삶의 큰 불행이었으나 영화 작가로서는 사회를 객관적으로 보고 영화 시각을 변모시키는 큰 전환기를 가져왔다고 생각합니다. 만약 과거를 어둡게 드리웠던 그 큰 그림자를 지워낼 수 있다면, 그 시간을 사건 이전으로 돌이킬 수 있거나 사건 이후의 시간으로 되돌릴 수 있다면 어떤 선택을 하셨을는지요. 그리고 지난 30여 년간 감독으로서의 창작활동에서 혹시 후회가 되고 돌이키고 싶은 것이 있다면 무엇이 있는지 궁금합니다."

이장호 선택을 해야 하는데 쉬운 길과 어려운 길이 있다고 하면 내가 어려운 길을 선택할 수밖에 없는 것이, 그걸로 해서 항상 이득을 봤다고 생각하거든. 그러니깐 좌우명 비슷한 것인데 '해가되는 것은 하나도 없다. 이득은 있을망정 해는 없다'라는 말이 생각이 나. 나한테 온 무슨 일이든지 그걸 어떻게 소화하느냐가 문제인데내가 살아온 경험 속에서는 100% 어려운 길에서 큰 이익이 있었고쉬운 길에서는 실망이 빨랐다, 라는 것이 그거야. 아마 그 최초의 자각이 대마초 때 생긴 것 같아. 그 이전에 물론 어려운 길이 있었지만그거는 헤어 나오는 데 급급해서 그게 유익하다, 뭐 이런 것을 못 느꼈는데 대마초부터는 내 인생을 한번 돌아보는 계기가 되었기 때문에 유익하다, 라는 생각을 갖게 된 거지. 지금도 항상 뭐하려고 하면속으로 힘들다고 하면서도 위로가 되는 것이, 힘들수록 좋은 길이라는 생각이 들기 때문이야.

김홍준 개인적인 기억이지만 감독님을 처음 만났던 곳이대마초 때문에 활동 못하시고《영상시대》계간지 하시던 여관방에서였는데, 그러면서 감독님이 굉장히 보스 기질이 강하셨다고 느꼈어요. 아니면 제가 따라다니는 것을 좋아하는지 몰라도, 어쨌든 그렇게 인연이 돼가지고 놀러오라고 하면 놀러가고….

이장호 그때 너는 학생이었으니까.

김홍준 저는 감독님 만나는 게 신기하고 재밌고 좋으면서겁이 났어요. 왜냐면 저는 모범생으로 쭉 커가지고 서울대 다니는 학생이고 삐딱하게 영화를 좋아했지만 그때까지만 해도 영화를 내 업으로 삼겠다, 이랬던 것이 아니고… 취미고 틀에 박힌 모범생 생활의유일한 일탈이 영화 보는 것이었는데, 어쩌다 보니 무시무시한 괴수같은 영화감독이라는 사람까지 알게 된 거예요. 지금도 기억나는 게 그때 술자리에 저를 데리고 가셨어요. 그럼 평소에 만나시는 분들이 쫙 앉아있죠. 그런데 보면 무슨 산적들, 『수호전』의 '양산박'에 와서 앉아 있는… 그래서 저는 무시무시한 거예요. 속으로 생각한 것이, 나는 저 세계에는 발을 들여 놓을 수 없는 사람이다. 나는 너무 곱게 자라서(웃음), 이장호 감독님이 참 대단하신 분이다, 이런 생각을 했는데. 저를 이렇게 탁탁 치시면서 "어, 서울대 다니는 내 후배야." 이렇게 소개를 하시니까 꼭 서울대라는 꼬리표가 따라다니는 거예요. 그런데 그게 좋으면서도….

이장호 자랑스러웠지.

김홍준 아, 감독님이 학벌 이런 것을 따지시나 보다 이랬는데.

이장호 어, 중요하지.

김홍준 그때 감독님의 모습을 보면서도 갓 스물한 살인데 뭘 알겠어요. 그런데 외람되게도 감독님을 굉장히 한심하게 생각했어요. 왜냐면 박정희 체제니깐 이분은 앞으로 영화 찍을 일도 없을 것이고, 저렇게 인생에 아무런 희망이 없는 사람인데 뭐 좋다고 내지는, 심한 말로 잘났다고 사람들 앞에서 폼을 잡고, 별로 나보다 나을 것도 없는데 저를 막 이렇게 부하처럼 하시나. 지금도 창피한 건, 저는 10 · 26을 군대에서 맞았는데 제대하자마자 감독님이 영화를 만드셔서 너무 반가웠고 또 창피했던 게, 사람 인생이라는 것이 알 수 없는 것이구나… 그래서 〈바람 불어 좋은 날〉 개봉할 때 달려갔고 그렇게 또 만났던 거예요.

이장호 아니, 네가 얘기하니깐 생각나는 게 하길종이는 서울대 출신이잖아. 지금 네가 말한 식으로 내가 서울대학교를 항상 말하고 그러니까 하길종이가 나한테 "서울대에 콤플렉스가 있냐? 말끝마다 뭐 서울대 서울대 하냐?" 그러더라고.

김홍준 옛날 얘기가 나오니깐 또 한마디 하자면, 제가 그때 독일문화원에서 빔 벤더스를 알게 된 다음에 감독님 따라다니다 보니까 감독님 만나시는 감독님들….

이장호 네가 나 만났을 때 이미 빔 벤더스 포트폴리오인가 가지고 다니지 않았니?

김홍준 그러니깐 그것 때문에 만났던 거죠. 그리고 전 조금 있다가 군대를 갔죠. 그리고 다시 〈바람 불어 좋은 날〉 때 제대해서 '얄라셩'을 하면서 다시 찾아뵙게 된 거였죠. 그때 감독님을 따라다니다 보면 다른 감독님도 같이 뵙게 되잖아요. 홍파 감독님, 김호선 감독님까지 다 뵈었는데 하길종 감독님을 한 번도 못 뵈었어요. 감독님이 술자리가 있다고 해서 가보면 "하길종 있다 금방 갔어" 또 다음에 뵈면 "그때 너 가고 나서 왔다 갔어"… 〈바보들의 행진〉부터 그랬기 때문에 뵙고 싶었던 분들 중의 한 분이었는데, 그러다 전 군대를 갔어요. 군대를 갔는데 어느 날 신문에서 돌아가셨다는 거예요. 사람이 이상한 게 괜히 제가 그때 만났으면 안 돌아가셨을 텐데(웃음) 말도 안 되지만 그런 심정이었거든요. 저한테는 하길종 감독님이 뭐랄까, 미스터리처럼 남아 있어요. 어떤 분이었을까?

이장호 미스터리네, 신비네. 쉽게 볼 수 있었는데, 《영상시대》 편집하고 그랬을 땐데.

김홍준 예. 묘하게 비켜나갔던 것 같아요.

이장호 하길종이 네 빔 벤더스 글을 보고, 이거 잘했다고 그 랬거든.

김홍준 아, 제 글을 읽으셨네요?

이장호 그렇지.

김홍준 제가 그냥 혼자서 하길종 감독님의 〈바보들의 행진〉 에 관한 짤막한 15분짜리 에세이를 영화로 만든 게 있어요. 그런 것 들이 벌써 옛날이야기가 됐네요. 이제 마무리할 때가 되었는데요. 덕 담을 부탁하기 전에 감독님의 종교에 대한 질문이 나왔는데, 이 학생 은 상당히 사변적인데 마지막 질문만 제가 여쭤볼게요. 꼭 이렇다는 것이 아니라 감독님에 대한 말씀이라기보다는, 종교를 바탕으로 한 영화를 만드신 감독들의 작품에 대한 비판 혹은 우려 같은 질문인데 요. 감독님이 지금 준비하시는 기독교 교인으로서의 연출자로서 만 든 영화에, 분명히 이러한 질문이 영화를 만들기 전이나 나중에 또 나올 것 같은데 어떻게 답변하실 수 있겠어요? "신앙인이 되어버린 예술가가 바라는 어떤 주제 혹은 그 결과로서의 작품을 우리는 포교 활동 혹은 그 결과로서의 설교 이상으로서 받아들일 수 있겠는가. 영 화나 소설이 아닌 하나의 설교가 되어버린 어떤 것 앞에서 우리 관객 혹은 독자는 동의할 수는 없으나 이해할 수는 있다는 감상평을 할 수 있는 게 가능한가. 두 시간 남짓 내가 본 것은 무엇인가. 내가 어떻게

반영해야 하는가?'

이장호 이 친구가 고민하는 것이 내 지금 현재 고민이기도
하고 내 영화가 사람들이 보기에 선교영화다 포교영화다, 라고 생각
하면 이미 실패야. 내 영화에서 크리스천들은 크리스천대로 깊은 생
각에 잠기게 되고, 말하자면 크리스천들이 보고 '아, 행복하다' 이런
느낌이 없을 테고. 비크리스천은 그들대로 선교영화가 아니구나, 라
는 생각을 해야 된다는 생각을 하고 있다고. 그렇기 때문에 이 시나
리오를 내가 마음에 들어 했고. 문제는 우리가 가지고 있는 진지한
주제를 다루는 데 너무 억눌러서 딱딱한 영화가 될까봐 우려하고 있
기 때문에, 사람들한테 편안하고 웃음을 줄 수 있는 것을 찾아서 노
력해야겠다는 생각을 하고 있거든. 여기 등장하는 목사에게 전혀 개
그가 없지만 관객들이 봤을 때 그 사람의 소심한 면이 웃음을 자아낼
수밖에 없는 그런 것들을 살려야하고. 마지막 갈림길에서는 사람들
이 정말 자기 인생의 문제에서 나한테도 항상 주어져 있다는 것을 공
감해야 한다고 생각해.

우리는 살면서 편안하게 살고 극단적인 선택과는 거리가 멀
다고 생각하는데 늘 극단적인 선택 속에 살고 있거든. 어느 날 교통
사고가 나면 극단적인 선택을 해야 하고, 어느 날 생각지도 않은 시
한부 같은 희귀병에 걸리면 극단적인 선택을 해야 하고, 늘 우리는
주변에 삶과 죽음의 선택이 있는데도 이것은 우리하고는 상관없는
문제처럼 생각하는… 종교라는 것이 그런 점을 우리에게 새롭고 가
깝게 인식시키는 것 중에 하나지. 그 친구가 얘기하는 선교, 포교, 기
독교 문제로 영화를 만드는 것은 아니고 삶과 죽음의 문제, 인간과
신의 문제, 뭐 그런 거지.

김홍준 그러면 이제 마지막 질문인데요. 하나는 너무 빤한 질문인데 감독님께 꼭 드리고 싶던 질문입니다.

"영화감독이 꿈인 학생들에게 딱 한마디만 조언 혹은 당부를 해주실 수 있다면 어떤 말인가요?" 이런 뭐 초등학생 패널 같은 절실한 질문이 있고요. 이것은 편지 형식으로 해서 학생들을 대표한다는 생각으로 읽어드릴게요.

"이장호 감독님께, 한 학기 동안 귀중한 시간을 내주셔서 감사합니다. 무엇보다도 이런 수업이 아니면 보지 못했을 이장호 감독님의 다양하고 좋은 작품들에 눈뜰 수 있게 되어 감동적이었습니다. 수업과 리뷰를 마치며 이장호 감독님께 여쭤보고 싶은 것은 영화와 시대에 관한 질문입니다. 감독님께서 왕성하게 작품 활동을 하셨던 70년대 80년대와 달리 시대적 격변이 줄어든 21세기의 영화를 만드는 저희로서는, 시대적 경험이 부족하고 깊이가 없다는 지적을 많이 받습니다. 이렇게 시대적 경험도 통찰력도 부족한 저희가 21세기에 어떻게 시대의 영화성을 표현해야할지, 대선배님으로서 이장호 감독님께서 저희 어린 후배들에게 해주실 말씀을 듣고 싶습니다. 다양한 영화들과 함께 솔직한 면모를 보여주심에 다시 한 번 머리 숙여 감사드립니다. 지금처럼 에너지 넘치시고 건강하시길 바랍니다. 준비하신 작품 기대하겠습니다."

이장호 시대라는 것은 끝없이 과도기야. 그러니까 역사도 그렇고, 역사를 변증법이라고 하잖아. 끝없이 과도기의 세계이기 때문에 특별히 자기가 이 시대를 살고 있는 것에 의식할 필요는 없는 것 같고, 제일 중요한 것은 영화감독이든 예술이든 다른 것을 하든 정말로 자기를 사랑할 줄 알아야 돼. 정말로 자기를 사랑할 줄 알고 자기를 사랑하면 그 사람은 저절로 남을 사랑할 수 있고, 그런 사람은 주변의 어떤 사회적 변화에도 상관없이 훌륭하게 자기 삶을 살 수 있더라고.

영화도 마찬가지야. 자기를 사랑하지 못하는 사람의 영화와 자기를 사랑하는 사람의 영화는 구별이 확 달라진다고. 대개는 우리가 영화를 보면서 돈을 낭비했구나, 하면 자기를 사랑할 줄 모르는 감독이 만들거나 자기를 사랑하지 못하는 시나리오 작가가 쓴 거고. 정말로 자기를 사랑할 줄 아는 사람은 그런 영화를 만들 수 없고 그런 시나리오를 쓸 수 없다고 생각해. 가장 폭넓게 얘기하는 것은 두 가지 질문 모두 다 영화 하는 사람들, 또 시대에 대해서 걱정하는 사람들, 과거를 너무 모른다고 걱정하는 사람들, 그런 것은 모두 전혀 우려할 게 아니고… 자기를 참으로 사랑할 줄 아는 사람이 대단한 거야. 좋은 마지막 얘기인 것 같아.

김홍준 나머지는 감독님 영화 속에 다 답이 들어 있겠죠. 정식 질문은 다 끝났고요. 저도 이번에 마스터클래스를 맡으면서 걱정도 많이 했고… 또 제일 처음에 고민 되었던 것은 읽어보시면 리뷰에 애정 어린 비판도 있는데 작품에 대한 아주 디테일한 분석들, 그리고 이론적인 시각으로 영화를 바라보는 것, 이런 것도 다 같이 보완이 되었으면 배우는 입장에서 도움이 되지 않겠나 했는데요. 제가 어렴풋이 아는 감독님의 스타일로서는 오히려 진솔하게 삶의 선배로서 한번 학생들과 직접, 같은 얘기라도 글로 보는 것과 직접 강의실에서 학생들과 같은 공기를 호흡하며 만나는 것과는 차이가 있잖아요. 그래서 그런 것이 감독님에게 좀 더 학생들과 친근하게 다가갈 수 있는 그런 자리에서 제가 매개역할을 하겠다, 하다 보니깐 너무 토크쇼처럼 돼버린 것 같아서요. 그런 것에 대한 아쉬움도 있었던 것 같아요.

이장호 정말 좋았어. 그런 보완으로 책도 만들고 다큐멘터리도 만드는 것 같고. 내가 살면서 느끼는 건 이제 나이 먹어도 조급하지 않다는 거야. 옛날 같았으면 이상에 쫓기고 도달하려고 애를 쓰고 하는데 지금은 전 단계보다 조금 나아진 상태를 바라는 거거든. 삶이 행복하려면, 그러니까 내가 어떤 목표에 막 가려고 하면 행복하지 않을 것 같아. 내가 한 단계 높아졌구나, 이런 것에서 만족하고 행복해 하는 것이 사람다운 거고, 사람의 한계도 자기가 깨닫고 그런 것 같아.

김홍준 전체적으로 강의 전반에 대해서 한 말씀.

이장호 난 너무 행복해.

김홍준 그런데 학생들 너무 질문들도 안 하고 해서, 제가 죄송하기도….

이장호 그래도 뒤로 다 숨은 질문들이 있고, 거기서 질문했다고 하면 자칫하면 연출도 즉흥적으로 하는 놈이 말도 즉흥적으로 했을 거 아니야. 오히려 이렇게 차분한 시간에 생각도 하는 게 좋지.

김홍준 지금까지 감독님 책도 내셨고 강의도 많이 하셨고 인터뷰도 많이 하셨을 텐데. 이번에 조금 색달랐거나 어떤 의견이 있으시다면, 앞으로 제가 이런 수업을 다른 감독님을 또 모시고 한다고 할 때 조언이 될 만한 게 있다면 말씀을 해주시죠. 격려도 좋고 충고도 좋고요.

- 1974년 현대영화비평가 그룹 영평상 수상자들(홍파 정일성, 조관희, 이만희, 변인식, 이장호, 안인숙, 윤흥렬, 김기영, 신성일).
- ● 1975년 〈어제 내린 비〉 시나리오 작업을 위해 순천에서 머물다 〈황홀(안개 리메이크)〉 촬영팀과 함께(촬영감독 서정민, 조문진감독, 남궁천, 윤정희, 이장호, 김승옥)
- ● ● 1997년 유바리 국제 판타스틱 영화제에서 관객과의 대화에 참여한 이장호, 김명곤.

이장호 우선 학생들 성향으로 봐서 훌륭하다, 라고 생각하는데 나도 그렇지만 어디 질문자 속에 끼어 있으면 사려 깊은 아이들은 빨리 질문을 안 하잖아. 다 속으로 생각하고 그러는데, 외국에서도 그렇고 대개 처음에 질문하는 사람들이 정말 궁금해서 질문하는 사람이 아니라 자기 과시하려고 질문하는 사람이 특히 한국에 많아.

김홍준 오버하는 사람들이 많죠.

이장호 자기 느낀 건 다 얘기하고 질문은 없어. 그런 속이 깊지 않은 사람들이 없어서 다행이었고, 한 명도 없었어. 그래서 좋다고 생각하고, 다음 번에 마스터클래스가 또 계속 될 텐데 내가 하는 동안엔 그런 게 없어서 다행이면서도(웃음)… 불만은 정말 메스로 상처를 자르듯이 당황하게 만드는 것이 없었다는 거야. 이 사람은 틀림없이 어디 아킬레스건이 있을 거라고 생각하고 메스로 '탁!' 해서 마스터클래스에 선 사람 자체가 '야, 이번 한 학기가 정말 엄청나게 무서운 시간이었구나' 라는 생각을 깨닫게 해주면 더 좋겠지.

김홍준 감독님께 그러기엔 제가 내공이 너무 부족했던(웃음)… 오늘도 감사하고요. 학생들은 지식이나 기술보다도 더 중요한 뭔가를 분명히 이번 학기 마스터클래스에서 얻어 갔던 것 같습니다. 아마 자기들이 잘 나가고 잘 될 때는 별로 생각이 안 나겠지만, 좌절을 겪거나 힘들 때는 이때 감독님께서 했던 얘기는 생각을 많이 할 것 같습니다. 책을 낸다면 녹취 내용을 그럴듯하게 포장하려고 윤색을 하는 것보다, 감독님의 기억 때문에 팩트가 잘못됐다거나 또 약간의 보충설명이 필요한 것에 줄을 단다거나, 이 정도로 해서 원문의 맛을 그대로 살리는 게 좋을 것 같아요.

이장호 그런 것도 주석에다 '착각하고 있는 것 같다. 그 시기가 뭐고 뭐고…' 이렇게 쓰면 더 재밌을 것 같아.

김홍준 그래서 그야말로 육성을 듣는 일차적인 증언록 느낌으로 하면서 거기에 학생들의 피드백이나 그 당시의 영화에 대한 자료 같은 것들을 보태서, 감독님의 영화를 좋아하시는 분들이 가이드북으로 볼 수 있는 그런 책으로 한번 생각해 보겠습니다. 감사합니다.

이장호 아니야, 수고 많았어.

　　2010학년도 1학기, 한국예술종합학교 영상원 영화과에서 개설한 이장호 감독님의 마스터클래스는 매우 특별하면서도 어쩌면 가장 '영화학교' 다운 수업으로 기억될 듯하다. 그 '특별함' 의 구체적인 내용을 꼽으라면 우선 다음 세 가지가 떠오른다.

　　첫째, 한두 번의 특강에 그치지 않고, 영화 상영이 있던 수업에는 이장호 감독님께서 빠지지 않고 한 학기 내내 와 주셨다. 둘째, 모든 영화를 35mm 또는 16mm 필름으로 수업 시간에 상영했다. 셋째, 한국영상자료원과 공동 주최로, 학교를 벗어나 한국영상자료원에서 일반 관객이 참여한 세 번의 공개 수업이 있었다.

　　이 특별한 수업을 준비하고, 진행하고, 기록하는 데에는 많은 이들의 참여와 도움이 있었다. 모든 분들께 이 지면을 빌어 감사드리며, 작은 기록으로 남긴다.

　　필름 상영을 허락하여 주신 태흥영화, 동아수출공사, 화천공사, 지미필름 여러분들, 공동주최로 행사를 진행하고 프로그램과 필름 트래픽을 도와주신 한국영상자료원 이병훈 원장님, 오성지님, 조성민님, 매주 수업 때마다 필름을 점검하고 영사를 도맡아 주신 영상원 조세행 기사님, 공문 작성에서 회계 처리까지 수고해 주신 영상원

행정실 오성근님, 기록영상제작을 총괄한 영상원 영상제작센터 이명일 프로듀서, 촬영을 맡은 영상원 영화과 이지민, 최신춘, 신현규, 윤수현, 신현탁, 조은별 학생들, 편집을 맡은 영상원 영상제작센터 김현모 조교, 마스터클래스 담당 TA로 동분서주한 영상원 영화과 전문사 과정 오성규 학생, 뒷바라지에 수고한 영상원 영화과 강승표, 김민숙, 송해나, 노재승 조교들, 그리고 마스터클래스의 아이디어에서 마무리까지 특별한 관심을 기울여 주신 영상원 박광수 원장, 이승무, 편장완, 오명훈, 김양일 교수님과, 과제로 제출했던 리뷰 수록을 허락해 준 마스터클래스 수강생 모두에게 큰 고마움의 뜻을 전한다.

2013년 11월
김홍준

1965년　신필름 입사

1968년　〈무숙자〉〈내시〉조연출

1974년　〈별들의 고향〉으로 감독 데뷔/ 제13회 대종상 신인감독상 수상,
　　　　제11회 한국연극영화예술상 신인상 수상

1975년　〈어제 내린 비〉, 〈너 또한 별이 되어〉 연출

1976년　〈그래 그래 오늘은 안녕〉 연출

1980년　〈바람 불어 좋은 날〉 연출/ 제19회 대종상 감독상 수상, 제17회
　　　　한국연극영화예술상(영화부문) 작품상, 대상 수상

1981년　〈어둠의 자식들〉〈그들은 태양을 쏘았다〉 연출

1982년　〈낮은 데로 임하소서〉 연출/ 제21회 대종상 작품상, 감독상 수
　　　　상, 제18회 한국연극영화예술상 작품상 수상

1983년　〈일송정 푸른 솔은〉 연출/ 제22회 대종상 우수작품상 수상

1983년　〈바보선언〉 연출/ 시카고 국제영화제 본선 진출, 'OUTSTAND
　　　　ING OF MERIT' 수상

1984년　〈과부춤〉 연출/ 일본 키네마준보 우수 외국 영화에 선정

1984년　〈무릎과 무릎 사이〉 공동 제작, 연출

1985년　〈어우동〉 공동 제작, 연출

1986년　주식회사 판영화 설립, 대표이사 취임

1986년　〈이장호의 외인구단〉 제작, 연출

1987년　〈나그네는 길에서도 쉬지 않는다〉 제작, 연출/ 제2회 동경 국제
　　　　영화제 국제비평가상 수상

1987년 〈Y의 체험〉 제작, 연출

1988년 〈바보선언〉과 〈나그네는 길에서도 쉬지 않는다〉 베를린 국제영화제 영인터내셔널포럼 부문 동시 출품하여 각각 ZITY상과 CALIGARI상 수상

1988년 〈나그네는 길에서도 쉬지 않는다〉 제26회 뉴욕 필름페스티발 선정, 〈깜동〉 공동 제작 배급, 〈이장호의 외인구단2〉 공동 제작 배급

1989년 독일·이탈리아 합작 영화 〈모모〉 수입 배급, 베를린 국제영화제 은곰상 수상작 〈죄〉(영국 제작) 수입 배급

1990년 〈미스 코뿔소 미스터 코란도〉 제작, 연출, 미국 영화 〈헬레이저〉 수입 배급

1991년 미국 영화 〈헬 바운드〉 수입 배급

1992년 〈명자 아키꼬 쏘냐〉 연출, 〈숲 속의 방〉 제작 배급, 〈핸드백 속 이야기〉 제작 배급

1994년 KBS-TV 특집 드라마 3부작 〈너의 뺨에 입 맞추리〉 외주 제작

1995년 〈천재선언〉 연출/ 제9회 기독교문화대상 영화 부문 수상

2011년 〈마스터 클래스의 산책〉 연출

2013년 〈시선〉 연출